S0-CCF-962

老罗话指数投资系列

基金定投

让财富滚雪球

老罗 著

電子工業出版社
Publishing House of Electronics Industry
北京•BEIJING

内 容 简 介

基金定投，给普通人“涨工资”！

股市“跌跌不休”“瞬息万变”，与其感慨“坐过山车”“盯盘太虐心”，还不如用行动去拥抱基金定投这种稳健的理财方式，让你的资本增值，变梦想为现实。基金定投可以让我们在熊市享份额，在牛市赚净值，“熊长牛短”的A股市场将更适合定投。但是，基金定投是有很多技巧和方法的，阅读完本书将帮助你提升基金定投的技能！

本书深入浅出，十分易懂，能指导投资“小白”找到适合自己的定投方式，实现美好的“微笑曲线”，让财富的雪球越滚越大。

图书在版编目（CIP）数据

基金定投：让财富滚雪球 / 老罗著. —北京：电子工业出版社，2018.11
（老罗话指数投资系列）
ISBN 978-7-121-34777-1

Ⅰ. ①基…　Ⅱ. ①老…　Ⅲ. ①基金－投资　Ⅳ.①F830.59

中国版本图书馆CIP数据核字（2018）第168339号

责任编辑：高洪霞
印　　刷：北京季蜂印刷有限公司
装　　订：北京季蜂印刷有限公司
出版发行：电子工业出版社
　　　　　北京市海淀区万寿路173信箱　邮编：100036
开　　本：720×1000　1/16　印张：14.5　字数：234千字
版　　次：2018年11月第1版
印　　次：2018年12月第3次印刷
定　　价：49.80元

凡所购买电子工业出版社图书有缺损问题，请向购买书店调换。若书店售缺，请与本社发行部联系，联系及邮购电话：（010）88254888，88258888。

质量投诉请发邮件至zlts@phei.com.cn，盗版侵权举报请发邮件至dbqq@phei.com.cn。

本书咨询联系方式：（010）51260888-819，faq@phei.com.cn。

前　言

当前，投资理财已成为日常生活的重要技能。与其感慨“有钱真好”，还不如用行动去拥抱那令人向往的生活，除了靠稳定的工作获得资金来源之外，还需要靠投资理财让你的资本增值，变梦想为现实。

现实生活中总能听到这样的话，“反正我也没有很多闲钱，投资与我无关”，这正是阻挠很多人开启投资之旅的重要原因，这样的想法其实是有误区的，投资不在乎钱的多少，而在于敢不敢迈出这一步。如今随着互联网金融的发展，投资起点更是低至几十元或上百元，可谓造福普罗大众。投资是以小见大的“游戏”，虽然一般基于多投多得、少投少得的原则，但长期总归是有回报的。只要选择合适的投资工具，掌握正确的投资方法，离幸福生活就不远了。

要学会以小财积大财，不是钱少限制了你的钱包，而是尚未理财让你无法换个大钱包。举个例子，中国台湾定投达人萧女士正视自身贫穷的家庭背景，通过起点低的基金定投工具让自己远离贫穷，顺利翻身，圆了在中国台北市精华区的买房梦，定投改变了她的一生。这也是她一直坚持基金定投并传授经验的原因所在。老罗以前就与大家分享过自己的“定投初体验”，在 2018 年 5 月中旬，定投中证医疗指数基金两年获得 15 个点左右的收益率，这已相当不错了。同时，发现很多跟我一起并肩作战的“小伙伴”，也收获了一定的收益。总之，理财投资要趁早，基金定投是个宝。

从 2015 年年初开始，我开始以“老罗话指数投资专栏”的形式在互联网上不断分享指数投资科普文章及定投的投资方法，前前后后发表了几十万字的内容，2018 年年初也有幸和电子工业出版社合作，出版了老罗人生中的第一本书

《指数基金投资从入门到精通》，这基于我前几年在指数投资方面的所思所想的积累，出版后广受投资者认可，在京东、天猫、当当、亚马逊等平台长期位居基金类书籍的畅销榜前列，很多投资者评论读后受益良多，对书籍内容的实用性表示了充分肯定，老罗也颇感欣慰。

投资者的认可是老罗写书的最大动力，中国 A 股市场瞬息万变，找到适合自己的投资方法特别重要。而老罗认为基金定投是适合中国很多小白投资者懒人理财的好方法，老罗这几年也一直在推广基金定投这种投资方式，故再次执笔写了这本关于基金定投技巧的书籍。

众所周知，A 股市场具有“熊长牛短”的特点，在这样的市场中，基金定投的收益率比一次性投入的收益率高。基金定投可以让我们在熊市享份额，在牛市赚净值，因此“熊长牛短”的 A 股市场更适合定投。但是，基金定投有很多技巧和方法，阅读完本书将帮助你提升基金定投的技能。

第 1 章是给基金投资新手的建议。指导理财“小白”如何充分利用自己的资源实现财富的保值增值，并且建议大家要找到适合自己的投资方式，科学评估基金定投是否适合自己，还讲到老罗为何如此推荐基金定投，最后，分享了自己的定投体验。

第 2 章要求投资者做好自己基金定投计划，首先要明确自己的基金定投初衷，接下来梳理自己的现金流，勤规划精细算，根据自身情况评估自己每个月定投扣款金额，通过各种分析工具筛选出适合自己定投的基金，还介绍如何选择自己定投的渠道，最后制订好自己的定投计划并执行下去。

第 3 章和第 4 章分享基金定投的小窍门和技巧。会帮你分析月定投与周定投孰优孰劣，我们为何要选择指数基金定投，基金定投需要注意哪些费用，以及定投周期需要多长，为何“定投要趁早”，什么样的市场最适合定投等。

第 5 章是基金定投面临的问题及相关对策。分析了基金定投为什么会亏损，当基金定投亏损时，投资者应该怎么办，以及加仓的各种策略，最后告诉投资者应该珍惜熊市，开启自己的定投之旅。

第 6 章教会大家在牛市来临后如何进行定投止盈。首先详细介绍了可以利用情绪法、目标收益率法及估值法三种方法去判断牛市高点，进行基金定投止盈。用数据告诉大家，用分批估值止盈法和目标收益率法止盈，并滚动再投资的效果。同时分析了估值法、目标收益率法存在的缺陷，需要三个方法结合运用。最后，介绍了如何处理止盈赎回的金额等。

第 7 章主要分析市场上智能定投的方法。介绍了智能定投的价值平均策略，同时分析了均线策略法、指数估值法、移动平均成本法这三种常用的智能定投方法。

第 8 章介绍如何进行组合定投。介绍了组合定投的优势，以及如何选择宽基指数进行组合定投，组合定投比例为多少比较合适，行业指数如何进行组合定投，并对相关指数的历年组合定投收益率进行测算。

第 9 章分享了四个不同身份的投资者定投的真实故事，投资者可以从中找到自己影子，坚定基金定投的目标，希望定投投资者学会“与时间做朋友”，静待基金定投这朵“时间的玫瑰”最终美丽绽放！

相信看完这本书的投资者，都将会对基金定投有更深的理解，也能够找到适合自己的投资方法。由于笔者能力有限，若有不足之处，欢迎大家多多指正。另外，大家可以关注雪球和微信公众号“老罗话指数投资”（ID：index_fund），老罗在每个交易日都会发布市场主流指数估值及历史分位等数据，相信都可以成为投资者投资指数基金的重要参考。老罗真心希望“老罗话指数投资”这一平台能够为投资者带来实实在在的能力提升，也希望大家坚信“微笑曲线只会迟到，不会缺席”，让我们一起在基金定投的征途上走得更远，珍惜熊市，慢慢定投，愿大家都能通过基金定投让财富的雪球越滚越大。

老罗

2018 年 7 月 19 日

目　　录

第 1 章　给基金投资新手的建议

1.1　找到适合自己的投资方式

“时间具有价值”，几乎每个人都知道，如果你有闲钱却不拿去做投资理财，或者仅仅去银行存定存，那么注定会跑输通货膨胀，资金会遭遇贬值。因此，在开源节流之外，投资理财成为越来越多人眼中的头等大事。然而投资是一门深奥的学问，作为初学者的投资小白们，又该如何找到适合自己的投资方式呢？老罗在这里为大家总结了 7 点投资启示。

1. 理财不仅仅是有钱人的事

各大媒体常常密切关注各位投资大佬的最新投资动态，也许你会觉得只有身家上亿的资本家才需要理财，只有有钱人去投资才会成功，而如果恰好你身边的朋友亲戚都曾经历过投资失败的惨痛教训，你可能更会这样想：每月的工资扣除房租和日常开销后都鲜有余钱了，不如吃吃喝喝犒劳自己，要是拿去投资，很有可能全变成泡沫！

这样想就大错特错了，你可能没有含着“金汤匙”出生，但现在却主动放弃了“咸鱼翻身”的机会！如果有人问我：“有多少资产才需要开始理财？”我会说，在你有能力养活自己以后就应该开始。只要你努力地做到“开源”，节省地消费，并且用正确的方法投资，你的“小钱”就会像雪球一样越滚越大，终有一天，大到可以实现你曾经差点放弃的梦想——买车、买房、环游世界……任何时候都不要忘记资金具有时间价值，只要尽早开始规划、理财，你就已经赢在了起跑线上。

2. 知己知彼，百战不殆

在老罗的公众号里经常有朋友互动和留言，这其中有不少令我哭笑不得的问题，比如“老罗，你觉得明天大盘会涨吗？”“老罗，可以推荐一只股票吗？”“老罗，怎么别人的基金都在涨，就只有我的在跌，我是不是应该改买股票？”

每当遇到这样的问题时，我都希望大家能够自问一句：“是否为投资做了足够的功课？”如果你只是脑袋一热，大腿一拍就开始投资理财，那跟丢盔卸甲、赤手空拳上阵的士兵有什么区别？《孙子兵法》告诫将军“不知彼，不知己，每战必殆”，投资好比排兵布阵，“知彼”指要熟悉每种投资工具的基本情况，“知己”则指要了解自己的性格。如果你对要投资的工具没有基本的了解，不清楚它的产品性质、风险类型及收益情况，又如何能根据自己的投资偏好做出选择？更不用说构建组合了。所谓“万事功到自然成”，投资也是一样的道理，常胜将军靠的不是会要小聪明，耐心钻研、悉心学习才是制胜法宝。

3. 选择适合自己的投资工具

“风险与收益成正比”是很简单的投资常识，你一定要谨记。大家要相信市场上都是聪明人，收益越高的资产伴随的风险也越高，很多人往往轻信无良公司宣传的“高收益，零风险”的理财产品，而忽略了必然存在的投资风险，最后落得血本无归的下场。因此，对自我进行风险评估，对理财产品逐一详细地了解和学习，是每一个投资者入门的必修课。市面上有很多投资工具，如股票、基金、期货或定存等，市场有风险，各类产品的收益率是无法比较的，基金赚的钱不一定会比定存多，所以对于投资工具的报酬，要有正确合理的期待。其实，投资工具本身没有好坏，只有合适或不合适，相信随着你更加深入的学习，会对各类产品有更加细致的划分，并且做出最适合自己的选择。

4. 人弃我取，人取我与

“夏则资皮，冬则资絺，旱则资舟，水则资车，以待乏也”，商圣范蠡的生财之道给古往今来的商人小贩许多重要的启示，后有吕不韦撰写的《吕氏春秋》，“囤积居奇，贩贱卖贵”也正是这个道理。“大道相通”，股市又何尝不是如此！当股价上涨的时候，股民们纷纷跟进，而善于“寻觅商机”的投资者已经在悄悄抛出了；当股价下跌时，就在股市飘绿，人气低落之际，有人却在悄悄吃进，以待厚积薄发。投资理财，不是盲目地追逐热点，听到身边人的言论、看到市场上资金的活跃流动就一窝蜂地冲进去想捞一桶金。投资更应该专注于独立判断，善于发现潜在的价值，逆他人之道而行。而这些需要的是广博的学识、灵活的头脑和超常的胆魄，非一朝一夕可以得道！急功近利使人盲目，而盲目往往是投资失败的致命原因。

5. 别让你的“杠杆”敲漏了资金袋

我们常在外汇和期货交易中听到人们谈论“杠杆”，通俗来讲就是通过借债、融资，用较少的钱撬动大量的钱，从而放大投资收益的一种高风险的交易方式。期货市场的“保证金交易”，A 股市场的“借钱炒股”都是杠杆投资的一种。然而，我们更加熟悉的往往是与“杠杆”有关的一桩桩失败的投资案例，甚至有人错用杠杆，不堪亏损的重负撒手人寰，令人唏嘘不已。其实杠杆本身并不可怕，更多时候它只是一个投资工具，风险防御系数高的大公司或者技术过硬的专业投资人能够合理地将杠杆加入他们的资产组合，并对巨额亏损有应对策略。但对于时间紧、经验少的上班族和业余投资人士来说，老罗建议大家远离杠杆操作，并且坚持“闲钱操作”的原则，因为无论什么时候，超出自身承受能力的风险暴露都是十分危险的。

6. 书山有路勤为径，学海无涯苦作舟

投资的路上没有捷径，必须要加强自己的学习。别以为什么都不学就能发财，机会青睐有准备的人。很多时候投资机会转瞬即逝，如果没有基础储备，就算机会来了也抓不住。举个例子，2015 年 7 月 8 日，很多分级 A 开盘突然全面跌停，很多投资者一头雾水，这个时候是该加仓还是减仓呢？如果对分级基金比较了解，通过计算就会发现，即使后面市场继续下跌，买入即将下折的分级 A 进行赎回套利，也会有正的收益回报，而这个时候供大家做出投资决策的交易时间只有 6 个小时，相信没有专业知识和基础的投资者是不敢在跌停的时候全仓买入的，而那天很多经验丰富的分级投资者在开盘后很快就判断这是个好的投资机会，当然，这源自于他们专业知识的积累。第二天大部分分级 A 就涨停了，如果在 2015 年 7 月 8 日买入，参与分级 A 的下折赎回的操作，短短几天就可以赚 25%以上。

7．定投——一种简单、易学的投资方式

投资并非一朝一夕可成，是需要长期学习的事情，然而你我都只是单纯地想保本升值的普通人，一来没有权威、可靠的学习资源，二来既没时间又没精力，真正成为投资大师的寥寥无几，赔钱买教训的倒不在少数。老罗认为，对于以储蓄、增值为主要目的的普通投资者来说，指数基金定投无疑是最合适的投资方式。用定时定额的方式购买基金，除可以通过自动扣款强制自己储蓄以外，更重要的是，定投能够平滑市场波动，降低投资风险，于上升、下跌中自动实现成本的摊薄，是一种收益相对稳健的投资工具。另外，定投不主张择时，因此也就避免了主观情绪的影响，投资者不必费心去择机入场，从而使投资更加简单、易学。

当然，定投的最大问题是很考验人的耐性，如果你的性格不适合这种投资方式，而独爱 A 股波段操作，又或者喜欢更刺激的外汇、贵金属等投资方式，也可以通过更加复杂、专业性更强的策略进行投资，但“没有金刚钻，别揽瓷器活”，对自己、对投资工具有一个清楚、客观的认识永远是投资的前提。最后老罗送大家一句定投的感悟，希望大家在定投过程中时刻铭记：“定投开始有信心，中途要耐心，最后会开心”。

1.2　收入低，理财和我无缘吗

有不少刚参加工作的年轻人或者工资不高的工薪族常问：“月入四位数工资如何理财？”总有人回复诸如“多投资自己，多读书”“这点收入想着理财发大财，不如多学几个有价值的技能”等不痛不痒的话。但是理财愿景是每个人都可以有、也应该有的，和收入多少无关。谁说收入低就不能理财了？

实际上能提出这种问题的年轻人是值得我们敬佩的，刚参加工作就能考虑到理财的问题，这样的意识非常难得。那么，收入低的理财小白如何充分利用自己的资源实现财富的保值增值呢？

下面分为几个阶段来阐述。

1. 存钱保卫战

要想开始理财，第一步就是要对自己的经济状况有充分的认识：每个月赚多少钱？开销需要多少钱？结余多少钱？对年轻人来说，收入一般是工资和奖金，这很好计算。在开销方面，则要养成记账的好习惯，这样能清楚地知道自己每个月的支出流水。

有人问，钱花都花了，记账有什么用？此言差矣。记账能帮助你一眼看到自己的钱都去哪儿了，并能有效监督自己，以减少不合理的开支。

在每个月月底看着自己存下来的一笔笔钱，是不是很有成就感？正所谓“手有存粮，心里不慌”，有了储蓄之后就可以开始投资之旅了。

2. 梦想计划表

没有梦想，人和咸鱼有什么区别？赚钱、存钱、理财，这一步步都是为了完成我们最后的梦想而进行的。因此在开始理财之前，必须先明确自己的目的是什么。

一般来说，年轻人的梦想可以按时间长短来分类。

（1）短期梦想（1～2 年）：出国旅游、听演唱会、换电子产品……

（2）中期梦想（4～6 年）：买车付首付……

（3）长期梦想（10 年以上）：买房、子女教育、养老医疗……

这些人生中“庸俗”却实际的梦想，都需要钱的支撑。制定好你的梦想和时间表，你就能知道每个月需要投资多少钱，预期的收益率是多少，在这样的基础上，再去挑选不同的理财产品。

3. 基金定投

至此，该轮到我们的主角“基金定投”上场了。工薪阶层的年轻人，没有充裕的时间盯盘炒股，也没有大量的闲置资金可以购买基金。不要紧，基金定投恰好是最适合这一类人的。

基金定投具有强制储蓄的特点，每个月定时扣款，哪怕每个月只扣 500 元、800 元，长期坚持下来也是一笔不小的资金。更为重要的是，定投是对理财小白很友好的一种投资方式。它不要求有专业知识，只需要有持之以恒的耐心。凭借其“在低点买入较多份额，积攒低价筹码”“越波动越盈利”的特点，定投已经获得了越来越多人的青睐。

4. 财务自由

理财的终极目标——财务自由，看起来总是那么遥不可及。多少人在职场打拼，就是梦想着有一天能够实现财务自由，不用再辛苦工作。财务自由，就是当不工作的时候，也不必为金钱发愁，因为有其他投资。当工作不是养家糊口的唯一手段时，你便自由了，因而你也获得了快乐的基础，同时实现了财务自由。

对于年轻人来讲，财务自由可能还是十年、几十年之后的事。但人们实现财务自由离不开“投资”二字，这样才能在不工作时也有持续的收入来源。从现在就开始投资，接触理财产品，形成投资思维，未尝不是一件好事。

因此，不要再把自己“还年轻”“没钱”作为不投资的借口了。只要方向选得对，只要有坚持的勇气，收入低的理财小白也可以轻松玩转投资！

1.3 一个爸爸每个月要赚多少钱

一个爸爸每个月要赚多少钱，才能撑起一个家？

《岁月神偷》是几年前的一部电影，包含着上一代人难以重现的成长记忆。电影讲述平民阶层里的一个普通家庭。爸爸做鞋，妈妈卖鞋，在那个混乱的年代仅能养家糊口。家里有两个儿子，哥哥功课优秀，弟弟调皮捣蛋。爸爸常说，做人要“保住顶”，告诫孩子人虽穷，但做人做事都要光明磊落。

人对美好生活的向往，常常伴随着现实的困苦。爸爸对自己破洞的汗衫毫不在意，他心中最大的愿望便是帮儿子们铺平脚下的路，让他们将来有所成就。

当暴风雨来临时，弟弟在被吹垮的屋子里嚎啕大哭，父亲总能站出来喊道，有我在不用怕！

当哥哥需要输血时，爸爸当掉了戒指，妈妈抓着爸爸空空的手指哽咽难言，而爸爸依然神情坚定，在冷藏血和新鲜血中毫不犹豫地选择了更贵的新鲜血。20 世纪 60 年代的中国香港，三双鞋才卖 17 元，输一次血就要 200 元。

社会精英总是少数人，大部分人还是过着朴实清贫的生活。如今一个父亲每月究竟要赚多少钱才能撑起一个家？我的朋友中有定居在小城市里，月薪 3000 元照样抚养两个孩子和家庭的父亲；也有在大城市中月入数万元仍旧缩衣节食、不停奋斗，想给家人更好未来的父亲。

身边的新锐父亲们虽然嘴上不说，但生活的压力确实在不断增加。他们把更多的时间和金钱投入家庭，变得越来越沉稳。他们开始为孩子存钱，希望孩子将来的路比自己更顺遂，有更多自由选择的权利。但被“岁月神偷”无情偷走的，不仅仅是时间，还有悄悄贬值变少的存款。不过纵使岁月无情，我们还有基金定投的复利魔法。

爱因斯坦曾说过，宇宙间最大的能量是复利，世界的第八大奇迹是复利。

以存 10 万元作为子女 15 年后上大学的教育储蓄为目标，让我们看看复利的效果。假定普通储蓄以定期存款利率 1.25%/年计算，基金定投以平均年化收益率 8%计算。

普通储蓄，180 个月（15 年），每月需存 505 元；

基金定投，180 个月（15 年），每月仅需 289 元。

节省了接近一半！

我们希望帮父亲们用更少的钱获得更多的回报，帮他们减轻肩上的压力，省下的部分，可以让他们也更好地享受一下生活。

经计算，一个孩子从幼儿园到大学毕业所需的花费至少要 15 万元，若继续深造，则需要更大的开支。假设每月投资 1000 元，坚持定投 15 年，按平均年化收益率 8%计算，15 年后将收获 34.6 万元，如表 1.1 所示。虽然我们不能决定孩子的未来，却可以给他选择未来的权利，去更远的世界看一看。

表 1.1　年化收益率 8%下的基金定投收益测算

理财方式	年化收益率	累计投入（元）	15 年后（元）
基金定投	8%	180 000	346 038

数据来源：广发基金定投计算器；基金定投是一种长期投资方式，建议投资周期至少在 5 年以上，8%为长期平均年化收益率。基金定投不等同于银行存款，定投不能规避基金投资所固有的风险，基金公司不能保证投资人获得收益。投资有风险，选择需谨慎。

明明可以享受复利的魔法，积少成多，为什么要让它悄悄流逝？基金定投是一种省心省力、聚少成多的理财方式，它适合绝大多数投资者。

1.4 老罗为何如此推崇基金定投

熟悉我的人都知道，我对于基金定投非常推崇。我一直认为定投基金是最适合普通人的投资工具。“傻傻地买，聪明地卖，稳稳地赚”，这不仅仅是懒人投资理财的妙法，更是普罗大众的聪明做法。

1. 什么样的人群适合定投

普通工薪阶层最适合定投。

普通工薪阶层有较强的风险意识，对于未来有很好的准备；需要思考衣食住行的舒适，子女的教育，以后的养老生活；收入固定，但时间很少，被工作事业和家庭生活占据了几乎全部时间；希望在投资中赚取收益，却苦于没有专业知识而只能望洋兴叹。这是对普通工薪阶层的生动描述。然而，上班族没有时间理财；“幸福族”考虑着长期规划却担忧未来的资金；风险偏好低的人每时每刻忧虑着股市的波动起伏；“月光族”在月底后悔没有强迫自己储蓄；“投资小白”则在苦恼如何投资。

非常幸运的是，基金定投完全能解决上述人群的苦恼，能够为他们提供一种相对稳定的投资方式，让他们获得“稳稳的幸福”。

2. 定投有什么过人之处

定投最突出的过人之处是三点：省时省力、积少成多、无须择时。

（1）省时省力

基金定投可以说是非专业投资者进行权益投资的最佳切入点。基金定投在固定的时间、以固定的金额，自动扣款投资到指定的开放式基金。两个“固定”、一个“自动”省去了每一次交易琐碎的操作步骤，省去了每一天盯着股市指数起伏的时间，更省去了每一次关注行研新闻动态的选股分析过程。

（2）积少成多

基金定投是以时间换空间的长期投资。其最大的好处在于分批进场、摊薄成本、消除市场波动性。都说“以史为镜”，那么我们就来分析一下美国 1926 年至 1992 年的现实例子：经统计发现，随着投资周期的拉长，投资的赔钱概率在不断下降，甚至在 15 年后竟然能为 0%！如图 1.1 所示。而定投正是一种长期投资方案。

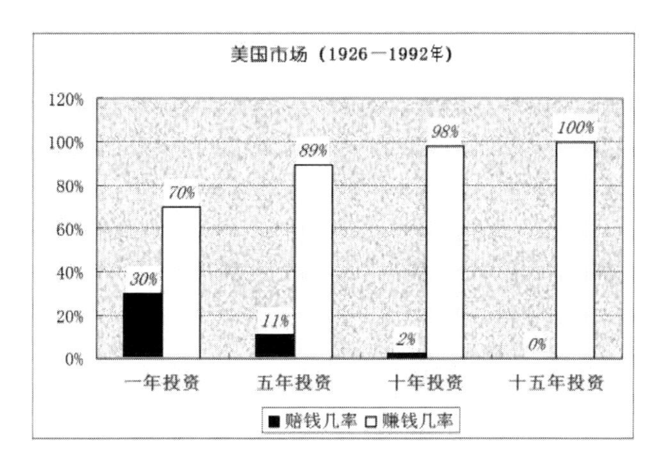

图 1.1　美国市场定投赔钱/赚钱概率

（3）无须择时

一次性投资的收益率非常依赖于对进入时点及退出时点的控制，基金定投则基本没有这个烦恼，其在牛市时自然赚取收益，在熊市时则摊低成本，最终完成一个漂亮的“微笑曲线”，赚取比一次性投资更高的收益。图 1.2 是从 2015 年 5 月 8 日开始直到 2017 年 12 月 19 日结束，每周定投 1000 元上证指数的定投收益率与一次性投资收益率的比较，总体上定投收益率处于一次性投资收益率的上方。

图 1.2　2015.5—2017.12 上证指数定投与一次性投资收益率比较

我给大家总结的结论如下：

- 当市场一路上涨时，定投的回报率比一次性投资略差；
- 当市场一路下跌时，定投的回报率比一次性投资好；
- 当市场先跌后涨时，定投的回报率大大高于一次性投资；
- 当市场波动频繁时，定投的回报率也可能比一次性投资高。

因此，与一次性投资相比，定投基金并不会依赖于择时。

3. 定投可以作为银行理财的补充产品吗

说了定投的这么多优点，接下来用数据看看定投的收益成效。

假若从 2012 年 6 月开始每周定投 1000 元，截至 2015 年 6 月，共定投 3 年，各个指数的定投收益率如表 1.2 所示。

表 1.2 定投市场主流指数 3 年的收益率

指数基金	定投累计收益率	定投年化收益率
中证 100	90.18%	23.90%
沪深 300	101.28%	26.26%
中证 500	161.76%	37.82%
中证 1000	201.75%	44.51%
创业板指	231.77%	49.15%

数据来源：WIND；统计区间：2012 年 6 月 1 日至 2015 年 6 月 1 日。

从表 1.2 中我们可以看到，定投市场主流指数 3 年，年化收益率最低在 23.90%，最高达 49.15%。整体来看，收益率是非常可观的。比银行理财收益率高出很多，说明基金定投至少可以成为我们资产配置中获取高额收益的必要配置。

4. “牛短熊长”的 A 股适合定投吗

历史经验告诉我们：熊长牛短的市场更适合定投！

举个例子说明：2010 年 1 月至 2015 年 6 月是一个牛熊市周期，划分 2010 年 1 月至 2014 年 6 月为非牛市，2014 年 7 月至 2015 年 6 月为牛市，如图 1.3 所示。

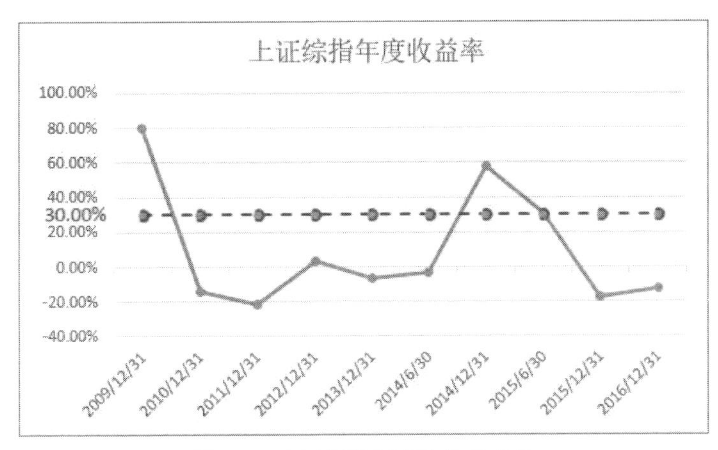

图 1.3　上证指数年度收益率走势

我们分别在从 2010 年 1 月开始至 2015 年 6 月结束（熊长牛短），以及从 2014 年 1 月开始至 2015 年 6 月结束（熊短牛长）这两个时间段每周定投 1000 元与进行一次性投资，如图 1.4 所示。

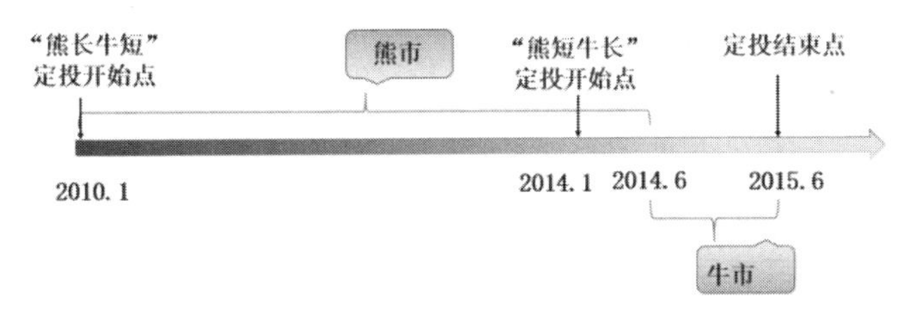

图 1.4　定投时间轴

通过数据可以发现，在 2010 年 1 月至 2015 年 6 月的“熊长牛短”的市场中，定投收益率达到 73.02%，而一次性投资收益率仅为 33.83%；在 2014 年 1 月至 2015 年 6 月熊短牛长的市场，定投收益率仅为 13.17%，而一次性投资收益率为 58.25%，如表 1.3 所示。

表 1.3　定投收益率与一次性投资收益率

类型	开始时点	结束时点	定投收益率	一次性投资收益率
熊长牛短	2010.1	2015.6	73.02%	33.83%
熊短牛长	2014.1	2015.6	13.17%	58.25%

数据来源：WIND；统计区间：2010.1.1—2015.6.30。

可以看到，在熊长牛短的市场中，定投的收益率比一次性投入的收益率高；而在熊短牛长的市场中，定投的收益率比一次性投入的收益率低。A 股市场更多的时候处在“熊长牛短”之中，定投可以让我们在熊市享份额，在牛市赚净值，因此“熊长牛短”的A股市场更适合定投。

当然，定投可以“傻傻地买”，但是“聪明地卖”也是必不可少的。定投与股票投资相比非常不同的一点在于它“止盈”不“止损”。至于“止盈”的方法，老罗将会在第6章“学会定投止盈的方法”中进行详细介绍。

1.5 老罗谈谈自己的定投初体验

1. 定投的魅力

最早接触“定投”这一概念是在2015年10月左右，我被“定期定额”的投资理念吸引，并且开始了深入研究。我发现，定投强制投资者去分批买入、放弃择时，这种理财方式在波荡起伏的A股市场确实有非常大的优势，并且很有可能会优于“一把梭”地买入和各种主动择时的策略。“光说不练假把式”，要想有说服力，最有用的还是一句“亲测有效”，所以，我决定亲自试试定投，如表1.4所示。

表1.4 老罗定投基本情况

主人公	老罗
定投年龄	2岁多
选了哪只基金	中证医疗分级（502056）
定投之路	涨涨跌跌，坎坎坷坷，好在最终红旗飘飘
写作是为了什么	聊聊心得，谈谈感悟，与大家共勉

2. 都说痛过才叫青春，但比青春更痛的还有股市的“跌跌不休”

2016年1月初我开启定投之路。出于对医疗行业十分看好，我将闲钱都定投了医疗指数基金，刚投不久就迎来了一轮不小的上涨，顿时信心倍增，觉得自己果然没有看错。然而，世事难料，股市更加难料，没高兴几天，一番震荡过后医疗板块便开始走下坡路，而且这段“涨涨跌跌跌跌跌跌跌”的定投之路一走就是一年多。中证医疗周定投走势图如图1.5所示。

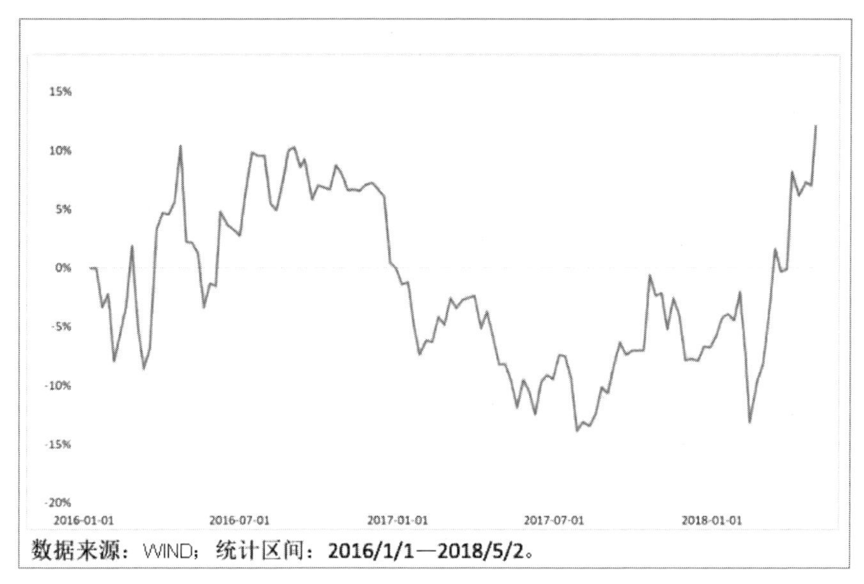

图 1.5　中证医疗周定投走势图

都说做定投要有充足的心理准备，耐得住下跌亏损的折磨。但在整整一年漫长的亏损期间，我做定投的决心曾几度摇摆不定，自我怀疑、过度否定的消极情绪也常常挥之不去。同时，他人的质疑更是“当头一棒”让我老想打退堂鼓。我的一位同事说“你这理财方式来钱慢，又一直浮亏，还不如我一次性投资一只沪深 300 的基金收益高。”确实，2017 年沪深 300 走势上行，连日涨幅也是“芝麻开花节节高”，对比我这只“基”的惨惨淡淡，沪深 300ETF 在 2017 年净值涨幅达到了 22%。

但是大多数人料想的“心灰意冷，郁郁而终”还是没有在我身上发生，尽管承受着基金净值的下跌之痛，但我定投的脚步却没有停歇。因为我始终坚信定投“低位攒份额，高位享收益”的投资理念，我知道长期的下跌是定投者必须经历的过程，在疯狂下跌中仍然“疯狂地买入”，等到市场上涨时方可兑现收益。要想功夫不白费，就要在其他人草草退场的时候，淡然一笑之，继续坚定地投下去，甚至加仓。

3. 功夫不负“定投人”

2018 年 3 月以来，医疗板块猛涨，前期的阴霾一扫而尽，伴随着涨势的还有老罗和跟老罗一样坚持下来的朋友们的心情。值得一提的是，到 2018 年 5 月

25日，定投医疗的累计收益率达到了15.04%，并且两年内的货币基金收益能够贡献4%，因此定投两年的实际收益率达到了19.04%，也就是年化收益率为7.50%，这是一个很不错的收益。

实际上，定投这种方式算得上十分省心了。我在App上设置扣款后，就安心地工作、生活，并不会耽误太多的时间去盯盘，两年坚持下来，在行情翻红的合适位置及时止盈就行。相比之下，我的朋友老王偏好一次性投资主动基金，但持有了两年多，收益惨淡，被问到时也只能面露苦涩，感慨一句："投资真难啊，费时费心，还没有好的回报！"同事老李喜欢波段操作，但偏偏"人事"拼不过"运势"，看来波段操作也不是一般上班族可以轻松驾驭的！

定投确实适合"懒人"投资，节省时间并且操作方便，但也需要投资者有强大的心理素质。我时常想，能让我最终等到"柳暗花明"靠的是什么？不仅仅是因为我能够严格地强制自己"越跌越买"，还有以下几个重要原因。

（1）保持稳定收入

稳定的工作保证了我能有持续的现金流。我虽然积极地理财，但我的主业还是"朝九晚五"的工作，所以定投的前提是有稳定的收入保证。长期持有赚一份相对稳定的收益，而不是盲目追求高收益。

（2）投资闲钱

我的每周扣款金额是经过认真衡量后决定的，原则是投入的资金量不会影响我的生活质量。同时我也做好了紧急备用金的准备，有急需用钱的大事时也完全能够应付，从定投的一开始就坚定"闲钱投资"的原则，这让我在漫长的下跌中不至于无路可退。也就是说，抛开了急于求成心态，摆脱了盲目追求"巴菲特式的成功"，我也有更强大的心理耐受力去承担巨幅下跌的风险。

（3）调整心态

股市的赢家往往是"心态的赢家"。"炒股炒基"的牛人们身上总有许多标签，经验、直觉、胆量等，都令投资小白们神往不已。但其实，每个人都拥有一个法宝，就是"心态"。在信息大爆炸的时代，资本市场更是消息满天飞，尝到牛市甜头的幸运儿们总想着再来一次2015年的股市传奇，但往往成为赔得最惨的人。因此，定投更应该戒骄戒躁，不赌不贪，坚持分批买入的原则，耐心地积累份额、聚沙成塔，最终收益肯定不会差。

（4）贵在坚持

贵在坚持。这次定投从 2015 年 11 月开始，持续了将近两年半时间，其间经历了下跌和上涨，我跟做定投的朋友们一起经历过非常黑暗的日子，所以当我反复强调“坚持定投”的时候，希望大家相信我是真切地经历过一切的。投资不是一劳永逸的事情，所谓“十年磨一剑”，很多人耐不住性子、承受不住下跌就在大浪淘沙中被迫出局。只有坚信跌多必涨且坚定不移的人，才能笑到最后。

小贴士：

（1）定投更方便。作为普通的上班族，“定投初体验”帮我找到了适合自己的理财方式。年轻工薪族通常工作繁忙，没有时间和精力专注于投资理财，所以基金定投正好适合。同时，大家都应该对自己有正确定位，对市场有清楚的认识，明白自己到底想赚取多高的收益。

（2）组合定投更保险。上述示例中的这次定投经历不能算是完美的，仍然能够看到我的“稚嫩”和“不成熟”，可以说“铤而走险”。我发现，行业指数的风险还是挺大的，定投医疗最终上涨是因为医疗确实是一个景气的行业，但如果碰上三年五载都死气沉沉的行业，可能就真的不好说了。所以，风险防御性高的投资者不妨选择组合行业来定投，并且尽量选择“高景气、高波动、高成长”的“三高”行业；如果没时间琢磨组合，就定投宽基指数，如沪深 300、中证 500 和创业板指数等。

1.6 “基金定投十年十倍”的说法靠谱吗

经常有人对老罗说，“基金定投能实现十年十倍吗？还不如买个股，个股能够实现十年十倍。”对于这种质疑，老罗也在想，基金定投十年十倍能实现吗？废话少说，老罗直接用数据说话。

1. 理论最高收益率

我们把中证 500 指数作为投资对象，并假设我们能精准把握股市最高点和最低点，从 2005 年 7 月 19 日中证 500 指数处于历史最低点 692 点时开始投资，在 2015 年 6 月 12 日指数处于历史最高点 11 616 点时停止投资。

如将投资分为三轮，每轮在相对高点时及时止盈，开启下一轮投资，投资周期如表 1.5 所示。

表 1.5　最理想的定投中证 500 指数的三轮收益率

中证 500 周定投	开始	起点	终止	终点	本轮 累计收益率	本轮 年化收益率
第 1 轮	2005/7/19	692	2008/1/15	5495	254.46%	66.16%
第 2 轮	2008/1/15	5495	2010/11/11	5881	63.08%	18.84%
第 3 轮	2010/11/11	5881	2015/6/12	11 616	182.39%	26.44%

数据来源：WIND。

在这三轮定投周期中，中证 500 指数分别实现了约 254%、63%和 182%的高额收益率，年化收益率也达到了约 66%、19%和 26%，如图 1.6 所示。

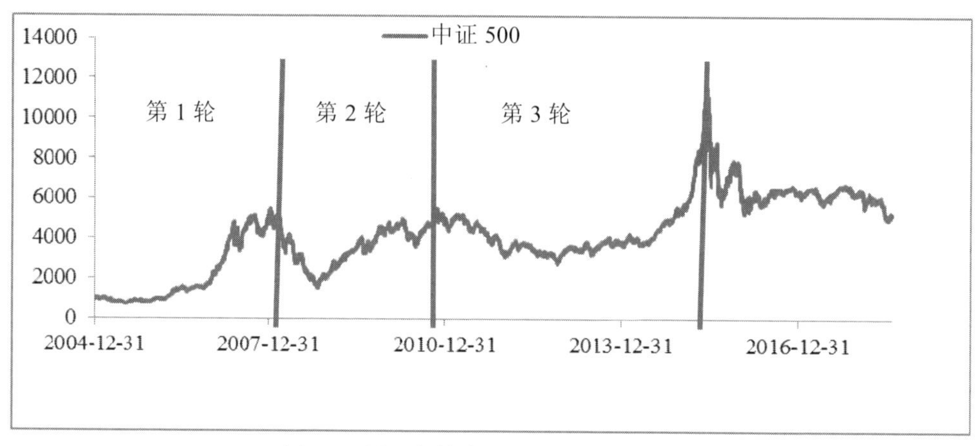

图 1.6　最理想的中证 500 三轮定投区间

通过每周定投 1000 元和一次性投资两种方式，我们所能获得的收益率如表 1.6 所示。

表 1.6　最理想的中证 500 指数定投收益率与一次性收益率比较

最高收益率	累计收益率	年化收益率
周定投	1467.70%	32.08%
一次性投资	1578.61%	34.35%

数据来源：WIND。

理论上，我们在十年的时间里通过周定投所能获得的最高收益率高达 1467.70%，年化收益率达到 32.08%，而通过一次性投资所获得的收益率为

1578.61%，年化收益率为 34.35%。细看每一轮的收益成绩如表 1.7 所示。

表 1.7　每轮中证 500 指数定投收益率与一次性收益率比较

中证 500	时　长	周定投 本轮累计收益率	一次性投资 本轮收益率
第 1 轮	2 年半	254.46%	694.22%
第 2 轮	2 年半	63.08%	7.02%
第 3 轮	4 年半	182.39%	97.52%

数据来源：WIND。

虽然周定投的总收益率小幅落后于一次性投资，但是定投在第 2 轮和第 3 轮投资，共计 7 年的时间里给投资者创造了更大的收益，而且一次性投资的买入时机和卖出时机都非常难以把握精准。

总体而言，定投更加适应长期横盘或者震荡幅度大的指数。在指数下跌时坚持定投所累积的份额，将会在与时间赛跑的尽头绽放出不一样的光辉！

2. 合理最高收益率

也许你会疑惑，有谁能料事如神，精准地把握住每个定投的绝佳时点，让十年间指数定投的收益率向十倍的方向靠近？

那么就让我们降低标准，假设我们因为择时、费率等种种缘故，能够获得的最高收益率仅为理论值的 80%，这时让我们再来看看合理收益率，如表 1.8 所示。

表 1.8　打折后的指数定投收益率情况

中证 500 周定投	理论最高收益率	合理最高收益率
第 1 轮	254.46%	203.57%
第 2 轮	63.08%	50.46%
第 3 轮	182.39%	145.91%
累计收益率	1532.36%	1023.23%
年化收益率	33.96%	28.82%

数据来源：WIND。

从表 1.8 中可以看出，提高定投操作的容错率，给理论最高收益率“打八折”，即将每一轮的累计收益率乘以 80%，我们可能获得的合理最高累计收益也达到了 1023.23%，年化收益率达到 28.82%。

再保守一些，假设我们实际可能获得的最高收益率是理论值的 70%，此时的累计收益率为 812.81%，成绩同样十分理想。

定投十年赚十倍，尽管理论上几乎不可能实现，但是上述数据也告诉我们，只要将定投坚持下去，收益将非常可观！

3．高收益率宝典

最高收益率的数字虽然诱人，但是能够获得如此丰厚的投资报酬的人却寥寥无几。下面我们就来谈一下，哪些要素是支持我们获得高收益率的宝典。

（1）滴水穿石

坚持十年的投资，像是一场修行。若心猿意马，三天打鱼两天晒网，又怎么能获得高收益率呢？

定投切忌急功近利。盲目相信自己拥有过人的投资天赋，在一轮投资还没有到达最高点时就停止定投，“一把梭”地买入股票，结果震荡的后市往往会使高收益率幻化成泡沫。

将目光放长远一些，在熊长牛短的国内市场上坚持定投，做到“别人恐惧我贪婪，别人贪婪我恐惧”，就能在长时间内累积份额，摊平成本，在牛市到来之时获得不俗的成绩。

（2）有的放矢

“微笑曲线”代表着定投的艺术，在长期投资的过程中，我们更应该注意买入与卖出的时点，让自己的投资蓝图像“微笑曲线”一样美丽！

在指数处于相对高点的位置进行操作，在指数下跌时不能仓皇出仓，坚定地等待触底反弹的机会；在指数开始上扬时不能得意于浅薄的收益、早早收场；在指数将要到顶时也不能贪恋市场，要及时抽身，准备下一轮定投。

4．总结

定投十年赚十倍尽管在理论上是可行的，但是在实际操作时非常难实现，另外，实际的投资结果还需要结合市场宏观状态以及投资者自身的操作细节来看。

最后，希望大家都能对自己的投资生涯有长远的规划。无论是十年、二十年，还是在更长的岁月里，都能“投有所成”，笑到最后。

1.7　五个哲理小故事中蕴含的定投启示

1. 轻信他人丢“钱途”

从前，有个牧人牵着一只山羊，骑着一头驴进城去赶集。三个骗子知道了，想去骗他。第一个骗子趁牧人骑在驴背上打盹之际，把山羊牵走了。牧人醒来发现山羊不见了，忙去寻找。这时第二个骗子走过来，说看见一个人牵着一只山羊从林子中刚走过去，牧人又急忙去追山羊，并且把驴子交给这位“好心人”看管。等他两手空空地回来时，驴子与“好心人”自然没了踪影。牧人伤心极了，一边走一边哭，来到一个水池旁边，发现一个人哭得比他还伤心。那人告诉牧人：他不小心把两袋金币掉水里了，自己不会游泳，如果牧人给他捞上来，愿意送给他 20 个金币。牧人一听喜出望外：可以拿到 20 个金币，能把损失全补回来还有充裕！他连忙脱光衣服跳下水捞起来。当他光着身子两手空空地从水里爬上来时，他的衣服、干粮也不见了。

投资切忌人云亦云，盲目轻信他人。而对于定投来说，投资者需要对自己的投资偏好、基金的行业和风格有独立、自主、清晰、明确的判断。不要他人说这个行业前景好，那个板块估值低就频繁地切换投资标的，一来他人的理财方式不一定适合你，二来达不到持续定投的分摊效应，还有可能支付高额的手续费。科学的定投要详尽地调查渠道背景，谨慎分辨投资标的，细心规划资金配置，灵活进行退场再投，千万不要只靠他人的一家之言做定投，那样会悔不当初。

2. 身处低谷不放弃

一个灰心丧气的青年人，因科举没考中，便颓废不堪，一蹶不振，整天关在屋子里，抱头痛哭。有一天，一位老者跨进门，语重心长地对他说：“假如山体滑坡，你该怎么办？”年轻人喃喃：“往下跑。”老者仰头大笑：“那你就葬身山中了，你应该往山上跑，你只有勇敢地面对它，才有生还的希望，天下事皆然。”说完便飘然而去。

“天下事皆然”，投资理财更是这样，勇气、果敢和耐性总是战胜市场的不二法门。一旦选择了定投，就应该百分之百地相信定投的理念，坚信牛市总会到来。身处低谷也不要因为他人的三言两语就泄气，更不要因为市场上的一些风吹草动就草木皆兵、慌不择路，真正成功的投资者都是那些在制订计划后，沉着冷静、临危不惧地坚决执行定投的人。定投更多的是投资市场的价值，是一种长期的投资，亏损 10%或 20%也可能在所难免，如果一蹶不振、就此放弃，无疑像故事里的年轻人放弃了“生还的希望”。只有勇敢地面对挑战和困难，才能战胜它，面对下跌，就要迎“低”而上。

3．默默积累攒力量

在非洲大草原上，生长着一种号称“草地之王”的奇异植物——尖毛草。它是非洲大地上最茂盛的毛草之一，长势最猛时能达到每天生长一尺半的惊人速度，总长度竟然能生长到两米多。然而，尖毛草在生长初期，却是极其缓慢的，在长达半年的时间里，尖毛草始终保持在一寸左右，就像被抛弃的可怜虫，显得寂寥而寒碜。

原来，尖毛草初期只是没有“向上生长”，它的根在不断向周围和地下扩张，并且牢牢地锁住了水分和养料。在积蓄了充足的能量后，尖毛草就能在短短几天时间内，长到一人高。

尖毛草的生长过程与定投多么相似！在定投前期投入资金量少，若又碰上漫长的下跌，则很难见其成效，甚至会浮亏连连。其实，定投正是在前期的下跌中努力“汲取养分”的，份额的累积就好比逐渐庞大的根系，而净值越跌，能够买入的份额就越多，“根系”也越繁密，日后，一场“牛市”春雨的到来，攒够充足“份额养分”的投资者便能一鸣惊人，在短期内长成收益的“参天大树”。

4．贪心不足蛇吞象

有人想要买一块地，于是去询问卖地的人。地主说：“只要交上一百两银子，在太阳落山前，你能用步子圈多大的地，那些就是你的，但如果没有按时回到起点，你将什么都得不到。”这人心想：“这实在是太划算了！”于是他马上和地主签了合约。

第二天一大早，他就迈着大步向前疾走，整整一天，他的步子一分钟也没有停下，眼看着太阳快要下山了才往回走，故事的结局大家应该猜到了，贪心的人什么也没有得到，还白白付给地主一百两银子。

故事的道理看似简单，却很少有人能在面对众多诱惑、陷阱时仍然保持清醒，盲目、大意和贪婪几乎是投资失败的所有原因。定投需要在净值下跌的时候加仓，违背了大多数人“追涨杀跌”的逐利心理，这一“反人性”的操作需要投资者戒骄戒贪，过分追求短期的蝇头小利不可取，企图走捷径，甚至是一步登天，妄想收益翻个几番更是理财的禁忌，最终都注定会惨败。选择一个合理的收益目标才是当下理财的真谛，要学会理财，让你的资源都活起来，但也要正视理财，不要被功利心蒙蔽了双眼。

5．收获时机很重要

一个烈日炎炎的午后，庙里的小和尚发现，地里种的黄豆被太阳晒得“爆开了豆荚”，黄澄澄的豆粒蹦得到处都是。小和尚怕糟践了粮食，急忙告诉老和尚，而且找出了镰刀就要去收割。

老和尚气定神闲道：“不要慌，明天清晨再割吧。”

第二天，小和尚一早就起床去割豆子，他发现，豆秸、豆荚潮乎乎的，直到割完，也没有一个豆荚爆开，豆粒也一个都没有损失。一旁的老和尚笑笑说：“收获也要讲究时机。昨日正是烈日当头，豆荚都晒焦了，一碰就爆开了，豆粒四处蹦，无法收拾。但只要耐心等一晚，夜里下的露水会把豆荚浸湿，收割就方便多了。”

定投退场正如收割豆子也讲究合适的时机，总结下来，就是要“及时”。如果退场的时机得当，投资者就能满载而归，否则，到手的收益可能在顷刻间就消失不见。然而，在实际中很多投资者都因忘记及时止盈而交了高额的“学费”。当行情走高时，与其纠结是否达到了股市的最高点，不如不恋战，清仓出场，或者采取策略“分批止盈”，将获利连同本金转入再投，这样才能达到定投最好的复利效果。

第 2 章　做好基金定投计划

2.1　明确自己的定投初衷

人到中年：上有老，下有小，有责任，有担当，有苦也有乐。整天忙忙碌碌，为钱而活；事事操心惦记，为家而活！努力打拼存款，为儿女铺路；竭尽全力奔波，把老人照顾！千种辛苦，只想过好的生活；万般付出，只愿全家人幸福！父母和子女都是自己最亲最爱的人，趁自己拥有好体魄，为孩子打下江山，让老人安度晚年，这就需要养成储蓄和理财习惯，为他们构建一份保障计划。基金定投拥有强制储蓄和方便灵活的特点，正好是年轻人十分理想的存钱利器。

1. 为父母制订养老定投计划

“百善德为本，敬老孝当先”，赡养、孝敬老人是做子女的最基本的义务和责任。从孩提时代，到懵懂叛逆的青春期，再到我们求学、工作、成家，父母既给了我们宝贵的生命，又给予了我们陪伴、守护、引领和无尽的爱，世间最难报答的就是父母恩情。都说“老有所养，老有所依”，当父母年迈之时，能够给他们一个没有顾虑的老年生活，让他们在操劳一生后能够享受更高质量的生活，就是做子女的最大的“孝道”。如今，国内养老制度越来越完善，但是单单依靠养老保险积攒的退休金可能还是不够的，为了给爸妈更好的生活，让他们随心所欲地旅行、购物、享受生活，我们还需要帮他们构建一份养老金投资计划。

目前我国最为成熟的途径就是社会基本养老保险，究其本质，其实也是一项定投投资。在退休前，我们需要缴满至少 15 年的保险费，在很长的一段时间里“只进不出”，同时公募基金管理运作这一大笔社会性的资金来实现财富的长期增值，直到退休后，我们才可以逐笔取用养老基金。同理，我们个人将自己的积蓄拿去定投股票基金，也能为爸妈提前准备好一笔养老钱。从特点上说，基金定投也是一项长期的价值投资，并且中国 A 股市场的牛熊周期一般需经历 2～6 年，如果在父母退休、步入老年阶段前就开始不断地定投合适的股票基金，在牛市高点止盈后再投，获取的收益便足以在养老保险的基础上锦上添花，这不失为给爸妈准备的一份好的养老计划。

而且，养老投资事关老年生活，相对一般的理财而言，它对收益的稳健性有着更高的要求。定投能够有效降低平均成本，分散择时风险，降低收益率的波动性，在 3～5 年的长期投资中均衡投资风险，所以相比较其他投资方式而言，定投更加适合养老金的保值增值。其次，深谙定投之道的投资者，在经历市场的一个牛熊交替后，年化收益率一般在 10%～30%，若能选中未来几年高速增长的行业指数，收益更是不容小觑。因此，股票基金定投既能满足养老对收益稳定的要求，更能创造不低的收益，可以说是养老投资计划的不二选择。

结合自己希望给爸妈的退休生活的条件和质量，我们需要考虑：

（1）退休后父母大致需要的养老金总额；

（2）预计定投的时间期限；

（3）根据父母的年龄和全家的风险承受能力，进行资产配置和定投指数基金的选择。资产配置包括货币型基金与指数型基金的每月定投金额，定投标的可以根据阅读本书传授的定投方法，结合自身风险偏好后进行选择。

父母总是优先为子女考虑，而忽略了自己的需求，“谁言寸草心，报得三春晖”，为了让爸妈有一个无负担、有品质的退休生活，当自己有经济实力后，就尽早地为他们制订养老定投计划吧！

2. 为子女制订教育定投计划

为人父母，方知不易，“养个孩子消灭个百万富翁”，如今养育一个孩子的成本真的很高，“孩奴”不好当啊！

除了要照顾他的衣食住行以外，还要为他的成长、学业、情感、事业、家庭等方面操心。总之，作为父母总有操不完的心，而且每一位父母都“望子成龙，望女成凤”，希望自己的孩子受到好的教育，不输在起跑线上。从育儿阶段、学前教育、九年义务教育，到孩子长大接受高等教育甚至出国留学，父母在孩子教育上花费的资金可谓远远大于其他生活开销，并且学费更是年复一年地上涨。所以，为了不让子女的教育支出成为负担，解决好孩子教育基金的问题是年轻父母（准父母）们首先要考虑的问题，应尽早规划，未雨绸缪。

怎样筹备子女的教育基金呢？早期就有银行的教育储蓄（稳定、无风险，但自从央行降息后收益率就不怎么样了）、保险产品（收益率一般、不过有些附加保障）、也可以自己计划着存（办个零存整取的存折或者买个大存钱罐，若这么做，那么你的储蓄价值不仅不会上升，反而会下跌）……

反观基金定投（适合长期投资，坚持定投可获高收益），正好是一个比较适合用来筹集子女教育花费的投资工具。基金定投除了帮助你准备教育金外，还是进行子女财商（FQ）教育的必备工具。你想一想，怎么才能做到默默地帮助子女走好自己的人生路呢？是将来给他们找个好工作，还是给他们留一笔钱，又或者为他们买一套大房子？子女终有一天要离开父母的庇护，作为父母，不可能永远帮忙做决定，最重要的是让他们自己学会独立，培养孩子“智商、情商和财商”三位一体，才有助于他们走得更远，飞得更高。

对于子女的教育定投计划，越早进行越好，这样时间复利的效果就越明显。首先要根据孩子的年龄及家庭实际收入情况，制订合理的定投计划。教育基金需要长期投入，且必须专款专用，在定投期内资金只进不出，因此投入的资金都是长期不用的闲钱。

此外，子女教育基金需要坚持，但并非要求每个月都投入很多，这正好与基金定投的理念相契合。就以一个月投入 1000 元为例，从孩子出生开始创建子女教育定投计划，那么到孩子 18 岁需要上大学时，假设定投年化收益率为 6%的话，最少也可以获得 38 万元，足够孩子大学四年的教育成本，而且剩余的钱还可以用来给子女创业或者购房。

投资理财要趁早，不妨早早开始为子女制订教育定投计划：

（1）列出期望子女将接受教育的程度，确定定投的期限；

（2）根据父母自身实际情况，确定定投周期（周/月定投）、定投方式；

（3）计算每月可预留资金和期望积攒的总金额，确定每周期定投的金额；

（4）遵循定投策略（坚持定投，止盈不止损等）。

提前做好规划，为子女构建教育定投计划，既可以让子女在上学的时候有很大的保障，免去家长的后顾之忧，又可以帮助子女在成长过程中潜移默化地提高财商意识，深刻地体会到爸妈攒的钱也是通过辛苦工作得来的，勤俭持家才会致富，可谓一举两得。

2.2　梳理自己的现金流

2018 年年初，就听同事小夏兴致勃勃地宣布："我要开始定投了，攒下'小金库'，早日实现买辆'小坐骑'的愿望！"职场新人小夏是一位年轻、爱漂亮的小姑娘，勤奋刻苦的她如今在职场中稍稍站稳了脚，便开始盘算着打理自己的"小金库"了。有一天她这么跟我说着其野心勃勃的定投计划，"每月定投 2500 元，一年就是 3 万元，后期工资涨了还能再多投一点……"。最近，我问起了她定投的情况，只见她害羞一笑说，"前两个月不正好三八妇女节嘛，'剁手'了一番，没那么多钱定投就先停了，不过眼看年中 6・18 又要来了……"

还有更多人：

"关注的代购最近都在赔本经营啊，不行不行，不买点什么简直对不起自己！"

"周围人都换了 iPhone X，不如我也把手上的 iPhone 7 换了吧！"

"游戏里新出的这款装备也太贵了吧，不过功能还真强大，买一套吧！"

"流感季节不小心被传染，发烧感冒流鼻涕，反反复复了半个月，还花掉了 2000 元人民币，心里苦说不出！"

不知道这是否是你的真实写照，定投伊始信誓旦旦地说要坚持好几年，攒够买车、买房的首付，结果没几个月，可投资金就因为应急和冲动消费而捉襟见肘，随便暂停了定投计划。没有记账的习惯，预想定投额度太高，总是无所顾虑地消费，就算开始定投，又怎么走得通"财路"呢？所以，想清楚目标再定投，准备充分资金再扣款，是每一位投资者应该遵守的不二法则。

1. 随时花钱随时记，主宰每笔现金流

如今的记账方法、App 越来越方便，但真正记账的人却越来越少，尤其是

刚迈入社会的年轻人，一不小心就成了“月光族”，更不用谈“投资钱生钱”了！但有的时候，我们不是不节省，而是对自己的每笔花销都不清不楚，这时记账的“威力”就显现了出来。

想要开始定投的投资者，不妨从现在起就来记录一下自己每个月的收入与支出情况，这有利于在设定每期定投扣款额时做出准确判断。

（1）大账逐笔记，小账总额记

工作繁忙、争分夺秒的上班族不用做到笔笔金额都记录，像医疗支出、旅行费用这样比较大的支出最好马上记录，小额的早餐费、通勤费等日常收支只记当月总账就好。

（2）时常关注电子账单

如今出门不带现金已经不足为奇，只需打开支付宝或微信，扫一扫二维码就能轻松付款消费，虽然简化了交易流程，但也在无形中弱化了我们对消费行为的感知，仿佛花出去的钱都不是自己的了，所以微信、支付宝记录和话费账单等也要定时地进行整理和分类。

（3）分析账单

记账的最终目的是为了让人更好地“开源节流”，所以仔细分析自己的月账单至关重要。首先应该去分类，分清哪些是固定支出，哪些是可以缩减的开支，久而久之，就能对日常的开销有一个大致全面的了解，从而减少不必要的消费，为定投“积蓄能量”!

2. 勤规划精细算，制定合理扣款额

其实每期扣款金额的设定有大学问，要根据自己的投资目标、经济状况来选择适合自己的定投金额。

定投切记量力而行，不能因为定投影响了自己的生活质量，否则很难坚持下去。设置定投金额还是有技巧的，大家在做定投前需要考虑下面三个问题，合理制定自己的定投扣款金额。

首先，你要对未来2～6年定投周期有个消费支出的规划，判断是否需要预留一笔钱进行大额消费（如买车、买房等），如果需要，就将这部分消费支出剔除后，根据剩余资金情况来设置定投的金额。

其次，确保未来几年你有稳定的现金流进行定投。定投更加适合有稳定现金流的工薪阶层，因为每个月的工资就是定投现金流的保障，也能安心坚持定投下去。

最后，定投切勿让自己负担过重。除了定投金额之外，还要预留点金额防范生活中的不时之需，比如生病、小孩教育等日常的大额开销。另外，有些投资者喜欢智能定投，智能定投一般是高位少投、低位多投，如果市场处于低位，那么智能定投的金额也需要加大，所以如果预留了一些资金，则可以在市场低位时加大智能定投的金额。

3. 节俭理性成习惯，戒掉过度消费

账本已在手，又设置好了定投扣款额，那么可不能像小夏一样管不住“冲动的双手”而前功尽弃，毕竟如果只是把定投账户当作“备用存钱罐”，那么它自然也不会回馈令你满意的收益。

很多人掌握了记账的技巧，却并没有真正理解理财的概念，如果你能清楚 10 元钱经过时间的洗礼后，在未来具有 30 元钱的价值，将一年的烟酒钱拿来投资相当于 30 年后一套房子的首付的话，你还会管不住自己“买买买”的念头吗？

所以，每当你在为非必需的开支犹豫时，你要想到，这好似在“透支”自己未来的生活品质，甚至是老年的安乐生活，你还有什么理由不理性、不节省呢？

想买衣服、想旅游、手头有点紧，这些都不是随意中止定投计划的理由。选择了理财方式，就要一如既往地坚持。尤其是定投，作为中长期投资方式，又被喻为“时间的玫瑰”，没有足够的时间，自然等不到它最后的芬芳。

在认真完成以上工作后，你需要明确自己投资的终极目标。定投是一项长期的投资，盲目开始、模糊的定位几乎是扣款意外中止的所有原因，因此，还是那句话，“想清楚目标再定投，准备充分资金再扣款”，且值得被所有投资者谨记。

2.3 计算每月定投的金额

在基金定投的过程中，很多投资者感到困惑，到底该用多少钱来进行定投？

在回答这个问题前，先与大家分享身边两位朋友的定投案例。

投资者A在国内一线城市工作，月收入10 000元，但每月房贷近5000元，除去吃饭、购物、交际等正常消费以外，每月节余2000元左右。他自2011年10月开始定投沪深300指数基金（基金代码：270010），每月定投金额为1500元，至2015年1月末的收益率大约为43%，累计投入60 000元，总收益为25 800元左右。但后来因升级做父亲，投资者A因家庭开销突然增大而停止定投。

投资者B在国内某二线城市工作，月收入4000多元，与父母同住，平常几乎没有需要固定支出的花销。在基金定投方面，他将每月定投扣款金额设置为500元，其定投标的是中证500指数基金（基金代码：162711），自2013年2月开始定投到2015年3月末，累计收益率为80%左右，总投入19 000元，收益约为15 500元。

我们来分析投资者A的情况。每月定投1500元，几乎占据了A可支配收入的大部分，可能带来的影响就是：

（1）如果当月有突发的开销，就会导致入不敷出，生活品质下降。

（2）如果基金收益波动较大，出现短期账面浮亏，定投决心容易动摇。

而B的情况恰恰相反，每月定投金额只占可支配收入的极小一部分，其大部分个人资产仍然没有进入投资领域，如果想通过定投为购房置业的梦想助一臂之力，可能还比较遥远。

那么，到底每月该投多少钱呢？之前说到基金定投的时候，对于定投具体的数额问题一笔带过，只说“合适的数额”。那么这个“合适的数额”到底是多少呢？这其实是因人而异的，所以我们在之前都未提到具体金额。

现在就来说一说，如何根据自己的投资目标、经济情况来选择适合自己的定投金额。常见的方法有三种：（1）长期投资目标确定法。（2）每月闲钱计算法。（3）存款估计法。

依次使用这三种方法后，相信每个人都能大致确定自己应该定投多少钱。

1. 长期投资目标确定法

不论是学习还是工作，没有目标就好比蒙着眼睛走路，完全没有方向，更难以到达目标。长期投资目标确定法指的是先确定自己未来想积攒多少钱。

还是举前面的例子：5 年后想攒下 10 万元给届时大学毕业的儿子买辆新车，假如每月定投一次的话，该投多少钱？

假设基金定投收益率为 20%，那么现在需要每月定投 1400 元，并且严格地执行下去，专款专用，定投账户不到极其特殊情况绝不挪动，按这个收益率，5 年后你至少可以拿回 10.1 万元。

确定了这个数额之后，请再慎重地问自己一个问题：每月另拿出这么多钱来投资，对我的生活会不会有很大影响？要想知道这个问题的答案，就要用到下一个方法。

2. 每月闲钱计算法

投资，指的是在满足基本的吃穿住行需求之后，财富上有余力再进行的活动。因此拿来投资的钱一定是闲钱，要是饭都吃不饱，节食来投资，那可真得不偿失。怎么计算闲钱呢？有一个公式：

每月闲钱=（月收入—月支出）÷2

比如，家里月收入共计 10 000 元，月支出 6000 元，那么每月闲钱算出来就是 2000 元。那么定投的金额一般就不要超过 2000 元，可以低于这个值，比如 1000 元。

但是问题又来了，如果还想留一点存款怎么办？虽然说基金定投和储蓄的形式有点像，但毕竟不是储蓄账户，如果随意地支取可能会造成不必要的投资损失。于是这个时候，你还需要考虑考虑自己的存款。

3. 存款估计法

一般来说，家里的储蓄要够维持 6～12 个月的生活支出，这样即使家里有突发事件，比如突然中断收入或家庭成员有事要借钱，也能够应付足够长的时间。因此，如果你的资金储蓄量不足，请先把自己的银行账户“喂饱”，这样才能后顾无忧地进行投资理财。

对于刚毕业尚无存款的年轻人来说，也可以把每月闲钱分为两部分，一部分存入银行，以备不时之需；另一部分用来做基金定投，为未来积累财富。假如你有一大笔收入进账，比如年终奖金，或者亲戚前几年借的钱终于还了，也不要一次性投入定投，最好分批进场，这样才能更好地摊薄成本、降低风险。

值得一提的是，由于上述方法往往会随着时间的推移发生变化，例如在工资上涨之后，可支配的现金流就会变多；在年终奖发放之后，备用金也有可能增加，如果投资者认为有必要，可以适当调整每月定投金额。但整体而言，建议坚持定投纪律，以踏实笃定的心态去定投，最终才能收获时间的复利价值。

当然，这些方法都只是参考，具体投多少钱还是要根据自己的家庭、收入情况。最好的状态是：基金定投既不会增加你的生活负担，又能恰到好处地利用闲钱来投资。

定投金额因人而异，前提是不能因为定投影响生活质量。对于资金量比较大或者有一笔固定金额的投资者，也可以选择大额定投的方法。

时间是公正的，一切投资都要面对时间的考验。回报的实现最终要靠时间，时间是定投最好的朋友。定投者要信任时间，把时间当挚友，懂得拥抱时间。

2.4 筛选比较定投的基金

通过选择不同类型的基金构建定投组合，可以起到资产配置的效果。然而目前市场共有5000多只公募基金产品，到底应该怎么选呢？对于许多基金投资者来说，把鸡蛋放在几个篮子里，并且在每个篮子里放不同的鸡蛋是个行之有效的方法，这其实也就是基金的结构组合式投资。至于自己的这个篮子里应该放入哪些鸡蛋，老罗建议大家从以下几个方面考察备选的基金。

1. 需要了解的6个基金指标

（1）基金类型

当你准备往自己投资的篮子里放入一只基金时，首先要确定这只基金是什么类型的。基金的类型包括股票型、混合型、债券型、指数型、QDII、FOF、保本型、分级A类、货币型、理财型及新发基金等，例如，指数型基金是以特定指数（如沪深300指数、中证500指数等）的成份股为投资对象，通过购买该指数的全部或部分成份股构建投资组合，以追踪标的指数表现的基金，买入指数型基金就等同于直接买入一篮子股票。

（2）基金评级

基金评级是指由基金评级机构收集有关信息，通过科学定性、定量分析，依据一定的标准，对投资者投资于某一种基金后所需要承担的风险及能够获得的回报进行评估，并根据收益和风险的评估对基金进行排序。基金评级能给人对该基金最直观的评价，基金的星级高代表其历史表现不错。

（3）基金业绩

有些基金的成立时间未必很长，所以评级的时候可能会被忽略，在查看近几年的基金产品时，可以多多关注其上市后的历史收益情况。

（4）基金公司及经理

新发基金并没有历史数据可以参考，也不在评级系统内。这时优秀的基金经理与基金公司自然就是重要参考，当然这个指标也适用于老基金。基金经理是真正进行投资决策的人，但是每只成功的基金背后都不是只有一个负责投资的基金经理，而是有一个庞大的研究团队来分管投资研究和风险控制等各个环节。因此，基金公司的综合实力对筛选基金的投资者具有很高的参考价值。

（5）基金规模

对于跟踪同一标的指数的指数基金来说，基金规模越大，相对而言跟踪的误差也就越小。这主要是基于两个方面的原因：一方面，指数基金规模越大，遇到大规模申购和赎回时受到的冲击就越小；另一方面，规模越大，基金公司会投入越多用来提升基金管理的软硬件水平。所以，从某种意义上来说，规模大不仅仅是指基金本身，也是指基金公司的规模。

另外，对于 IPO 上市比较多的情况，若基金打新增强比较多，这时不是选择基金规模越大越好，反而是最优规模基金打新额外对指数基金增强效果更好，通常，老罗觉得选择规模在 2 亿元以上的指数基金就可以了。

（6）基金费用

基金的费用主要包括两类，一类是交易费用，包括申购费和赎回费，这类费用在买卖基金的时候收取；另一类是运营费用，包括管理费、托管费和销售服务费，这类费用每天从基金资产中计提，直接体现在基金净值中。基金的表面和潜在费用是广大投资者需要多加注意的问题，如果只关注某只基金的高收益，而忽略其可能的高费用，那么你的收益可能会被费用慢慢“侵蚀”。

2. 基金的筛选方法

老罗认为，大家一定要在定投前制订好定投计划，挑选好投资产品，这是开始定投的前提，也是坚持定投的意义，如果没有选择适合定投的产品，那么坚持很久可能都等不到“定投微笑曲线”上扬的时刻。所以，选择适合定投的基金很重要，在这里，老罗建议大家可以有效利用“天天基金网”

（http://www.1234567.com.cn/）上面提供的“投资工具”中的功能，辅助自己进行基金产品的选择，如图 2.1 所示。

图 2.1　天天基金网界面

（1）基金筛选

当你开始准备投资基金时，可以先根据部分条件筛选出自己可选择的基金范围，例如，根据基金类型、基金公司及基金业绩等条件，可以直接在“天天基金网”通过“基金筛选”功能，清楚明白地看到自己可选择的基金投资选项。

第一步：选择想投资的“基金类型”；

第二步：选择信赖的“基金公司”；

第三步：选择所希望的“基金业绩”

第四步：如果有其他要求，还可以在“更多分类”中进行选择，从而筛选出满足以上条件的基金产品，如图 2.2 所示。

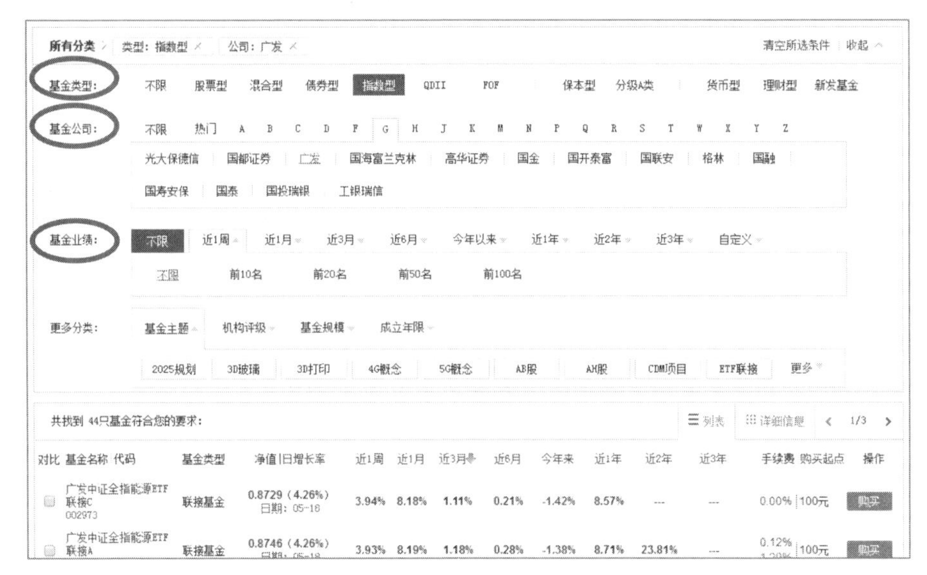

图 2.2　基金筛选的界面

（2）基金比较

当你对自己将要投资的基金产品有了大致的选择范围后，就可以进一步通过“基金比较”功能简单挑出几只自己更加看好的基金产品，将它们进行更加详细的比较，选出最终的投资产品，如图2.3所示。

第一步：输入想比较的基金的名称或代码，点击“加入比较”按钮；

第二步：输入下一个基金的名称或代码，点击“加入比较”按钮；

第三步：添加完参与比较的基金后，就可以看到各基金在“业绩评级”与“资产配置”中各方面的详细对比。

图2.3　基金比较的界面

（3）收益计算

在你选好投资标的并且已经投资了一段时间后，就可以直接通过“收益计算”功能查看自己的收益情况。或者在投资某基金之前，也可以计算该基金某段历史区间的投资收益，将其作为是否投资该基金的参考。

第一步：输入投资本金；

第二步：输入最终收回金额数；

第三步：输入总持有期限，点击“计算”按钮，得出“持有期总收益率”与“持有期年化收益率”，如图 2.4 所示。

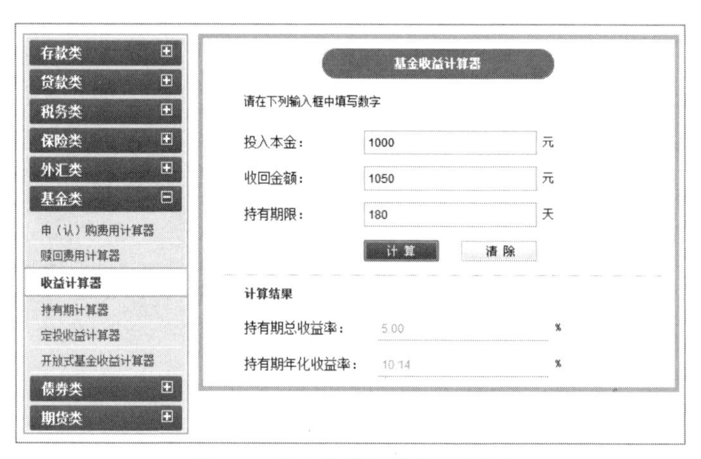

图 2.4 基金收益计算器的界面

（4）定投收益计算

对于选择定投的投资者，定投收益的计算或许是比较麻烦的过程，但是“天天基金网”的“定投计算”功能可以直接帮你解决这个问题。只要在“定投收益计算器”中填入投资信息（未加红色*号的空可以不填），就可以直接得出定投收益，如图 2.5 所示。

图 2.5 基金定投收益计算器的界面

第一步：输入所定投的基金的代码；

第二步：输入定投开始日期；

第三步：选择定投周期，是周定投还是月定投，以及多久定投一次；

第四步：输入每期投入的金额；

第五步：点击“计算”按钮即可得到如图 2.6 所示的定投收益结果，十分简便。

计算结果

截止定投赎回日的收益　　期末总资产包括红利再投或现金分红方式取得的收益

定投总期数	投入总本金（元）	分红方式	期末总资产（元）	定投收益率
71期	35,500.00	红利再投	41,509.28	16.93%

定投记录

定投日期	单位净值	定投金额	购买份额
2018-05-11 星期五	1.1434	500.00	437.29
2018-05-04 星期五	1.1452	500.00	436.60
2018-04-27 星期五	1.1438	500.00	437.14

图 2.6　基金定投收益计算器的计算结果

除了“天天基金网”上的相应功能之外，大家在确定定投产品时，还应该考察各个基金产品的相关费率，不要只看到基金的“投资收益”信息，而忽略其“投资成本”。希望大家可以运用以上操作，搜索到基金的详细信息与基金之间的对比情况，从而筛选出满足条件的基金产品，找到适合自己定投的标的。

2.5　找到适合的定投渠道

基金定投，按照购买渠道不同，分为场内渠道和场外渠道。场内渠道是指通过股票交易软件在证券交易所内买卖基金，而场外渠道是指通过基金公司、银行和互联网基金销售平台三大渠道，在证券交易所之外申购赎回基金。

1. 场内渠道和场外渠道

基金定投，顾名思义就是定期定额买入基金，无论是自动扣款申购还是手动申请买入，只要在固定的时间成功购得基金份额即可。在场外渠道进行基金定投已实现定期自动申购的功能，让投资者更省事，但目前场内渠道仍需要我们手动定期买入基金来实现基金定投。

既然场内渠道要在证券交易所内进行基金买卖交易，那么首先需要在证券公司开设股票账户，办完相关手续就可以在证券公司提供的股票交易软件上进行基金交易了。在购买程序、交易方式、交易时间等操作上，场内基金交易跟股票交易是一样的道理。

关于场外渠道，前面已介绍过，通过第三方基金销售平台、银行、基金公司网站等申购、赎回基金。通过银行申购、赎回基金，即将钱存入银行账户，然后在银行柜台由工作人员帮忙办理购买基金的手续；通过互联网基金销售平台或基金公司申购、赎回基金，即通过网上的直销系统进行基金的开户和交易，操作方便，费率优惠。另外，场外定投扣款可以先购买货币基金，从货币基金进行定投扣款，因为你把资金存在货币基金的收益率高于银行存款的收益率。

小贴士：

场内基金交易叫基金买卖，场外基金交易叫基金申购、赎回。

那么，通过场内渠道与场外渠道交易基金有什么区别吗？

（1）交易渠道不同。场内购买基金是在证券公司开户后，通过证券公司交易软件进行交易，买入的是其他投资者卖出的基金，类似于买卖股票。场外购买基金是通过银行、基金公司网站和第三方基金销售平台买卖，只需用身份证、银行卡等证件注册一个账户，就可以在银行、天天基金网、蚂蚁聚宝等平台直接申购、赎回基金份额。

（2）交易对象不同。场内能购买的基金是ETF基金、LOF基金和封闭式基金，场内基金不能自动定投，也不能进行基金转换。场外可以购买全部开放式基金，包括ETF联接基金，场外基金大多数可以自动定投和进行基金转换。

（3）基金费率不同。场内基金费用取决于所开户的证券公司的交易佣金规定，一般在0.03%，还要看有没有最低5元的限制。场外基金的费用比场内基金略高一些，而且选择银行、基金公司、第三方基金平台等不同方式的费率也不一样，天天基金、蚂蚁财富等第三方平台的费率都比较低，一般都有一折优惠。

（4）投资门槛不同。场外基金，投资门槛很低，10元起即可投资。场内基金买卖，类似于股票，至少需要买1手，也就是100份额的基金，因此资金的门槛会相对高一些。

（5）到账时间不同。场内基金购买后 T+1 个工作日可卖出，卖后资金在 T+1 个工作日到账，资金在 T+2 个工作日提现；场外基金申购后 T+2 个工作日可赎回，赎回后资金在赎回确认日的 T+2 个工作日到账。

（6）交易价格不同。场内基金买卖是按股票交易方式进行的，根据供求关系，以实时撮合价交易，在交易日的不同交易时间价格是不同的。场外基金申购、赎回是未知价，以基金净值为价格进行交易，每天只有一个价。

（7）分红方式不同。场内购买基金的分红方式只有现金分红；场外购买基金的分红方式有现金分红和红利再投资两种分红方式。

场内基金和场外基金优缺点的比较如表 2.1 所示。

表 2.1　场内基金和场外基金优缺点

	场内基金	场外基金
优点	①操作灵活，交易迅速，流动性好 ②紧跟指数，跟踪误差小，持仓透明 ③交易费用便宜，资金到账快 ④套利优势，价格波动出现折溢价套利机会	①自动定投，方便省事 ②场外基金品种和数量多，可选面大 ③投资门槛低，10 元起即可投资
缺点	①手动定投，容易忘记操作 ②投资者情绪容易受市场波动影响，追涨杀跌，进而弱化定投效果 ③场内基金品种和数量较少 ④很多场内基金产品流动性不足	①交易慢，以净值为价格交易 ②资金到账速度较慢，一般需要 2～3 天

综合以上分析，在老罗看来，要进行基金定投，场外基金的程序相对简单，设定日期自动扣款，方便快捷，而场内基金不能自动扣款，需要每个月手动扣款，以老罗过往的经验，选择场内手动定投的投资者一般很难坚持下去。因此建议选择场外渠道进行基金定投。

2. 场外基金定投渠道

（1）银行定投

选择银行定投有两种方式：一种是携带身份证及银行卡直接到网点理财专柜，开通基金账户，签订定投协议，购买银行代销的基金定投产品。

另一种是通过网上银行办理，投资者可以直接在网上银行开立基金账户，创建定投计划。但是，如果此前从来没有通过银行渠道进行过理财，在网上开通账户后，可能需要投资者前往网点柜台做投资者风险测试后方能进行投资操作。另外，各家银行关于定投的规定会有所不同，投资者需要注意问清楚细节。

（2）基金公司自有平台定投

选择基金公司自有平台定投，一个基金公司只能开一个账户，而且只能购买该基金公司旗下的基金定投产品，有一定的局限性。因为如果你想要选择不同公司的基金产品进行定投，则需要分别去不同的基金公司开户购买（切记用货币基金扣款，这样定投资金可以享受货币基金收益）。

（3）互联网基金销售平台定投

选择互联网基金销售平台定投，不同平台的操作细节不同。一般来说，需要先注册开户，绑定一张银行卡。登录之后进入基金定投页面，即可选择要定投的基金进行定投，用时几分钟即可完成所有操作。终止定投也可直接在平台上选择终止按钮进行操作。

总之，在多种场外定投渠道中，考虑省时、方便、操作流畅、产品选择等因素，互联网销售基金平台的体验最佳，操作最为便捷。关于费率优惠方面，银行柜台的折扣力度最小，其次是网银，互联网基金销售平台和基金公司直销的折扣力度较大，申购费一般能达到 1 折。

3. 场外定投的实操步骤

得益于互联网技术的不断发展和金融科技的广泛应用，互联网支付、互联网金融销售等金融业态不断涌现，基金投资日益便捷，只要有电脑或手机，就可直接轻松操作。

下面介绍投资者经常使用的三种场外基金销售平台，以定投广发沪深300ETF 联接 A 类（代码为 270010）为例，给大家演示具体的交易操作步骤。以下操作的前提是大家在 App 已注册账号，并绑定资金来源（定投推荐选择 A 份额，因为定投周期通常超过两年，详见第 3.5 节“注意定投的各种费用”中的内容）。

（1）蚂蚁财富

第一步，进入蚂蚁财富 APP，点击上方的搜索框，查找想要定投的基金，如图 2.7 所示。

图 2.7　场外基金（蚂蚁财富）买入步骤一

第二步，在查询框中输入“270010”，点击“270010 广发沪深 300ETF 联接 A”，如图 2.8 所示。

第三步，进入基金页面后，点击右下角的“定投”按钮，如图 2.9 所示。这是场外基金的自动定投功能，根据自己的定投计划表设置定投的时间点和金额，由系统自动买入。

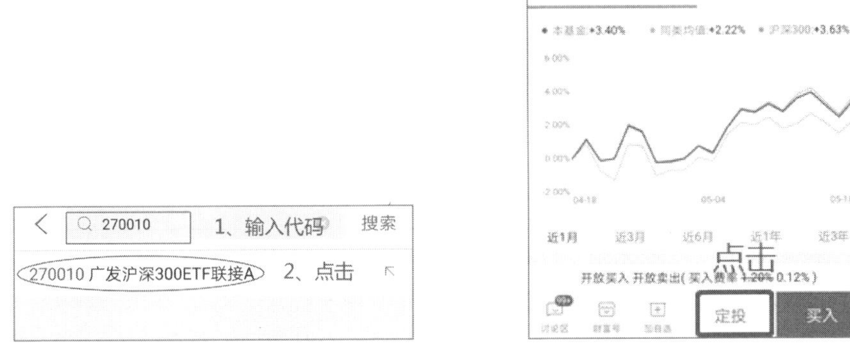

图 2.8　场外基金（蚂蚁财富）买入步骤二　　图 2.9　场外基金（蚂蚁财富）买入步骤三

第四步，进入定投设置界面，设定相关定投信息，如图 2.10 所示。第一，选择付款方式，确保每期有足够的金额扣款买入基金；第二，输入每期定投的金额，如 1000 元；第三，确定定投周期和日期，如周定投，每周五买入。最后点击“确认”按钮，成功设置定投计划。

图 2.10　场外基金（蚂蚁财富）买入步骤四

提示：如果你想进行“智能定投”，则可选择右上角的“慧定投”。

（2）天天基金

第一步，进入天天基金 App，点击上方的搜索框，查找想要定投的基金，如图 2.11 所示。

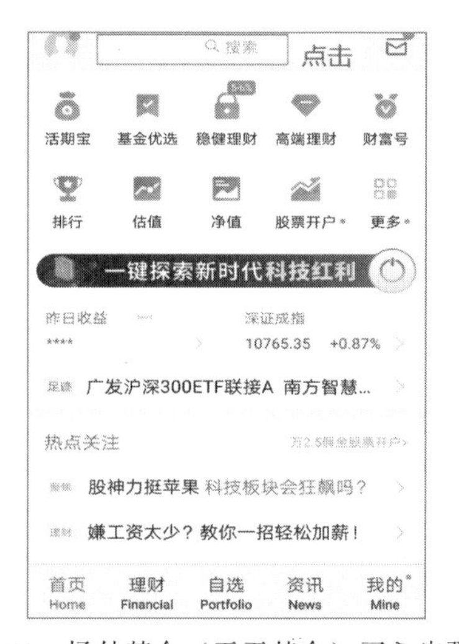

图 2.11　场外基金（天天基金）买入步骤一

第二步，在查询框中输入“270010”，点击“广发沪深 300ETF 联接 A 270010”，如图 2.12 所示。

图 2.12　场外基金（天天基金）买入步骤二

第三步，进入基金页面后，点击左下角的“购买/定投”按钮，然后选择“定投”，如图 2.13 所示。这是场外基金的自动定投功能，根据自己的定投计划表设置定投的时间点和金额，由系统自动买入。

图 2.13　场外基金（天天基金）买入步骤三

第四步，进入定投设置界面，设定相关定投信息，如图 2.14 所示。第一，选择付款方式，确保每期有足够的金额扣款买入基金；第二，输入每期定投的金额，如 1000 元；第三，确定定投周期和日期，如周定投，每周五买入；最后进行确认，创建定投计划。

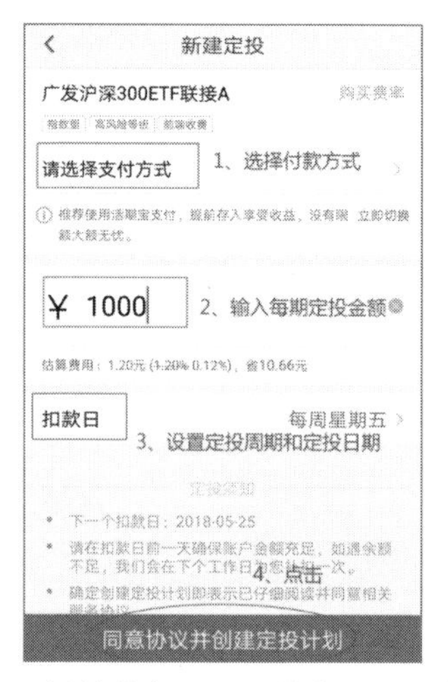

图 2.14　场外基金（天天基金）买入步骤四

（3）基金公司（广发基金）

第一步，进入广发基金公司官网的 App，点击上方的搜索框，查找想要定投的基金，如图 2.15 所示。

图 2.15　场外基金（广发基金）买入步骤一

第二步，在查询框中输入“270010”，点击“270010 广发沪深 300ETF 联接A”，如图 2.16 所示。

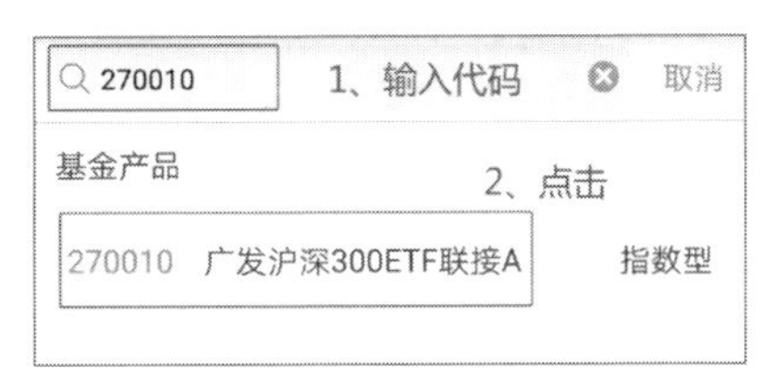

图 2.16　场外基金（广发基金）买入步骤二

第三步，进入基金页面后，点击左下角的“定投”按钮，如图 2.17 所示。这是场外基金的自动定投功能，根据自己的定投计划表设置定投的时间点和金额，由系统自动买入。

图 2.17　场外基金（广发基金）买入步骤三

第四步，进入定投设置界面，设定相关定投信息，如图 2.18 所示。第一，确定定投周期和日期，如周定投，每周五买入；第二，选择付款方式，确保每期有足够的金额扣款买入基金；第三，输入每期定投的金额，如 1000 元；最后进行确认，创建定投计划。

图 2.18　场外基金（广发基金）买入步骤四

对于场外基金的申购、赎回，需要注意对交易时间的选择。场外基金并不是即时交易，而是以基金净值为价格进行交易，一般在当天 15:00 之后更新。因此若在当天 15:00 前申购，则按照当天（T 日）的净值，在第二个交易日（T+1 日）确认份额；若在当天 15:00 以后申购，则按照第二个交易日（T+1 日）的净值，并在第三个交易日（T+2 日）确认份额。以上时间遇到非交易日将顺延，比如在周五 16:00 或者周六、周日申购，都会按照下一个交易日（下周一）的基金净值，在下两个交易日（下周二）确认份额，这样我们的资金就会闲置两天，得不偿失。因此，应尽可能地在交易日的 15:00 点前申购，以免受市场波动影响，也避免资金闲置。

定投渠道选得好，投资就能省钱、省事又省心，所以老罗建议大家在开始定投前，结合自己的实际情况，选择最适合自己的定投渠道。

2.6　制作自己的定投计划表

常言道，“一日之计在于晨，一年之计在于春，一生之计在于勤”，老罗认为还可以补充一句“一事之计在于计”。制订合适的计划，可以让我们的工作“事半功倍”，基金定投亦如此。虽然被称为“懒人投资”，但定投的简单之处在于定期投资、无须频繁切换标的的过程。定投初始仍然有大大小小的问题需要考虑。投资从来都不是一件轻松事，前期明确投资目的、思考定投的时间长度、挑选指数基金标的、确定购买平台渠道等事项都需要耐心斟酌和考量。投资者用心制订的一份清楚、完整的定投计划，一来能起到督促与提示的作用，坚定持续定投的信心，时刻提醒投资者严格执行；二来也起到总结与回顾的作用，让下一次定投更加得心应手。总而言之，一份高效的定投计划，能够使整个定投过程条理明晰，更易于统筹和规划，投资者的“定投之路”也能走得更加畅通无阻、信心百倍。

老罗明白“万事开头难”，制订定投计划对于很多“小白”来说，不是一件容易事。所以为了帮助大家构建一份适合自己的定投计划，我将必要的步骤和事项制作成了一张定投计划表，要想开启自己的定投之旅，你只要填写、勾选表 2.2 的内容，便可“私人订制”你的专属定投计划。

倘若你不是一个投资自律的人，那么建议你把此表打印出来，贴在显眼的位置，时刻提醒自己务必跟着计划走，避免受主观情绪波动干扰。

表 2.2　定投计划表

定投计划表

定投需知：

1. 定投切记“止盈不止损”，当收益达到预设的止盈点时，才能把钱放回自己口袋。

2. 据历史数据统计，我国股市牛熊周期为 2～6 年。基金定投至少经历一个景气循环才收获更为可观的收益（如：经测算，定投中证 500，经历一个周期并高点止盈，年化收益率可达 10%～30%），在这期间不管收益率有多惨烈，请坚持继续定投，就当作“捡便宜”。

3. 基金定投是永续不间断的，跳出“一轮定投”的狭隘视角，赎回资金继续开启新一轮。

一、想一想，做好定投的前期准备

1、制订定投计划的初衷：

□自己储蓄（买房、买车、结婚、养老等）　　□给父母养老

□子女（教育金储备、培养子女的财商等）

2、设定定投期限：

□1 年以下　　□1～3 年　　□3～6 年　　□6 年以上

（PS：至少做好 3 年以上的准备。但不一定固化几年，牛市来临出手止盈即可，期间不要中止或赎回。）

二、算一算，定投的可支配资金

1、我的月收入是__________元，月开支是__________元。每个月结余资金__________元（每月结余金额=月收入－月支出）。

续表

2、扣除紧急备用金，每个月可支配的结余资金__________元，我打算拿出________%的比例来定投（一般选择可支配“闲钱”的30%比较合适），简而言之，每个月我能拿出_________元用来定投指数基金。

三、选一选，适合定投的指数基金

根据老罗的公众号和雪球账号上定期发布的指数基金估值表，按照“高成长、高景气、高波动”的原则，找出当前估值处于历史低分位、波动率较高且看好有潜力的指数基金。

对于定投基金数量，根据个人情况在相应的□中打√：

（1）我的每月可用于定投的资金少于1000元，可选1只宽基指数基金，选择：

□沪深300 □中证500 □创业板指 □上证50 □中证1000

（PS：老罗建议以中盘为主的中证500。）

（2）我每月可用于定投的资金在1000～3000元，可以选2～3只宽基指数基金，选择：

□沪深300 □中证500 □创业板指 □上证50 □中证1000

（PS：老罗建议沪深300、中证500和创业板，涵盖大中盘，风格均衡。）

（3）我每月可用于定投的资金在5000元以上，可以选5只指数基金（3只宽基+2只行业最佳），选择：

宽基：□沪深300 □中证500 □ 创业板指 □上证50 □中证1000

行业：□家电 □传媒 □医药 □环保 □信息技术 □主要消费 □养老 □金融地产

四、谋一谋，制定我的定投策略

1、选择适合自己的定投方式

（1）普通定投（定期定额）——两种渠道

① 定投场内基金（如ETF）

（PS：老罗不建议通过场内进行定投，因为手动扣款定投、股票式操作买卖花费时间多，而且市场波动会干扰你的定投计划。）

② 定投场外基金（如ETF联接基金）

□蚂蚁财富 □天天基金 □广发基金等基金公司的官网 □且慢 □同花顺 □其他

（2）智能定投（定期不定额）

□广发赢定投 □蚂蚁慧定投 □汇添富 □富国 □其他

2、确定定投的周期和日期（周定投VS月定投）

（1）□周定投，□月定投。经测算，两者收益差距不大，周定投稍微高一点。

（2）我选择每周星期_____/每月____日作为定投日进行定投，将本期定投资金投入选定的指数基金。

五、看一看，定期查看定投收益

定投期间需要定期查看自己定投的收益，通过第三方平台买入场外基金的，可以从平台上方便地得知当前持有金额，持有成本和定投持有收益率等数据。当然，定投累计收益率也可以自己简单测算：

已定投期数：__________ ×每期定投金额：________ = 已投入资金总额：_______

持有基金份额：________ ×当前基金净值：________ = 当前基金市值：_________

$$\text{定投累计收益率}=\left(\frac{\text{当前基金市值}}{\text{已投入资金总额}}-1\right)\times 100\%$$

第 3 章　基金定投的小窍门

3.1　周定投 PK 月定投孰更优

定投也就是定期定额投资，其投资频率一般是每周、每两周或者每个月。定投对择时要求低，操作简单，是不折不扣的“懒人投资”，所以越来越受到投资者的青睐。但是，很多人在初次定投时都会问一个问题：选择周定投好还是月定投好？要回答这个问题，需先回到定投的目的上去。在变幻莫测的行情走势之下，投资者都希望通过定投分批买入的方式来摊平总成本，分散投资风险，从而赚取市场的平均收益。这样看来，似乎是同一时间段内定投的频率越高，摊平成本的效果就越明显。

1. 周定投投资收益一定高于月定投吗

周定投的投资收益就一定高于月定投吗？我们不妨用数据来验证一下。

首先，我们定投大家比较熟悉的中证 500 指数，并选取 2007 年 1 月 1 日至 2017 年 12 月 31 日这段区间，该指数从 2000 点上涨至 6000 点左右，其间经历了两次明显的牛熊更替，并且走势震荡不断，具有较好的代表性，如表 3.1 所示。

表 3.1　中证 500 指数周定投与月定投的参数设置

定投方式	周定投	月定投
定投金额	500 元	2000 元
每月扣款	4 次	1 次
扣款时间	每周星期一	每月 25 日

为了排除定投时间长短的影响，我们分别计算中证 500 指数 1、2、3、5、7 和 11 年的定投总收益率，结果如表 3.2 所示。

表 3.2　中证 500 指数周定投与月定投的收益率比较

定投期限	周定投收益率	月定投收益率	收益率差值
1 年	40.36%	31.26%	9.10%
2 年	–35.92%	–36.63%	0.71%
3 年	38.57%	36.34%	2.23%
5 年	–7.06%	–7.89%	0.83%
7 年	7.23%	6.49%	0.74%
11 年	51.47%	49.03%	2.44%

数据来源：WIND，统计期间 2007 年 1 月至 2017 年 12 月。

结果显示，周定投的投资总收益率都要稍高于月定投，尤其是在定投 1 年时，收益率差值达到了 9.10%。这是因为周定投频率快，资金更分散投入，有利于投资者用相同的资金买到更多的基金份额。所以，和预期的一样，周定投的效果要好于月定投。

当然一个例子并不具有代表性，所以我们继续进行验证。

以信息技术 ETF（基金代码：159939）、中证医疗分级（基金代码：502056）和可选消费 ETF（基金代码：159936）为投资标的物，时间区间选择 2015 年 8 月至 2018 年 3 月，其他条件不变。同样测算得到，周定投的效果会略优于月定投。

表 3.3　三只行业指数周定投与月定投的收益率比较

产品名称	周定投收益率	月定投收益率	收益率差值
信息技术 ETF	–2.31%	–2.33%	0.02%
中证医疗分级	1.88%	1.69	0.19%
可选消费 ETF	–1.73%	–1.95%	0.22%

数据来源：东方财富网定投计算器。

通过以上数据验证，我们认为基金定投中周定投的投资总收益率大部分情况下要稍高于月定投的总收益率。所以在经济条件允许的情况下，周定投会是一个更好的选择。它能够更分散地将资金注入市场，在瞬息万变的行情中可以更及时地抓住市场下跌的机会，摊平成本。不过，定投的方式并不是绝对的，对于上班族来讲，公司按月发工资，所以选择月定投可能更加方便，并且可以达到强制储蓄的目的；而对于时间较充裕，偏向于随着市场波动及时调整定投的投资者来说，选择周定投则会更加合理。

2. 扣款日选择哪天更优

在中证500的例子中，我们选择了每周的周一和每月的25日进行扣款，那么选择其他的扣款日会不会影响定投的收益呢？

周一至周五，哪天定投好？通常是在市场下跌时扣款比较好，因为可以用更低的价格买入更多的基金份额。

要具体回答这个问题，我们还是要让数据来说话！统计过去10年中证500指数的下跌情况，看看周一至周五哪天指数的下跌幅度最大，如图3.1所示。

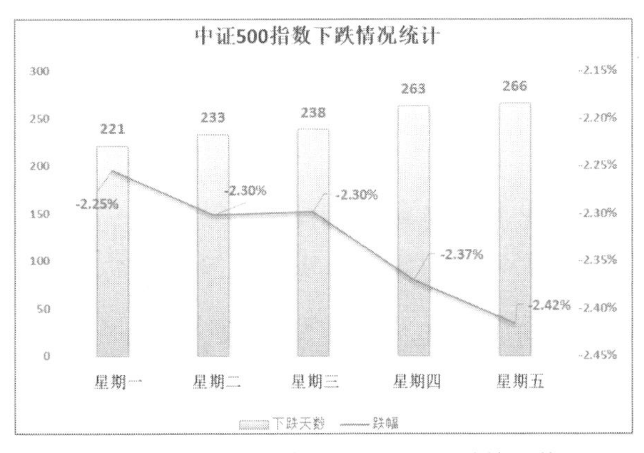

图3.1　中证500指数周一至周五下跌情况统计

我们可以看到在中证500指数10年间所有交易日的下跌天数中，星期四和星期五下跌天数最多，分别为263天和266天，而且计算出来的平均跌幅也都大于每周的前三天。

另外，我们选择中证医疗指数进行周定投。从数据来看，将最近3年定投的收益率、5年定投收益率和10年定投收益率进行比较，发现从周一到周五定投收益率差别不大，故选择周一至周五对定投收益率效果影响不大。

表3.4　中证医疗指数不同定投周期的收益率比较

	近3年定投收益率	近5年定投收益率	近10年定投收益率
周一	124.28%	138.74%	**80.13%**
周二	123.77%	137.89%	79.17%
周三	123.26%	137.81%	78.61%
周四	123.88%	138.67%	79.25%
周五	124.47%	**139.07%**	79.55%

数据来源：老罗话指数投资微信公众号，截至2016年3月18日。

这个结果符合我们对股市的判断。一般来讲，在刚开市的周一和周二，投资者纷纷进入市场，投资情绪也都较为乐观，上涨的可能性较大，而越临近股市休市，投资者越想尽快抛出股票换回现金，所以周四周五都呈现出更大概率下跌的情况，但是将时间周期拉长来看，周定投选择周一至周五的任何一天，整体收益率差别都不大。

月定投也是同样的道理，月初市场整体情绪偏向乐观，都希望能够来个“开门红”，另外，一般元旦、劳动节、国庆节等节日都集中在月初，根据老罗统计的“日历效应”，在节假日后市场上涨的可能性非常大，所以月初不是一个定投扣款的好选择；而越临近月末，市场越疲软，还有可能碰到月末、季末资金流动性紧张引发的市场下跌，所以选择每月月末（一般为 25 日以后）的时间段扣款可以及时抓住下跌的行情，尽可能多地买入低价基金份额。

总而言之，周定投的总收益稍高于月定投，投资者可以根据自己的实际情况进行选择。其次，周定投可以选择每周的周四或周五，月定投可以选择每月的 25 日到 28 日进行扣款，但其实整体差异也不会太大，所以如果选择月定投，在自己工资日后一天扣款可能会更方便。

最后要做的就是，牢记定投的基本原则，期期坚持，积少成多，止盈而不止损，希望大家都能有一个满意的收益率！

尽管周定投与月定投相比，收益率的差别并不大，但是周定投能够更分散地将资金注入市场，在瞬息万变的行情中更及时地抓住市场下跌的机会，所以老罗个人更加偏爱周定投。

3.2 定投的真实收益率是多少

我们经常提到定投收益率，怎么算？

例如，你是不是想这样算：12 个月，每个月固定投入 1000 元，期末持有基金的总净值为 15 000 元，总成本为 12 个月×每月 1000 元=12 000 元，所以收益率=（15 000−12 000）÷12 000=25%

那你就大大低估了定投的真实收益率啦！

下面，我们就围绕着定投的真实收益率，来好好讲一讲这个问题。

1．净现值（NPV）与内部收益率（IRR）

先来看几个专业的概念。

时间价值：货币具有时间价值，未来的 1000 元和现在的 1000 元并不是等值的，比如你在银行存款 1000 元，1 年后银行可能会以 3%的利率给你 1030 元，这就很好地说明了货币的时间价值。

净现值（NPV）：将投资中流入和流出的现金金额，统一折算成现在的价值，计算两者的差额，r 为折现率。

$$\text{NPV}=\sum\frac{\text{现金流入}_t}{(1+r)^t}-\sum\frac{\text{现金流出}_t}{(1+r)^t}$$

内部收益率（IRR）：投资中，净现值=0 时的折现率。也就是在内部收益率下，所有投资支出（现金流出）的现值等于期末净值（现金流入）的现值。

$$\text{NPV}=\sum\frac{\text{现金流入}_t}{(1+\text{IRR})^t}-\sum\frac{\text{现金流出}_t}{(1+\text{IRR})^t}=0$$

2．绝对收益率与真实收益率

即使你不明白这些专业内容也没关系，你只要了解：

（1）货币具有时间价值；

（2）内部收益率是考虑了时间价值的真实投资收益率。

知道了这两点，我们再回过头来想一个问题：在定投中，我们是分期投入成本的，虽然第 2 期、第 3 期直至最后 1 期的成本金额都和第 1 期相同，但因为时间差的存在，使得每笔成本金额的实际价值产生区别。例如，图 3.2 所示的月定投。

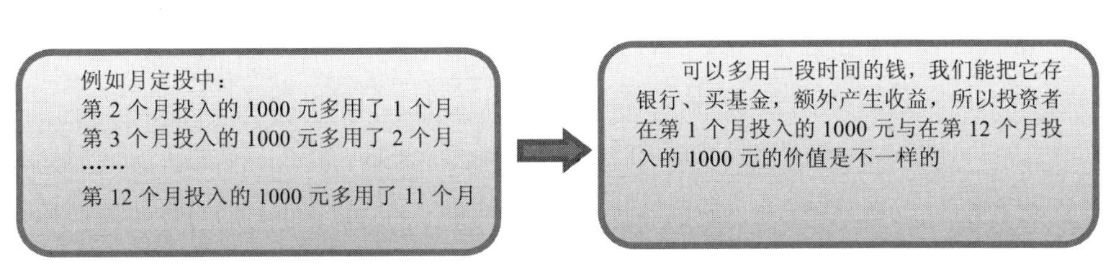

图 3.2　月定投的时间价值分析

所以，定投是一个分期投入的过程，每笔投入间存在时间差，使得其实际价值并不相同。

这时计算投资收益率就需考虑时间价值，所以定投的真实收益率其实是内部收益率！

使用绝对收益率法计算的（15 000–12 000）÷12 000=25%，这个收益率忽略了时间价值，并不是真实数值。

我们应该使用内部收益率来计算定投真实的收益率。假设每月的收益率固定，我们在期末来计算收益率，那么就将每月投入成本的价值统一折算到期末，就会得到如图 3.3 所示的等式。

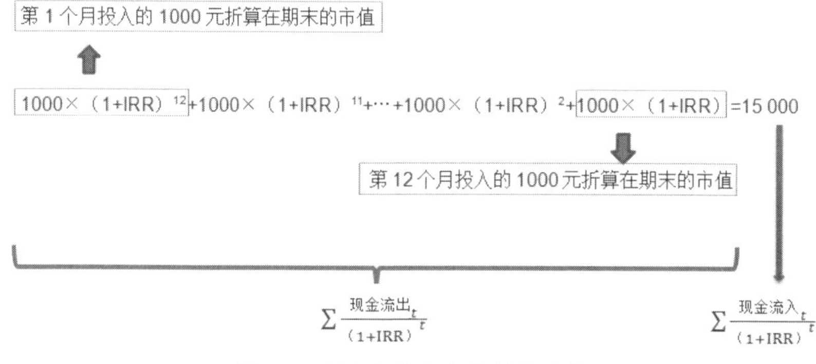

图 3.3　月定投的内部收益率计算

3. 用 Excel 实际操作

了解了应该用内部收益率来计算定投的真实收益率后，我们在实际定投中就可以直接用 Excel 来计算该值，十分方便！如表 3.5 所示。

表 3.5　中证医疗指数不同定投周期的收益率比较

	A	B	C
1		时　　间	月定投金额
2	现金流出	1 月投入	–1000 元
3		2 月投入	–1000 元
4		3 月投入	–1000 元
5		4 月投入	–1000 元
6		5 月投入	–1000 元
7		6 月投入	–1000 元

续表

	A	B	C
		时　　间	月定投金额
8	现金流出	7 月投入	–1000 元
9		8 月投入	–1000 元
10		9 月投入	–1000 元
11		10 月投入	–1000 元
12		11 月投入	–1000 元
13		12 月投入	–1000 元
14	现金流入	期末总净值	15 000 元
15		月 IRR	3.39%
16		年化 IRR/真实收益率	49.15%

具体操作如下。

第 1 步：在 B 列输入月份；

第 2 步：在 C 列输入每月定投金额 1000 元，是现金流出，所以为负值；

第 3 步：在 C14 输入期末总净值 15 000 元，是现金流入，所以为正值；

第 4 步：在 C15 输入公式=IRR(C2:C14)，按月计算出内部收益率；

第 5 步：在 C16 输入公式$=(1+3.39\%)^{12}-1$，得到年化的定投内部收益率。

从计算结果可以看到，定投的真实收益率达到了 49.15%，而不仅仅是 25%，也就是说，定投的收益率被低估了一半！

很多投资者忽视了货币的时间价值，使用绝对收益率算法得出定投收益率，大大低估了其真实数值。事实上，定投相比一次性投资省下了很多时间成本和机会成本，内部收益率才是定投的真实收益率！

4. 老罗投资心得

下面是划重点的时候了！

相信很多人了解内部收益率才是真实的定投收益率，但事实上，这是一种理想化的理论收益率。投资者在现实定投中，将当下还未用于定投的钱做其他投资，并不一定能获得和定投一样的收益，往往都是将闲钱投入货币基金中，获取高于银行活期的利息。

举个例子：期初购买 12 000 元的货币基金，之后每个月的月末从货币基金中拿出 1000 元用于月定投，货币基金利率以每年 4%为例。

这时，你在期末的投资总收益包括两部分：货币基金利息、定投收益，总收益率为 27.17%，同样高于 25%的绝对收益率，如表 3.6 所示。

表 3.6　中证医疗指数按照利息计算的真实收益率

	货币基金定投本金	货币基金每月利息	本金减少	基金定投
期初	12 000 元			
1 月末	11 000 元	40.00 元	1000 元	1000 元
2 月末	10 000 元	36.67 元	1000 元	1000 元
3 月末	9000 元	33.33 元	1000 元	1000 元
4 月末	8000 元	30.00 元	1000 元	1000 元
5 月末	7000 元	26.67 元	1000 元	1000 元
6 月末	6000 元	23.33 元	1000 元	1000 元
7 月末	5000 元	20.00 元	1000 元	1000 元
8 月末	4000 元	16.67 元	1000 元	1000 元
9 月末	3000 元	13.33 元	1000 元	1000 元
10 月末	2000 元	10.00 元	1000 元	1000 元
11 月末	1000 元	6.67 元	1000 元	1000 元
12 月末	0	3.33 元	1000 元	1000 元
	货币基金利息总和	260.00 元	期末基金净值	15 000 元
			投资总收益	27.17%

所以不管是理论的还是现实的，定投的真实收益率绝不是简单计算出来的绝对收益率，而是会更高！

3.3　定投绩优主动基金好不好

关于定投，我们都应该知道，其本质是以相对稳定的时间区间进行累积投资，在市场低谷降低成本，在市场高峰获利了结。

很多投资者对于定投“定”时间区间非常容易理解，无非就是月定投、周定投或日定投，对自己操作有自信的投资者甚至能玩出新花样，即在时间区间范围内波动地“定”投。

但市场上的开放式基金产品高达数千只，投资者选择定投产品的难度可谓不亚于在股票市场上选择股票。如果由于基金产品的选择而浪费了大量的时间精力，可就和定投“懒人操作”的本意相悖了。

那么有没有一种方法能够快速而简便地选择出既适合定投，又可以获得相对较高回报率的基金产品呢？

市场上的确有这类产品，指数基金定投就是一种省时高效的投资选择。接下来，我们以创业板指数为例，向大家说明在定投投资标的的选择中，指数基金与主动型基金相互比较后，是如何脱颖而出的。

1. 某年绩优基金与创业板指数基金定投比较

假设有一个投资者小明，他在 2010 年开始定投，那么对于非专业投资者小明而言，定投的基金应该怎么选择呢？一般而言由于一定的投资惯性，投资者会选取投资前期某段时间内收益排名靠前的牛基，结合自己的市场判断和风险偏好来选择。

于是小明在天天基金网中搜索了 2009 年 6 月 1 日至 2010 年 6 月 1 日所有开放式基金的收益排行，发现最近一年排名在前 20 名的基金如表 3.7 所示。

表 3.7　2009 年 6 月 1 日至 2010 年 6 月 1 日市场开放式基金收益排行

排　名	基金简称	收益率	排　名	基金简称	收益率
1	华商盛世成长	40.19%	11	信诚盛世蓝筹	24.73%
2	华夏大盘精选	38.97%	12	嘉实策略增长	24.10%
3	华夏策略精选	38.09%	13	大成策略回报	23.20%
4	诺安灵活配置	35.23%	14	南方优选价值 A	23.57%
5	嘉实主题精选	33.11%	15	银河竞争优势成长	23.05%
6	华夏复兴	32.21%	16	大成景阳领先	21.11%
7	银华富裕主题	28.93%	17	泰达宏利成长	20.56%
8	大摩资源优选混合	25.03%	18	景顺长城内需增长贰号	20.30%
9	汇添富价值精选 A	24.96%	19	中银中国精选	19.32%
10	国投瑞银稳健增长	25.12%	20	易方达科汇	19.28%

数据来源：天天基金网，老罗话指数投资公众号测算。

另一个投资者小杰懒得在市场上选择基金，他觉得从长远投资来看，成长股有一定的估值上涨趋势，于是就直接选择了定投创业板指数基金。

假设小明和小杰都是趋于理性看重长期市场价值的投资者，他们的投资从2010年6月1日持续到2015年6月1日市场高点获利了结。为了结果的严谨性，假设两人均是用周定投的方式进行投资的，投资时间从2010年6月1日起到2015年6月1日结束，共投入257期。接下来我们对比一下两人的投资盈利结果。

观察图3.4所示的最终收益，定投创业板指数的收益率稳稳超越了这20只基金中的任何一只。创业板5年定投收益率为249.15%，而主动型基金总收益率最高的为221.23%，落后了接近30个百分点。此外，计算得出20只基金的平均收益率为128.77%，创业板指数定投回报率高出平均值120%以上。

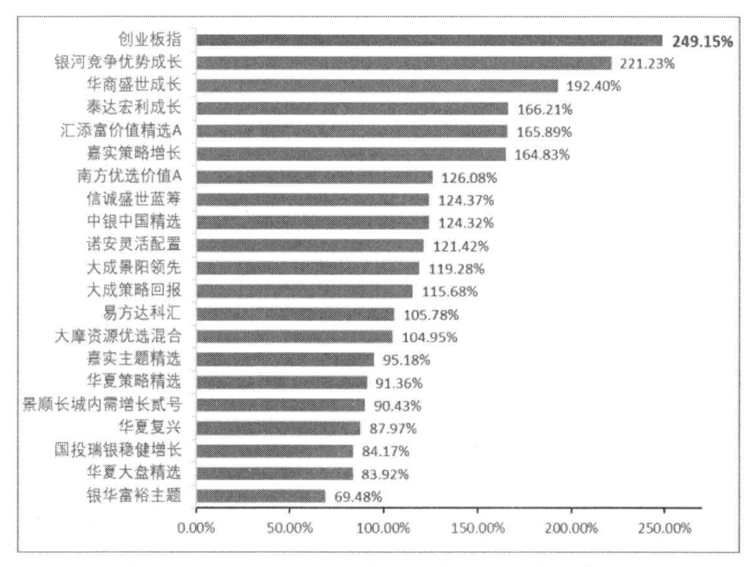

图3.4　2010年牛基与创业板指数5年间收益率排行

小明在这20只基金中无论怎么选择，收益率都不可能比小杰高。而且如果分析不到位、选择不慎，最终的收益率甚至有可能比小杰低近100%，小明的选择最终“吃力不讨好”。指数基金定投长期投资的价值在此时显露了出来，而主动型基金最终的Alpha收益将会慢慢降低，甚至因为主动交易成本的增加使得最终收益率减少，市场本身的投资价值进一步显现。

2. 选择牛市止盈点近一年的绩优基金与创业板指数基金定投比较

如果你还没有完全了解指数投资的优点，那么我们改变先决条件，增加指数定投参与投资“比拼游戏”的难度，就是选择牛市里面的牛基与指数基金进行比较。同样在天天基金网上，我们在 2010 年 6 月 1 日之前上市的基金中，选出 2014 年 6 月 1 日至 2015 年 6 月 1 日一年间收益率最高的 20 只牛基，如表 3.8 所示。

表 3.8　2014 年 6 月 1 日至 2015 年 6 月 1 日市场开放式基金收益率排行

排　名	基金简称	收益率	排　名	基金简称	收益率
1	浦银安盛价值成长 A	259.47%	11	上投摩根中小盘	203.15%
2	宝盈策略增长	242.40%	12	华商盛世成长	200.98%
3	汇添富民营活力 A	235.09%	13	上投摩根阿尔法	199.51%
4	东方策略成长	225.23%	14	信诚中小盘	196.45%
5	宝盈资源优选	219.39%	15	汇添富策略回报	193.79%
6	交银稳健配置混合 A	213.80%	16	银河行业优选	193.57%
7	融通领先成长	208.25%	17	上投摩根中国优势	192.47%
8	国富成长动力	207.78%	18	长盛量化红利策略	191.91%
9	易方达科翔	205.76%	19	金鹰稳健成长	191.50%
10	易方达科讯	205.20%	20	泰信优质生活	190.43%

数据来源：天天基金网，老罗话指数投资公众号测算。

在这一年时间中买中此类基金应当是投资者最值得欣喜的一件事了。假设投资者选中了 2015 年牛市的 20 只牛基的其中一只牛基进行定投，再把时间区间拉长为 2010 年 6 月 1 日至 2015 年 6 月 1 日的 5 年，以周定投的方式进行投资，共 257 期，2015 年 6 月 1 日卖出，观察 5 年间牛基与创业板指数定投回报率的对比，如图 3.5 所示。

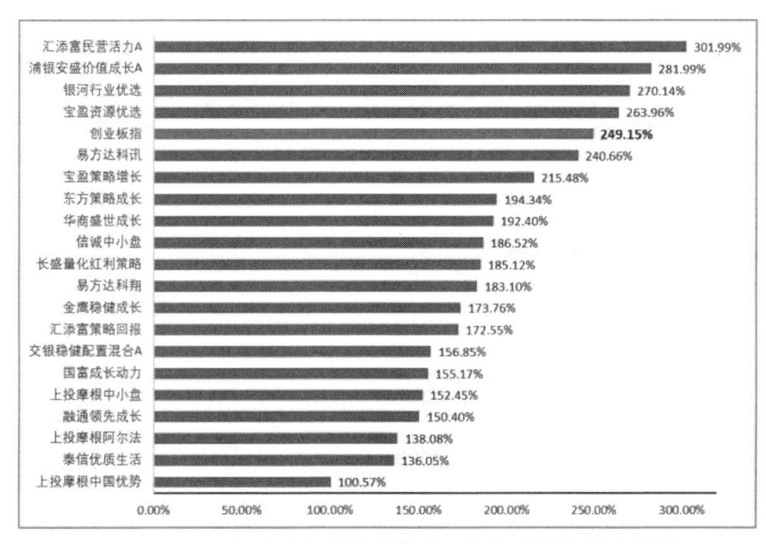

图 3.5　2015 年牛基与创业板指数 5 年间定投收益率排行

这次我们可以看到，创业板指数基金定投收益率依然能够位列前五名，意味着指数定投能够在市场上跑赢牛市里面的绝大多数牛基。而此次选出牛基的5年平均收益率为195.27%，相较之下创业板指数基金定投依然能够高出牛基50%以上的收益率。

即使创业板指数的收益率并没有拿到第一名，但是作为普通投资者，预计某一只基金 5 年间的收益率几乎是不可能的事情，仅有极少数投资者能够获得高于创业板的收益率。但是选择指数基金则相对容易，尤其是对于不注重择时的基金定投而言，随时都可以开始投资一只指数基金做定投。

另一方面，我们观察相隔 5 年时间选出的两组牛基，40 只基金中无一重复。

一般而言主动型基金持续性收益能力并不强，其很难通过长期的高 Alpha 收益成为基金队伍中的“常青树”。经济周期以及市场周期带来的行业轮动预测难度很大，主动基金的管理人一般情况下很难精准追逐市场的超额利润。

当时间跨度拉长时，持续做指数基金定投就能够战胜主动型基金，通过投资市场本身而获取的收益对比主动管理也变得更具优势。

随着国内金融市场的完善，价值投资的显现，投资的最终收益将越来越趋向于市场，当指数产品如 ETF 等慢慢被投资者了解和运用之后，其也将成为基金市场上最受欢迎的投资产品。毕竟，省力、省心、高收益的投资方式，谁能放过？

通常大家都是按照历史业绩较好的主动基金进行定投的，老罗通过数据告诉大家，往往大家找的历史业绩突出的牛基，在下一轮牛市到来时未必还是牛基，所以选择参考历史数据的绩优基金，不如大道至简，选择一只指数基金进行定投。

3.4 为什么推荐指数基金定投

很多“月光族”投资者，在某一个清晨突然醒悟，痛定思痛加入理财大军，开启自己基金定投之路。老罗在投资基金上有一套独创的定投法则，有别于市场上的通用法则，归纳出“专挑股票指数型基金”“定投开始有信心，中途要耐心，结果会开心”“弱市要坚持买入，牛市要分批卖出”“选择‘三高’的指数基金”“微笑曲线只会迟到，不会缺席”“期期坚持，积少成多，止盈而不止损”

等定期定额投资金律，强调进出场的时机掌握在自己手上，老罗认为掌握这些定投的金律，买基金致富一点都不难！

1．什么是基金定投

华尔街流传一句话："要想准确地踩点入市，比在空中接住一把飞刀更难。"如果采取分批买入法，就克服了只选择一个时间点进行买进和卖出的缺陷，可以均衡成本，使自己在投资中立于不败之地，即定投法。

基金定投是定期投资基金的简称，是指在固定的时间、以固定的金额、自动扣款投资到指定的开放式基金中，是懒人投资理财的妙法。积少成多，聚沙成塔，分散和平摊风险，不会因股票市场的一时波动影响正常的生活和情绪。除了市场一路上涨的情况，定投的回报率低于一次性买入以外，其他情况如市场一路下跌、先跌后涨、频繁波动等，定投的收益率均好于一次性买入。

老罗的观点是，"不要选择债券基金和货币基金定投，定投优先选择股票指数基金，熊市要坚持定投，牛市高点要会止盈，落袋为安"，因为定投最大的好处在于分批进场、摊平投资成本，分散可能买高的风险，再利用相对高点获利了结，达到"低买高卖"的效果。因此想要找高点离场，当然要选择高成长性、高波动率、高景气度的股票指数基金定投。

2．为什么要进行基金定投

定投是一个强制存款理财的方式，熊市定投，牛市获利了结。例如在 2007 年 10 月上证指数高点 5954 点定投上证指数基金，截止到 2015 年 5 月，上证指数累计下跌了 23%，但是定投基金的收益率却高达 81%，基金定投年化收益率达到 8.25%，如图 3.6 所示。

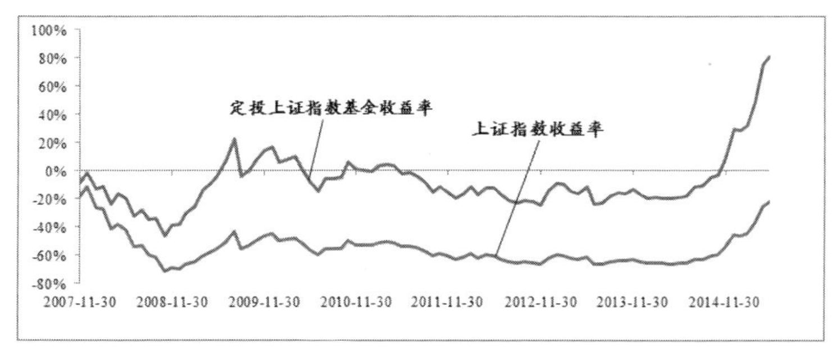

图 3.6　定投上证指数基金与上证指数收益率比较

基金定投具有类似强制储蓄、省时省力、积少成多、无须择时、平摊成本、长期可观等优点。定期定额投资基金，不仅能使长期投资简单化，还能大大降低投资失误所带来的风险。定期定额投资可抹平基金净值的高峰和低谷，大大降低基金资产的波动率。

小贴士：

基金定投适合人群（1）降低投资风险的人——风险偏好较低的投资者；（2）长期理财规划的人——准备子女教育金、养老金；（3）没有时间理财的人——上班族；（4）强迫自己储蓄的人——年轻人，控制消费支出。

3．为何指数基金更适合定投呢？

定投本身就不是一个获取投资最佳收益的方案，其设计初衷就是“为不熟悉资本市场、没有时间和精力去挖掘超越市场的机会”的投资者而设计的，其主要目标是跟上某一类资产的平均收益率，这与指数投资分享市场平均收益的理念不谋而合。总之，下面四点优势是老罗推荐指数基金定投的主要原因。

（1）适合刚入门、花费时间精力较少的投资者

指数基金是以减小与标的指数的跟踪误差为主要目的的被动型投资方式，是为了获取市场的平均收益率。指数基金不是为了超越市场，而是去复制市场。

而定投，更多是为了在一定程度上降低投资者由于择时错误带来的投资风险，在市场的波动之下获取更高的收益，显然定投不是一种需要寻求收益最大化的投资方式。

指数基金与定投“门当户对”，并且二者对选股及择时的要求都不高，因此，指数基金定投更适合刚入门的投资者，可以成为入门投资者进入投资领域的敲门砖，也适合不能花费大量时间研究投资的投资者。

（2）稳定，不易被操纵

指数基金属于被动型投资，不需要基金经理进行大量的分析，这也决定了指数基金对基金经理的主动管理能力依赖性较小。虽然很多优秀的基金经理通过主动管理能够创造出惊人的超额回报，但是选择优秀的基金经理是个难题，而且主动管理型基金受基金经理情绪、行为模式的影响较大，具有较强的主观性，难以在长期保持稳定的高额收益。

并且，在我国，基金经理离职的现象较为普遍，基金经理变更会对基金业绩产生巨大的影响，若是选择赎回，则不符合“定投是一个长期过程”的基本要求。

除此之外，指数基金是透明化的，它是为了跟踪某一只指数，可以有效避免“老鼠仓”等情况的存在。因此，透明而稳定的指数基金，更适合投资者定投。

（3）指数基金费率低

指数型基金被动模拟指数，不需要基金经理进行额外的分析，因此成本较低，而费用也随之较低。

因此，我们可以得到这样一个事实：主动管理基金的费用通常要高于被动管理的费用。以管理费为例，主动基金一般收 1.5%左右的管理费，指数基金作为被动基金，管理费低一些，费率一般是 0.5%；主动型基金的托管费率通常为 0.25%，而指数基金的托管费率通常为 0.10%。

小贴士：

看上去主动型基金和指数基金的费率只相差了 1.15%，然而若是定投 5 年，我们来计算一下复利：$(1.15\%+1)^5-1=5.88\%$。没错，二者相差了 5.88%！

（4）主动基金战胜被动指数难度较大

定投的另一个重要的特点在于以时间换空间，需要长期不断的坚持，就像马拉松赛跑一样。而定投加指数基金，无疑是基金投资中的长跑健将。从海外数据来看，大部分主动投资基金经理战胜不了指数基金。截至 2016 年 6 月 30 日的最近 10 年，超过 85%的不同类型风格的主动基金战胜不了对应风格的指数基金，如表 3.9 所示。

表 3.9　美国各类型主动基金与对应风格指数胜率比较

基金种类	比较指数	最近 1 年战胜比例（%）	最近 3 年战胜比例（%）	最近 5 年战胜比例（%）	最近 10 年战胜比例（%）
所有国内股票基金	标普 1500（综合）	90.2	87.4	94.6	87.5
所有大盘股票基金	标普 500（大盘）	84.6	81.3	91.9	85.4
所有中盘股票基金	标普 400（中盘）	87.9	83.8	87.8	91.3
所有小盘股票基金	标普 600（小盘）	88.8	94.1	97.6	90.8
所有多市值风格基金	标普 1500（综合）	91.6	86.1	94.7	90.3

数据来源：S&P Dow Jones Indices LLC，CRSP，截至 2016 年 6 月 30 日。

从 1945 年到 1975 年，标普 500 指数的年化收益率为 11.3%，同期主动股票基金年化收益率仅为 9.7%，前者年化超额收益率为 1.6%，如表 3.10 所示。30 年累计超额收益率可达 863%。

表 3.10　1945—1975 年美国各类型主动基金与对应风格指数胜率比较

主动股票基金年化收益率	标普 500 指数年化收益率	主动基金年化超额收益率
9.7%	11.3%	-1.6%

数据来源：SPIVA 报告，老罗话指数投资公众号测算。

对比自 1985 年到 2015 年标普 500 指数与主动管理基金的平均收益率，发现标普 500 指数年化收益率为 11.2%，同期大盘主动基金的平均收益率为 9.6%，同样跑不赢指数年化收益率，如表 3.11 所示。

表 3.11　1985—2015 年标普 500 指数与主动基金收益率比较

主动股票基金年化收益率	标普 500 指数年化收益率	主动基金年化超额收益率
9.6%	11.2%	-1.6%

数据来源：SPIVA 报告，老罗话指数投资公众号测算。

A 股市场近 12 年的数据显示，同期主动股票类基金，仅有 35%不到的主动管理基金能够战胜国证 A 股指数，也就是大部分主动投资基金也是难以战胜同期市场的，如表 3.12 所示。

表 3.12　近 12 年国内主动基金战胜国证指数基金的比例

纳入统计的基金数量	战胜同期国证 A 指的基金数	战胜指数的基金比例
67	23	34.33%

数据来源：老罗话指数投资公众号测算。

进一步从主动基金的收益分布来看，虽然主动基金的最佳年化收益率为 27.02%，但最低的才 7.81%，同期国证 A 指的年化收益率为 15.46%。国证 A 指的年化收益率超越纳入统计的基金样本收益率的平均数和中位数，如表 3.13 所示。

相信大家看到这里，能够理解为何指数基金更加适合定投了。定投以时间换空间的特点加上指数基金这类品种，将会极大地提高投资的长跑耐力。如果投资者能够在指数基金定投的路上坚持下去，那么也能像巴菲特一样取得投资胜利。

表 3.13　近 12 年 A 股市场主动管理基金年化收益率分布

最大收益率	27.02%
四分之三分位	16.67%
中位数	14.51%
平均数	14.94%
四分之一分位数	12.49%
最小收益率	7.81%

数据来源：老罗话指数投资公众号测算。

3.5　注意定投的各种费用

自从我的邻居小李知道我从事金融行业工作后，每次我俩碰见，都会跟我吐槽自己最近买的股票跌得多么惨，终于有一次我忍不住对他说“你为啥不买基金呢？市场行情不好，还可以分散一下风险”。他却以基金费用“五花八门”让自己晕头转向为由拒绝投资基金，这实在让我哭笑不得。但想了想，他还是“孺子可教”的，起码自己不清楚的东西就不轻易去碰，否则就要为自己的无知“交学费”了。所以，作为基金投资的新手，一定要了解基金的各种费用。

基金费用是基金在运作过程中产生的费用支出，可以分为如下两大类：

第一类是在基金销售过程中发生的由基金投资者自己承担的费用（交易费用），主要包括认购费、申购费、赎回费及基金转换费，这部分费用直接从投资者认购、申购、赎回或转换的金额中收取。

第二类是在基金管理过程中发生的由基金资产承担的费用（运作费用），主要包括基金管理费、托管费等。

【案例】

假如投资 10 万元购买基金，持有一年需要交多少基金费用？（假定我们按照一折申购费购买了基金。1 年内的赎回费率为 0.5%，管理费率为 1.5%，托管费率为 0.25%。）

申购费：100 000×1.5%/10=150 元（要是在银行，不打折，应该是 1500 元的费用）

赎回费：100 000×0.5%=500 元

一年要收第二类的费用：虽然在你的账户上不显示，但是只要你购买它，就会按天扣除这个费用后才会显示基金的净值。

管理费：100 000×1.5%=1500 元

托管费：100 000×0.25%=250 元

隐形的总损失：1500+250=1750 元

所以我们用 10 万元买入基金，买入一年实际的费用为：

150+500+1750=2400 元

也就是说，我们买基金一年需要交的手续费费率为 2.4%。

如果我们在银行买卖基金，则费用为：

1500+500+1750=3750 元

也就是说，我们买基金一年需要交的手续费费率为 3.75%。

从结果可以看出来，将 2.4%的手续费扣除后才是我们基民赚的钱。因此购买基金前一定要先了解清楚基金的费用。

需要提醒大家的是，根据证监会发布的《流动性新规》，自 2018 年 4 月 1 日起，基金管理人应当强化对投资者短期投资行为的管理，对除货币市场基金与交易型开放式指数基金以外的开放式基金，对持续持有期少于 7 天的投资者收取不低于 1.5%的赎回费（惩罚性费用），并将上述赎回费全额计入基金财产。

【案例】

假设购买了一只基金，通常是 T+1 日确认，周一 15:00 前发起申购申请，那么周二才是基金申购确认日，从本周二到下周一正好 7 天，如果你在下周一赎回，就不用按照 1.5%的费率交赎回费了。但是在这之前赎回都是要按 1.5%费率交赎回费（根据《流动性新规》，申购基金确认日当天算第 1 天，从赎回确认日开始不再计算），如表 3.14 所示。

表 3.14　持有 7 天赎回情况

星期一	星期二	星期三	星期四	星期五
申购申请 （15:00 前）	申购确认	持有	持有	持有
星期六	**星期日**	**下星期一**	**下星期二**	**--**
持有	持有	申请赎回 （不收 1.5%赎回费）	赎回确认	--

基金费用的构成如图 3.7 所示。

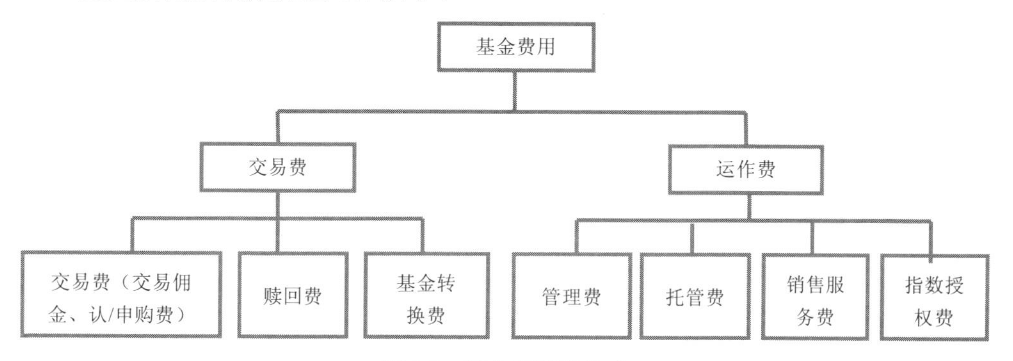

图 3.7　基金费用的构成

1．基金销售过程中产生的费用（交易费用）

（1）基金交易手续费

场内基金和场外基金的手续费是有区别的，需分开来说。

① 交易佣金——场内基金交易

场内基金，包括 ETF 基金和 LOF 基金，在买卖过程中需要支付交易佣金给所使用的券商，具体以券商的佣金标准为准，一般等同于股票佣金。交易佣金是 0.03%左右，即买卖 1 万元的基金，佣金约为 3 元，佣金收取是双向的，买和卖都需缴纳，而且每笔佣金基本都有 5 元的最低收费。故货比三家，选择费率最低的券商或者跟券商进行佣金的协商是非常有必要的。

② 认购费/申购费——场外基金交易

- 认购费

即在基金发行募集期内购买新基金时所支付的手续费，按照购买金额的百分比收取。通常认购费率在 1%左右，并随认购金额大小相应增减。

- 申购费

即在基金申购开放阶段，向基金管理人购买基金份额时需要支付的手续费，按照购买金额的百分比收取，最高不超过 1.5%，随申购金额大小有相应增减。通过银行购买通常有 8 折优惠；通过基金公司的官网或第三方基金平台购买一般可以享受 1 折的优惠。基金申购费可以分为前端收费、后端收费。

前端收费指在购买基金时直接支付申购费，是最为常见的一种收费方式。

后端收费指在购买基金时暂不支付申购费，等到卖出时才支付的付费方式，根据持有基金的时间来决定费用比率。后端收费的基金在持有一定年限后，赎回时免收申购费，此设计目的是为了鼓励投资者能够长期持有基金。

（2）赎回费

即卖出基金时所要缴纳的费用，一般是一次性收取的，目前除了货币基金免赎回费外，其他类型的基金都有赎回费。

赎回费率最高不超过 1.5%。这里有个卖基金小窍门，持有时间越长，基金赎回费越低。

（3）基金转换费

同一基金管理公司管理的不同开放式基金之间（甚至在一些第三方平台上，不同基金公司的开放式基金之间），是可以互相转换的。

基金转换费用由申购费补差和转出基金赎回费两部分构成，具体收取情况视每次转换时的两只基金的申购费率和赎回费率的差异情况而定。一般基金转换支持同一家基金公司旗下的产品。

2. 基金管理过程中产生的费用

（1）管理费

管理费指基金管理人管理基金资产而收取的费用，作为基金管理人的管理报酬。具体收多少一般按照基金净资产值的一定比例来定，从基金资产中提取，收取方式是逐日计算的，定期支付，每天看到的基金净值是已经扣除了这部分费用的。

一般来说，基金管理费率的高低通常与风险成正比。目前股票型基金大部分按照 1.5%的比例计提基金管理费；指数型、债券型基金的管理费率一般在 0.3%～0.8%之间；货币市场基金的管理费率不高于 0.33%；私募基金的管理费率较高，基本上是按 2%的收费标准，而且超过业绩基准要提取业绩报酬。

（2）托管费

托管费，基金的管理原则是“投资与托管分离”，基金管理人并不直接接触资金，只有交易的操作权，因此基金托管人（银行、券商等机构）为保管和处置基金资产而向基金收取费用，按照基金资产净值的一定比例提取，逐日计算并累计，到月末支付给托管人。基金托管费从基金资产中提取，费率会因基金种类的不同而不同，且收取的比例与基金规模、基金类型有一定关系，通常基金规模越大，基金托管费率越低。目前基金托管费率通常低于0.25%。

（3）销售服务费

销售服务费，基金管理人从基金资产中扣除的用于支付销售机构佣金及基金管理人的基金营销广告费、促销活动费、持有人服务费等方面的费用，按前一日基金资产净值的一定比例逐日计提，按月支付。常见的C类指数基金，没有申购费，且持有超过短暂时间后也免收赎回费，申赎费用分成无法给销售渠道带来多少收入，只好用销售服务费来作为一种补偿。

通俗地讲，管理费是付给基金公司的，是基金公司管理产品应得的报酬；托管费是付给托管银行的，是银行保管资金安全等工作的酬劳；销售服务费则是付给销售渠道的，是销售渠道为投资者提供服务的酬劳。

这三种费用一般按年计费，按日扣除，每天基金公司公布的基金净值其实已经扣除了这些费用，所以投资者感受不到这些费用的发生，但这并不能改变这些费用存在的事实。

小贴士：

比如，某只基金当天实际上涨了1.5%，基金公司扣除相关运作费用后，会公布该基金当天上涨1.49%，这减少的0.01%就是“暗收”费用。当然，这种扣除都是有严格规定的，并且在证监会的监督之下进行，不是基金公司想扣多少就扣多少的。

（4）指数使用费

基金公司在使用某一指数开发指数基金时，需要事先与指数编制公司签署指数使用许可协议，并为此支付指数使用费，ETF 为万分之三，其他指数为万分之二。

关于指数使用费到底该谁出，目前还没有相关法律规定。以前老基金都由基金公司自己默默支付了指数使用费，新基金则大多将指数使用费转嫁到投资者头上。这是因为基金规模越来越大，这笔开支也由不起眼变得数额庞大。

买卖基金时需要考虑如何少花认/申购费和赎回费。而这些费用具体是多少，在各基金公司的官网上都可以详细地查到，如图 3.8 所示。

基金档案　基金概况　交易费率　要闻公告

费率结构

前端收费模式

认购费率

金额（M，万元）	费率
M<50	0.4%
M ≥50	100元/笔

申购费率

金额（M，万元）	费率
M < 50	0.500%
M ≥ 50	100元/笔

赎回费率

持有时间（T）	费率
0日 ≤ T < 7日	1.500%
7日 ≤ T < 365日	0.500%
1年 ≤ T < 2年	0.250%
T ≥ 2年	0.000%

图 3.8　基金产品交易费率结构

3. 需要缴纳的税费

目前在国内，场内基金不需要交印花税，基金分红不需要交税，基金交易不需要交所得税。

下面，我们将各种不同类型基金的费用（一般情况）进行了对比，如表 3.15 所示。

表 3.15　被动型基金与主动型基金的费率比较

类　　型	申购费率（主流）	管理费率（年）	托管费率（年）
股票型基金	1.5%	1.5%	0.25%
混合型基金	1.5%,1.2%	1.5%	0.25%
债券型基金	0.80%,0.6%,1%	0.3%～0.8%	0.1%～0.2%
指数型基金	1.5%	0.5%～1.0%	0.1%～0.2%
货币型基金	0.00%	0.33%	0.10%

综合比较可以看出，按照费率从高到低的顺序排列，基金费用成本分别是股票型＞混合型＞债券型＞指数型＞货币型。这是有道理的，因为股票型基金对于基金公司来说是最难打理、最考验基金经理人实力的基金类型，费率自然会高一些。而指数基金是被动型基金，对基金经理人的基本要求是减少产品与指数的跟踪误差，获取市场平均收益，故费率相对较低。

4．指数基金 A 类份额与 C 类份额的费率比较

假设管理费率和托管费率一致，我们来比较一下 A 类份额和 C 类份额基金费率之间的差异，如表 3.16 所示。

表 3.16　指数基金 A 份额与 C 份额的费率比较

	指数基金 A 类	指数基金 C 类
申购费	有（随金额增加而减少）	无
赎回费	有（一般持有超过 1 年会减少，超过 2 年免赎回费）	有（一般持有超过 7 天免赎回费）
销售服务费率	无	0.2%/年

下面以沪深 300ETF 联接 A（270010）和沪深 300ETF 联接 C（002987）为例进行比较，因为它们的管理费率和托管费率一样，在此忽略不计。

A 类的费率为：

0.12%（申购费率）+0.5%（赎回费率）=0.62%（1 年内）

0.12%（申购费率）+0.3%（赎回费率）=0.42%（1 年到 2 年之间）

C 类的费率为：0.2%×持有时间（超过 7 天）

经过计算可以得到，持有时间 2 年是分割线，即持有超过 2 年时，A 份额更划算，持有时间不足 2 年时，C 份额更划算。

那么，如何根据费率选择适合的基金？这里给出几个省钱小窍门。

（1）寻找更低的申购费折扣

随着基金销售机构的竞争加剧，价格战愈演愈烈，银行不为所动，仍坚持着 8 折申购费甚至不打折，但蚂蚁基金和天天基金等第三方销售平台已坚持 1 折申购很久了。有些基金公司直销还会推出更低的折扣，比如 0.1 折甚至 0 费率申购，力度颇大。因此，在购买基金产品时可以尽可能优先考虑申购费低的购买方式。

（2）比较管理费率和托管费率

将二者相加，比较加总的费率，选择低者。通常来说指数型基金的管理费率和托管费率会比主动型基金低，这主要是因为主动型基金更依赖于基金经理人的水平和策略，风险相对来说也会比指数型基金高。但具体如何选择还是要看投资者的偏好。

（3）根据投资者的交易频率进行选择

一般基金持有原则是坚持中长期投资，持有的时间越长，基金费用就越低，这个政策非常有利于做长期基金定投。就“持有基金不到 7 日赎回，收取 1.5% 的赎回费”来说，短期频繁赎回会加大投资成本，多半赚不到太多的钱，持有时间越长，反而在赎回费上有“捞便宜”的机会。

对于指数基金而言，如果做长期投资，可选择 A 类份额，如果倾向于短线操作，行业轮动，更适合选择 C 类份额。

（4）选择大型的基金公司的产品

通常来说，选择基金要选择大型的、知名度高的基金公司的产品，因为大型基金公司的团队实力较强，运作好，产品线更为齐全，方便做基金转换。

（5）学会善用基金转换

对于主动型基金，为了节省费用，可用基金转换，仅缴纳转出基金的赎回费和申购补差费。若你先赎回 A 基金，资金到账后再申购 B 基金，与之相比，基金转换不仅费用省了一点，而且节省了时间成本，具体可咨询基金公司的客服。

费用是收益的一大杀手，购买基金时，别忘了看看这些基金费用明细，小钱也是钱！所以老罗一直推荐运作费用低的指数基金。

3.6 定投时间要多长

我们经常说“定投越跌越要投”“定投止盈不止损”，那么定投一次究竟应该要投多久呢？

老罗认为：可将我国股市的一个牛熊周期的时长作为一次定投时长的参考，同时老罗将一个牛熊周期定义为“指数走势中相邻两个高点之间的区间”，类似于定投中常说到的“微笑曲线”，在市场下跌时不断投入，积攒份额，平摊成本；在市场上升时，获取收益，及时止盈。

下面老罗就先用我国市场上历史悠久的上证综指来举例。自从上海交易所成立以来，上证综指到今天为止已经运行了 20 多个年头。以 1990 年 12 月 19 日为基期，上证综指从 100 点起步，截止到 2018 年 5 月 16 日，上证综指走过了 27 年的历程，究其轨迹，可以发现这个指数有一定的运行周期，牛熊周期交替出现。通过图 3.9 所示的上证综指趋势图可以看出，按照老罗上述判断方法，可将上证综指从 1990 年 12 月 19 日到 2015 年 6 月 12 日这将近 25 年的走势分割为六轮牛熊交替周期。

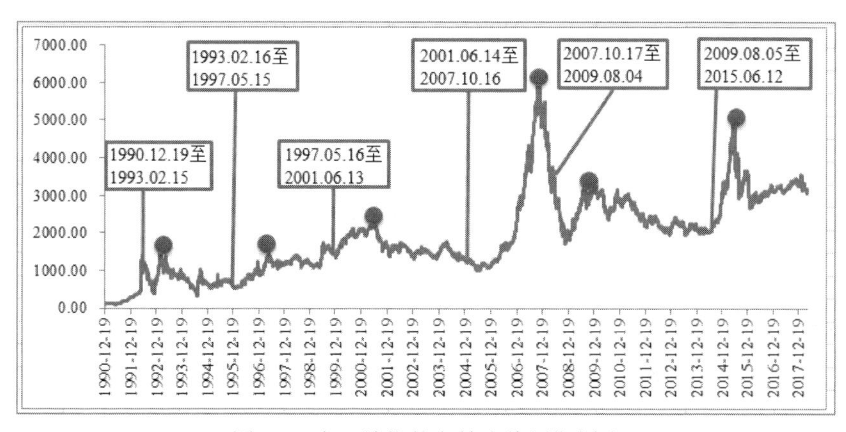

图 3.9　上证综指的六轮牛熊周期划分

1．第一轮牛熊周期

时间区间：1990 年 12 月 19 日至 1993 年 2 月 15 日

指数点位变化：100 点→1536.82 点

指数涨跌幅：1436.82%

老罗将上证综指从开始到第一个高点之间的这段时间作为第一轮牛熊周期，从 1990 年 12 月 19 日的 100 点起步，到 1993 年 2 月 15 日狂飙至 1536.82 点，上证综指第一次站上了 1500 点，将此段区间作为上证综指上市后的第一个牛熊周期，时长两年多，如图 3.10 所示。

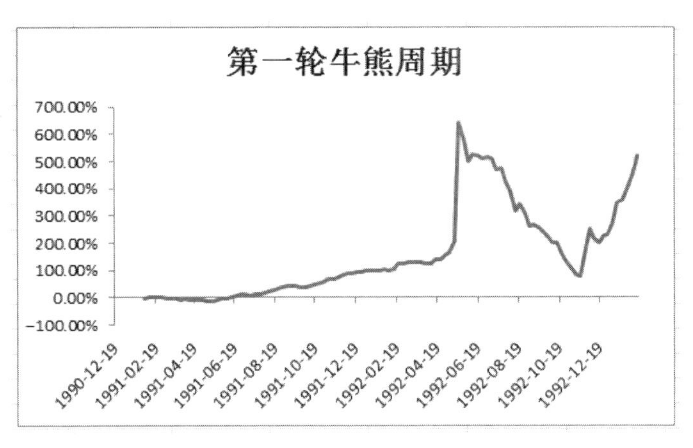

图 3.10　第一轮牛熊周期定投累计收益率

2．第二轮牛熊周期

时间区间：1993 年 2 月 16 日至 1997 年 5 月 15 日

指数点位变化：1536.82 点→333.92 点→1500.40 点

指数涨跌幅：跌幅–78.27%，涨幅 349.33%

上证综指从 1993 年年初的 1536.82 点高峰启航，开始了它的第二轮“跌涨”。在 1994 年 7 月 29 日，上证综指跌至 333.92 点，下跌时间较上一轮要长。随后由于三大政策救市，1994 年 8 月 1 日，新一轮涨势再次启动，到 1997 年 5 月 15 日，上证综指高达 1500.40 点，至此本轮牛熊周期历时 4 年多，如图 3.11 所示。

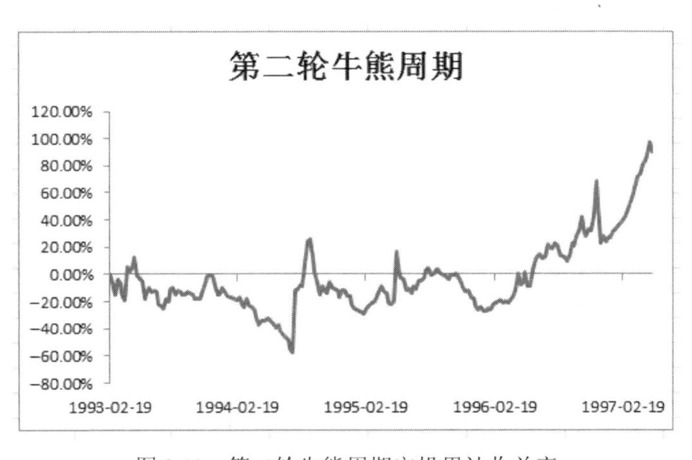

图 3.11　第二轮牛熊周期定投累计收益率

3．第三轮牛熊周期

时间区间：1997 年 5 月 16 日至 2001 年 6 月 13 日

指数点位变化：1500.40 点→1041.97 点→2242.42 点

指数涨跌幅：跌幅–30.55%，涨幅 115.21%

由于过度投机引发股市的大调整，在管理层的连续“规范”下，到 1997 年 8 月下旬，市场挤干了泡沫，上证综指也于 1997 年 9 月 23 日跌至 1041.97 点。随后，宏观经济开始有好转迹象，同时“5 • 19”行情[①]使得网络概念股强劲爆发，将上证综指推到 2242.42 点的历史最高点，至此本轮牛熊周期时长 4 年多，如图 3.12 所示。

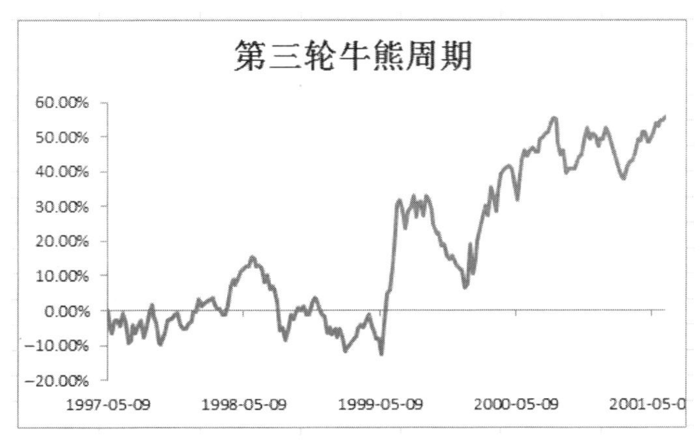

图 3.12　第三轮牛熊周期定投累计收益率

4．第四轮牛熊周期

时间区间：2001 年 6 月 14 日至 2007 年 10 月 16 日

指数点位变化：2242.42 点→1011.50 点→6092.06 点

指数涨跌幅：跌幅–54.89%，涨幅 502.28%

2005 年 7 月 11 日，上证综指跌至 1011.50 点，与 2001 年 6 月 14 日的 2242.42

① 1999 年 5 月，在席卷中国的网络科技股热潮的带动下，中国股市走出了一拨凌厉的飚升走势，在不到两个月的时间里，上证综指从 1100 点之下开始，最高见到 1725 点，涨幅超过 50%，由于此轮行情的起始日为 1999 年 5 月 19 日，因此此轮行情被称为“5 • 19”行情。

点相比，总计跌幅超过 50%。2006 年年初，上证综指的新一轮牛市启动，并于 2007 年 10 月 16 日创下 6092.06 点的最高纪录，但是 3 日后大盘开始调头向下，宣告本轮牛熊周期的终结，时长 6 年多，如图 3.13 所示。

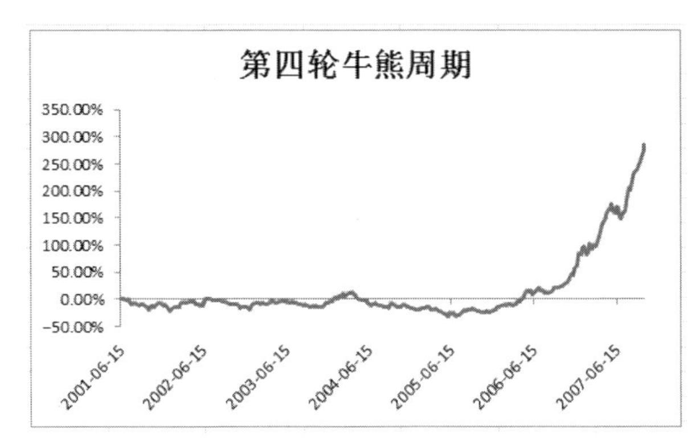

图 3.13　第四轮牛熊周期定投累计收益率

5．第五轮牛熊周期

时间区间：2007 年 10 月 17 日至 2009 年 8 月 4 日

指数点位变化：6092.06 点→1706.70 点→3471.44 点

指数涨跌幅：跌幅–71.98%，涨幅 103.40%

从 2008 年开始，美国导致的世界金融危机使得我国经济出现减缓，上证综指跌至 1706.70 点。之后我国实行经济刺激计划，投入 4 万亿元振兴工业，带动了股市；同时我国通过宽松的货币政策降低了市场利率，释放了流动性。在此背景下，上证综指迅猛上涨，仅用了几个月时间就达到最高位 3471.44 点，使得本轮牛熊周期仅两年左右，属于比较特殊的情况，如图 3.14 所示。

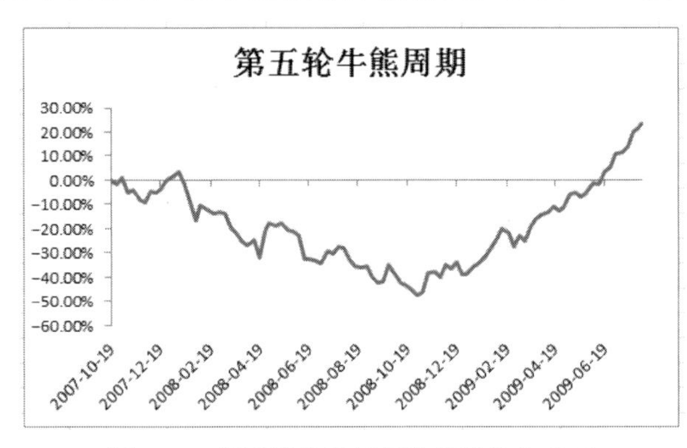

图 3.14　第五轮牛熊周期定投累计收益率

6．第六轮牛熊周期

时间区间：2009 年 8 月 5 日至 2015 年 6 月 12 日

指数点位变化：3471.44 点→1950.01 点→5166.35 点

指数涨跌幅：跌幅–43.83%，涨幅 164.94%

在新一轮牛熊周期中，上证综指从 3471.44 点跌至 2013 年 6 月 27 日的 1950.01 点，之后因 2014 年 11 月 17 日沪港通的开通，上证综指开始新一轮的牛市。由于融资融券的杠杆效应，股市成交额不断被放大，上证综指节节攀升，2015 年 6 月 12 日冲至 5166.35 点，本轮牛熊周期维持近 6 年，如图 3.15 所示。

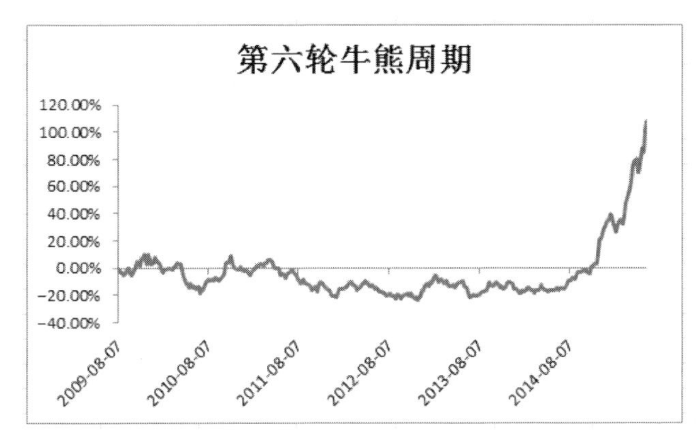

图 3.15　第五轮牛熊周期定投累计收益率

综上所述，我们可以发现，上证综指从 1990 年 12 月 19 日到 2015 年 6 月 12 日的 25 年走势可分为 6 轮牛熊交替周期，除去 2007 年 10 月 17 日至 2009 年 8 月 4 日这轮较特殊的情况外，每轮牛熊周期的时长基本在 3～6 年的范围内。

由此，老罗认为，我们在做定投时，可以参考以上牛熊周期的时长，将一次定投的期限设置在 3～6 年之间，从而将有很大概率经历一个牛熊周期：跌时投入，积累“低价”的份额；涨时收益，及时止盈，落袋为安。

表 3.17 以周定投为例，列举了每段牛熊周期的定投累计收益率与一次性投资收益率，除去未按老罗牛熊周期判断方法（两个高点之间）区分的第一轮周期外，在其余周期内，定投的收益率均高于一次性投资。再分析一下 6 轮牛熊周期的定投累计收益率走势，可以发现每个周期内的定投收益，都画出了一条完美的“微笑曲线”！

表 3.17　上证综指各牛熊周期的投资收益率

牛熊周期	周定投累计收益率	一次性投资收益率
1990.12.19 至 1993.02.15	531.60%	1308.25%
1993.02.16 至 1997.05.15	90.06%	–5.47%
1997.05.16 至 2001.06.13	55.53%	52.83%
2001.06.14 至 2007.10.16	285.58%	175.54%
2007.10.17 至 2009.08.04	23.28%	–40.33%
2009.08.05 至 2015.06.12	106.96%	58.44%

数据来源：WIND，统计区间：1990.12.19—2015.06.12。

我们可以再来看一下深证成指的例子，用其辅助证明我们的结论。运用老罗的周期判定方法，将深证成指走势中相邻两个高点之间的区间作为一个牛熊周期，把该指数的历史走势分为如图 3.16 所示的几个周期。

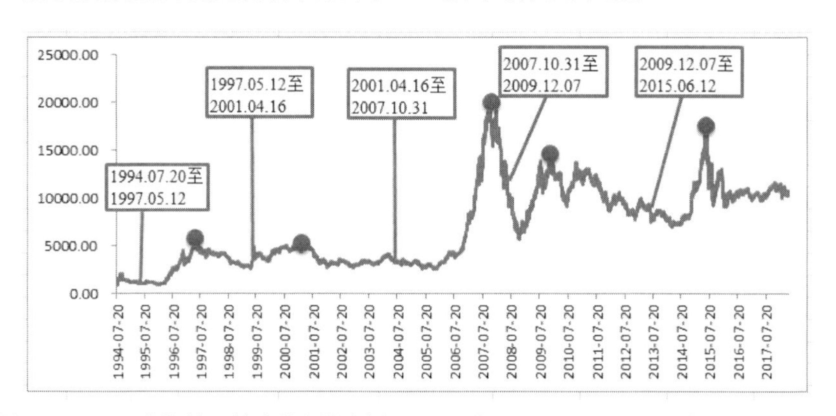

图 3.16　深证成指的 5 轮牛熊周期划分（1994 年 7 月 20 日至 2015 年 6 月 12 日）

由此可知，除 2007—2009 年的特殊时段外，该指数每段牛熊周期的时长为 3～6 年，针对以上各牛熊周期，我们以周定投为例，列举每段牛熊周期的定投累计收益率与一次性投资收益率。可以发现，除未按老罗牛熊周期判断方法（两个高点之间）区分的第一轮周期外，在其余周期内，定投的收益率均高于一次性投资，如表 3.18 所示。

所以，从上交所与深交所的两个上市较早的指数来看，上证综指与深证成指的每个牛熊周期的时长均处于 2～6 年之间，老罗认为这给广大定投投资者提供了一个合适的时长参考，也提醒了各位投资者：定投并非是一个短期投资的过程，希望定投投资者学会“与时间做朋友”，静待这朵“时间的玫瑰”最终可以美丽绽放！

表 3.18　深证成指各牛熊周期的投资收益率

牛熊周期	周定投累计收益率	一次性投资收益率
1994.07.20 至 1997.05.12	297.77%	511.15%
1997.05.12 至 2001.04.16	28.27%	–0.98%
2001.04.16 至 2007.10.31	424.00%	295.35%
2007.10.31 至 2009.12.07	36.79%	–24.31%
2009.12.07 至 2015.06.12	85.53%	30.43%

数据来源：WIND，统计区间：1994 年 7 月 20 日—2015 年 6 月 12 日。

3.7　股票、黄金、石油和债券定投收益比较

提到基金定投，投资者一般都会想到去定投股票基金，可实际上除了股票基金外，基金的种类还有很多，例如黄金、石油、债券等。那么为什么大多数人都会选择定投股票基金呢？其他产品类型的基金又是否适合用来做定投呢？在这里，老罗为大家简单介绍一下黄金、石油及债券基金定投的方式，将各种产品类型的投资与收益情况和股票基金定投进行对比，供大家参考。

1. 黄金定投

黄金定投，是以黄金为投资标的的定时定额投资模式。投资者每期以固定的金额或者重量（每期最低 0.1 克）来购买黄金，在一定期限后，投资者可以将定投账户内积累的黄金直接提取成满足一定规格的实物黄金，也可选择按照市价兑换成现金。

（1）黄金定投的特点

① 保值功能。黄金作为稀有金属，其本身是保值的货币，所以黄金定投具有基金定投所不具备的保值功能。

② 资金投入方向。基金定投的资金主要用于股票、债券市场等；黄金定投的资金主要投入到单纯的黄金市场。

③ 赎回方式。基金定投的赎回方式是现金；黄金定投的赎回方式可以是现金，也可以是黄金。

（2）黄金 ETF

虽然黄金定投与基金定投存在一定的差异，但是我们在投资黄金时，也可

以选择相应的黄金 ETF 进行定投，从而方便我们的投资。黄金 ETF 和其他 ETF 基金一样，免收印花税，单边佣金在 0.01%～0.03%，投资费用偏低。国内黄金 ETF 有两种，一种是跟踪上海黄金交易所金价的普通 ETF 基金，其中规模最大的是华安黄金 ETF（518880）；另一种是跟踪海外黄金价格走势的 QDII 型场内基金，规模均较小。

在这里，以华安黄金 ETF（518880）为例，根据该基金上市情况，计算其定投收益情况，结果如表 3.19 所示。可以看到，在该段投资区间内，华安黄金 ETF 周定投累计收益率达到了 18.66%，年化收益率约为 7.61%。

表 3.19　华安黄金 ETF 周定投收益率

定投标的	代　码	区　间	累计收益率	年化收益率
华安黄金 ETF	518880	2014-03-14 至 2016-07-08	18.66%	7.61%

数据来源：WIND。

2．石油定投

原油投资，即石油投资，是国际上重要的投资类别。石油市场是一个全球性的市场，在历史上经历过几个大周期。20 世纪 70 年代，第三世界产油国联合成立了 OPEC（石油输出国组织），OPEC 陆续对石油实行国有化，其间借两次石油危机之机提高石油价格。20 世纪 80～90 年代，受两次石油危机影响，国际原油需求出现萎缩，同时以俄罗斯、委内瑞拉为代表的非 OPEC 原油生产国采用新技术和产量的持续增长来应对高油价，国际油价步入 20 年低迷阶段。

进入 21 世纪，中国、印度等新经济体高速发展，其对原油的需求也呈现快速增长的趋势，国际油价迎来 10 年“黄金期”，并于 2008 年 7 月达到历史峰值 147 美元/桶。2014—2016 年油价下跌，主要原因是 2014 年 7 月美国页岩油总产量爆发式增长至 470 万桶/天，美国一度成为全球最大生产国。在之前的 20 年低迷期内，世界经济对原油的需求量减少，然而本轮油价下降反而刺激了对原油的需求，而且亚太地区对原油消费的拉动依旧强劲，所以 2017 年的油价开始反弹。

以国内的南方原油（501018）为例，该基金的比较基准为 WTI 原油价格收益率×60%+BRENT 原油价格收益率×40%，所以该基金的走势基本跟国际原油差不多。根据该基金上市情况，举例计算其定投收益情况，结果如表 3.20 所示，累计收益率为 13.26%，年化收益率约为 8.65%。趋势图如图 3.17 所示。

表 3.20　南方原油定投收益率

定投标的	代　　码	区　　间	累计收益率	年化收益率
南方原油	501018	2016-12-30 至 2018-06-22	13.26%	8.65%

数据来源：WIND。

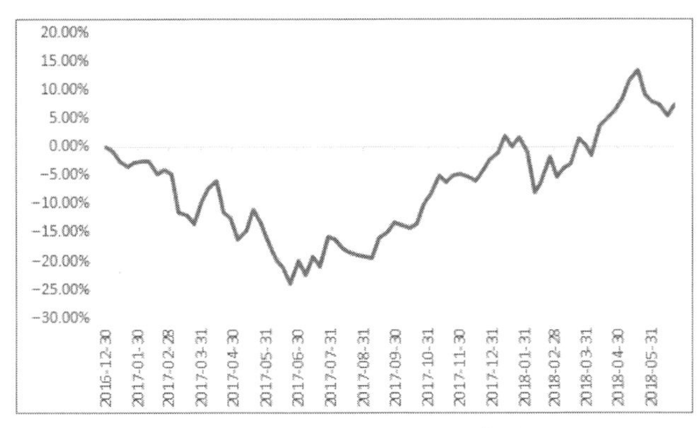

图 3.17　南方原油定投累计收益率

3．债券基金定投

债券是政府、企业、银行等债务人为筹集资金，按照法定程序发行并向债权人承诺于指定日期还本付息的有价证券。债券是一种有价证券。由于债券的利息通常是事先确定的，所以债券是固定利息证券（定息证券）的一种。

（1）债券基金定投的特点

债券基金也可以作为定投的一种方式，之前我们提到的基金定投大多是指股票基金的定投，其实基金的投入资金可以流向两个不同的市场：股票市场和债券市场。

债券基金定投主要投资的是国债、金融债、企业债等固定收益类金融工具，大多约定好了期限和收益率，所以债券基金主要追求当期比较固定的收入，相对于股票基金来说增值潜力低一些，适合不愿承担更多风险的投资者。同时债券基金投资品种的期限比货币基金更长，收益率会比货币基金高一些。

（2）债券基金定投的意义

债券自身的波动比较小，并且债券市场与股票市场上的波动呈现出一定的负相关关系，也就是说股票市场上涨的时候，往往债券市场下跌；而股票市场下跌的时候，往往债券市场会上涨。

所以，当我们在目前的股票市场中找不到适合投资的股票基金时，可以选择投入合适的债券基金作为替代品。或者在做结构式组合投资时，可以将两类基金结合，有效降低投资组合的波动性。但是，投资组合波动性的降低，也意味着收益可能会减少。

在这里，老罗以国债 ETF（511010）为例，计算其定投收益率情况，结果如表 3.21 所示，定投累计收益率为 5.35%，年化收益率为 3.54%。

表 3.21 国债 ETF 定投收益率

定投标的	代 码	区 间	累计收益率	年化收益率
国债 ETF	511010	2013-05-24 至 2014-11-07	5.35%	3.54%

数据来源：WIND。

我们从图 3.18 中国债 ETF 二级市场历史走势可以看出，债券特别是国债的市场行情波动性比较小，所以其定投收益也相应比较保守。

图 3.18 国债 ETF 历史走势（2013.08.09 至 2018.05.29）

4. 股票指数基金定投

最后，我们来看一下股票基金的定投收益率，以中证 500（指数代码：000905）为例，计算得出其周定投累计收益率为 184.34%，年化收益率为 26.14%左右，如表 3.22 所示。

表 3.22 中证 500 定投收益率

定投标的	代 码	区 间	累计收益率	年化收益率
中证 500	000905	2011-01-01 至 2015-06-12	184.34%	26.14%

数据来源：WIND。

我们将各类定投标的的年化收益率进行对比，可以发现股票基金的定投收益率明显高于黄金、石油以及债券基金的定投收益率，如表 3.23 所示。

表 3.23　各类基金定投的收益比较

基金类型	年化收益率
黄金	7.61%
石油	8.65%
债券	3.54%
股票	26.14%

这一方面是因为股票市场具有一定牛熊周期循环，在一段长期的定投期间内，我们可以在市场下跌时攒够份额，在市场上涨时获取更高收益，但是其他投资标的的市场难以体现出股票市场的这种规律；另一方面，定投适合投资“三高”（高成长性、高景气度、高波动率）产品，这样的产品才会增加定投收益“微笑曲线”出现的概率，所以债券基金等波动率较小的产品自然不会像股票基金一样在定投中表现出色。

由此看来，与其他定投产品类型相比，股票基金更加适合作为定投标的。如果投资者属于风险规避型的人群，不希望承担股票市场上较高的风险，那么可以通过定投国内的股票指数基金和海外的股票指数基金进行组合定投，来降低自身的投资风险，平滑收益。

3.8　A 股、港股和美股宽基指数定投收益大 PK

在定投理论中，“微笑曲线”是最美的。从“微笑曲线”的最左端相对高点开始，撑过下跌周期，坚持到最右端，我们不仅能够获得不菲的收益，更能分散投资风险，减小择时压力。

适合定投构造“微笑曲线”的指数品种有很多，本节我们来重点关注“宽基指数”。宽基指数覆盖股票面广泛，能够有效分散“黑天鹅”风险，是长期定投的可靠标的之一。

那么在历史上，国内外市场上各类型的宽基指数的“微笑曲线”定投收益率都如何呢？它们各有什么特点？我们应该如何选择宽基指数进行定投呢？

1. 宽基指数定投收益对比

老罗精选了A股、港股及美股市场上的宽基指数，对其2000年以来存在的定投机会进行收益率测量，画出优美的“微笑曲线”。假设我们每周五进行一次1000元的周定投，对在不同市场上所能获得的定投收益率进行比较。

在A股市场上，我们选择沪深300、中证500和创业板指数进行定投，分别计算了沪深300三段微笑曲线的定投累计收益率和年化收益率，中证500和创业板指数两段微笑曲线的定投累计收益率和年化收益率，数据如表3.24所示。

表3.24 A股市场主要宽基指数定投收益率比较

沪深300				
时间	开始定投	结束定投	周定投收益率	周定投年化收益率
2007/10/17-2009/8/4	5891	3803	31.30%	16.79%
2009/8/4-2015/6/9	3803	5380	95.65%	12.66%
2015/6/9-2018/1/26	5380	4403	24.97%	9.07%
中证500				
时间	开始定投	结束定投	周定投收益率	周定投年化收益率
2008/1/15-2010/11/11	5495	5581	63.08%	19.65%
2010/11/11-2015/6/12	5581	11 616	182.39%	26.44%
创业板指				
时间	开始定投	结束定投	周定投收益率	周定投年化收益率
2010/12/20-2015/6/5	1239	4037	281.92%	36.59%
2015/6/5-2015/11/26	4037	2915	12.44%	16.27%

数据来源：WIND。

在中国香港市场上，我们选择恒生指数和恒生中国企业指数进行定投，分别计算了恒生指数和恒生中国企业指数微笑曲线的定投累计收益率和年化收益率，数据如表3.25所示。

表3.25 中国香港市场主要宽基指数定投收益率比较

恒生指数				
时间	开始定投	结束定投	周定投收益率	周定投年化收益率
2000/3/28-2007/10/30	18 397	31 958	137.03%	12.31%
2007/10/30-2015/4/27	31 958	28 588	35.18%	4.20%
2015/4/27-2018/3/21	28 588	31 978	30.79%	9.89%

续表

恒生中国企业指数				
时间	开始定投	结束定投	周定投收益率	周定投年化收益率
2000/7/24-2007/11/1	2491	20 609	529.31%	29.43%
2007/11/1-2015/5/26	20 609	14 962	35.19%	4.16%

数据来源：WIND。

在美国市场上，我们选择纳斯达克 100、标普 500 和道琼斯工业指数进行定投，分别计算了纳斯达克 100 指数、标普 500 指数和道琼斯工业指数微笑曲线的定投累计收益率和年化收益率，数据如表 3.26 所示。

表 3.26　美国市场主要宽基指数定投收益率比较

纳斯达克 100 指数				
时间	开始定投	结束定投	周定投收益率	周定投年化收益率
2000/3/24-2007/10/31	4816	2239	44.51%	4.97%
2007/10/31-2018/7/17	2239	7418	234.43%	11.95%
标普 500 指数				
时间	开始定投	结束定投	周定投收益率	周定投年化收益率
2000/3/24-2007/10/11	1552	1565	32.74%	3.83%
2007/10/9-2018/1/26	1565	2872	95.00%	6.71%
道琼斯工业指数				
时间	开始定投	结束定投	周定投收益率	周定投年化收益率
2000/1/14-2007/10/11	11 750	14 198	35.55%	4.02%
2007/10/11-2018/1/26	14 198	26 616	97.64%	6.85%

数据来源：WIND。

看到以上令人有些眼花缭乱的数据，相信大家都想知道，各个市场上最优的定投出现在哪个时期？收益率的对比又是一番怎样的景象？

2. 宽基指数定投最优收益率对比

选取 3 个市场的主要宽基指数的最好的定投收益率进行比较，如表 3.27 所示。

仔细观察定投的效果，总体而言，定投 A 股市场上的宽基指数效果最好，定投的年化回报率最高，这也与 A 股市场熊长牛短及市场波动有很大关系。

表 3.27　3 个市场宽基指数定投最优收益率对比

宽基指数定投最优收益率对比					
	指数名称	时间	时长	周定投收益率	周定投年化收益率
A 股	沪深 300 指数	2009/8/4-2015/6/9	约 5 年	95.65%	12.66%
	中证 500 指数	2010/11/11-2015/6/12	约 4.5 年	182.39%	26.44%
	创业板指数	2010/12/20-2015/6/5	约 4.5 年	281.92%	36.59%
港股	恒生指数	2000/3/28-2007/10/30	约 7.5 年	137.03%	12.31%
	恒生中国企业指数	2000/7/24-2007/11/1	约 7 年	529.31%	29.43%
美股	纳斯达克 100 指数	2007/10/31-2018/7/17	约 11 年	234.43%	11.95%
	标普 500 指数	2007/10/9-2018/1/26	约 10 年	95.00%	6.71%
	道琼斯工业指数	2007/10/11-2018/1/26	约 10 年	97.64%	6.85%

数据来源：WIND。

其中创业板指数的定投收益率最为亮眼，如果赶上了 2010 年到 2015 年这一段先跌后涨、在最后半年内快速拉升的好时机，定投累计收益率将达到 281.92%，年化收益率也会达到 36.59%。

再者，A 股市场上出现的最优定投时机都开始于 2009 年，结束于 2015 年牛市高点，这段时间内 A 股先是长时间横盘，在 2015 年牛市来临半年的时间里快速上涨。

与 A 股市场不同，港股市场上出现的最优定投时机发生在 2000 年至 2007 年，全球经济危机爆发之前。值得关注的是，恒生中国企业指数在这 7 年内暴涨了 7.27 倍，基本上是单一上涨的市场，这与中国内地经济腾飞式发展、生产力增强与需求上涨有着密不可分的关系。

定投最高回报率相对较低的市场是美股市场。从 2007 年美股受经济危机影响下跌之前开始，到 2018 年为止，美股市场经历的是一段先跌后涨的经济周期，形成了单边上涨的黄金 10 年，目前仍在高位上涨阶段。

在定投方面，纳斯达克 100 指数的表现明显优于标普 500 指数和道琼斯工业指数，定投纳斯达克 100 指数能在 11 年的期限内获得将近 12%的年化收益率，其稳定性也是很吸引人的。

在最适合定投的区间里，各个市场上的宽基指数都有不同程度的上涨，其中 A 股创业板指数、港股恒生中国企业指数以及美股纳斯达克 100 指数涨幅靠前，这主要得益于这 3 只宽基指数的波动率和成长性好于同市场的其他宽基指数，故同一区间内的定投收益率也领先于其他宽基指数。

这些现象表明，选择高成长性、高波动率、高景气度的宽基指数进行定投，既能分散指数下跌的风险，又能在“微笑曲线”的右半部分走得更远，笑得更灿烂。

第 4 章　定投投资的小技巧

4.1　基金定投要趁早

1.“出名要趁早”不如“投资要趁早”来得实在

张爱玲女士曾说过“出名要趁早，来得太晚的话，快乐也不那么痛快”。网络上对这句话褒贬不一，老罗不是什么思想家，也不敢对此话正确与否妄加评论。不过作为一介“金融民工”，老罗斗胆将这句话改成“投资要趁早，投得太晚的话，财富也没有那么容易积累”，我想大部分投资者对这句话都不会有争议。

如图 4.1 所示是瑞士信贷统计的全球发达与新兴市场股市自 1900 年以来扣除通胀后的投资收益，虽然中间有波动，但长期趋势向上，累计收益数千倍。当初老罗对着这张图发了半天呆，终于总结出了一个日月可鉴的投资真理——要想收益好，必须活得老，投资要趁早。我们再回头看看万人景仰的股神巴菲特，如果他不是从 20 几岁就开始投资，且投资时间够长，相信“股神”这个称呼也未必与他有缘。

图 4.1　1900—2013 年新兴市场与发达国家的市场回报率

2. 基金定投是普通投资者进行高风险投资的起点

“基金定投是一切高风险投资的起点”这句话是基金业一位重量级前辈总结的观点，老罗对此话深信不疑。老罗接触过不少投资者，总想着要在股市里叱咤风云，一夜暴富，但最终发现大部分人几年折腾下来不仅没有实现致富梦，反而赔了夫人又折兵——不仅亏了钱，还错过了发展事业的黄金期。

巴菲特告诉投资者需要认清自己的能力圈，老罗觉得对于想要分享资本市场收益而又没有太多精力关注市场的投资者，选择基金定投是最有效的资源配置方式，这样投资者就可以分出精力做自己最擅长的事，去追逐自己的事业梦想。

3. 基金定投——大道至简

基金定投是指开放式基金的定期定额申购，即投资者委托基金销售机构，由受托机构在每月约定时间从投资者指定的资金账户上自动完成约定金额的扣款，自动申购约定基金产品的一种长期投资方式。

说到基金定投，大多数投资者的第一反应均带有些许不屑，很多人会反问：这种“傻瓜”式的东西能够赚钱？老罗以投资最熟悉的沪深 300 为例，假如你在 2007 年 10 月沪深 300 指数高点 5737 点定投沪深 300 指数基金，截止到 2015 年 5 月，沪深 300 指数累计下跌了 14%，但周定投基金的收益率却高达 81%，基金定投年化收益率达到 8.25%，如图 4.2 所示。

图 4.2　一次性购买与定投沪深 300 指数基金的收益率差异

凭老罗多年在资本市场摸爬滚打的经验，发现投资这个行业跟其他行业最大的不同在于，一般行业用心做，够勤劳，基本都能学有所成，得到相应的回报，而投资行业却比较特殊，要想做得好，勤奋是必需条件，而勤奋却未必能够有所回报，如果没有掌握正确的方法，整天在市场中追涨杀跌，最终几年下来竹篮打水一场空。据老罗观察，很多投资者都是在市场中碰得头破血流之后，才发现定投就是那位“众里寻他千百度，蓦然回首，那人却在，灯火阑珊处”的心中女神。

因此，很多时候简单是投资成功最关键的因素，巴菲特曾经说过“通过定投指数型基金，毫无专业知识的投资人实际上会比大多数职业投资者干得更好”。从这句话我们至少可以得出小白用户实现投资成功的可靠途径：一是投资指数基金，二是定投基金。

不管是指数基金还是定投，均是相对简单的投资方式，却能起到意想不到的投资效果，老罗觉得用“大道至简”来解释背后的深层次原因再贴切不过。一句话，“投资要趁早，基金定投是个宝”。

除收益上的优势之外，基金定投还有一些优点，老罗觉得可以跟大家分享：

（1）起点金额不高、投资时机要求不高——不需要大量资金，不需要太多择时；

（2）方便快捷、省时省力——可以释放精力做最擅长的事情；

（3）强制储蓄、强制投资——有助于培养理财意识，积攒第一桶金；

（4）平均投资、分散风险——避免一次性大亏损；

（5）长期投资、享受复利——分享资本市场成长，长期复利效果惊人。

老罗认为，如果你或者你的家人与朋友希望了解基金投资，希望在投资理财方面积攒人生的第一桶金，千万不要浪费年轻人“投资要趁早”这一不可替代的优势。

4.2 如何选择定投指数基金品种

现在市场上指数品种越来越多，定投什么品种也是投资者苦恼的一件事情。老罗喜欢用数据说话，如果你在2007年10月至2015年5月每月定投基金，那么代表大盘蓝筹的沪深300定投累计收益率达77%，而中证500高达168%，是前者的两倍多。可见，选择不同指数基金定投收益率差别也较大。那么问题来了，投资哪种指数基金定投收益率更高？“授之以鱼不如授之以渔”，今天我们只告诉你挑选指数的诀窍。不要着急，先用数据来说话。

1. 高波动

“秧好一半谷，题好一半文。”在投资领域也是同样的道理，目标和方向的选择是投资能否取得盈利的重大前提。那么，定投应该选择怎样的基金呢？是波动幅度较大的基金，还是波动幅度较小的基金？那就让我们用最有力的数据来说明吧！

如图 4.3 所示，现有指数 1 和指数 2 两种指数，在同一时期内，可以看到指数 2 的波动大于指数 1。假设我们每月定投 1000 元。

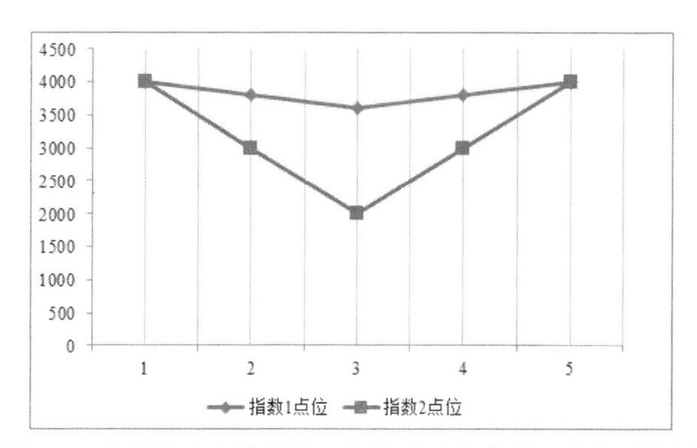

图 4.3　定投波动大的指数 2 和波动小的指数 1 的波动比较

从表 4.1 我们可以得知，在投入相同金额的情况下，指数 2 的定投收益率为 33.33%，远高于指数 1 的收益率 4.33%。定投波动大的指数带来的收益明显好于波动小的指数。“牛市赚净值，熊市享份额。”这又和定投的铁律不谋而合了：定投的秘诀就是趁熊市通过不间断地定投来摊低成本，获取更多份额。在高位买入份额少，在低位买入份额多，从而将成本摊得更低，使得最终收益率更高。

表 4.1　定投波动大的指数 2 和波动小的指数 1 的定投收益率比较

	指数 1 点位	指数 1 的定投收益率	指数 2 点位	指数 2 的定投收益率
1	4000	0.00%	4000	0.00%
2	3800	−2.50%	3000	−12.50%
3	3600	−5.09%	2000	−27.78%
4	3800	0.14%	3000	6.25%
5	4000	4.33%	4000	33.33%

数据来源：老罗话指数投资公众号测算。

那现实情况如何呢？定投是选择净值波动较大的基金，还是选择波动较小的基金？我们选取在2010年6月1日开始定投不同波动率的指数，发现到2015年牛市高点卖出，波动率越大的指数，定投收益率越高，如表4.2所示。可见，选择波动较大的基金更适合进行基金定投。

表4.2 主要宽基指数的定投收益率比较

指数基金	波动率	定投累计收益率	平均收益率（年化）
创业板	31%	185%	23%
中证500	25%	120%	17%
沪深300	23%	63%	10%

数据来源：WIND，2010.6.1—2015.6.30，老罗话指数投资公众号测算。

我们发现，在2010—2015年度每月定投的情况下，创业板的高收益率（年化23%）伴随着其高波动率（31%），领先于中证500和沪深300。

我们回顾一下创业板指数。在创业板运行的6年时间里，我们把它分成两个阶段来看，第一阶段是2010年6月至2012年年底，股票数量有350多只，指数可以说是震荡下跌，最低跌到了585点，整个时期属于震荡驻底时期；第二阶段从2012年年底最低的585点后迅速展开了一轮牛市行情，从585的低点涨到了2014年年初的1571点。总而言之，自运行以来，创业板指数经历了一个震荡下跌、又触底反弹，因利好政策而迅速成长的过程。

那么，为什么这样的大幅波动带来了较高的收益率呢？因为在长期的定投过程中，基金在低位可以获得更多的份额。这样在接下来的反弹过程中，涨幅也是最多的。一个指数基金长期走势很稳定地上涨，波动小的指数基金定投收益率不如波动大的指数基金定投收益率高。指数基金就像一只蹦蹦跳跳的弹力球，跌得越狠，积聚的能量越多，弹跳得就越高。所以，在同等情况下应选择一只波动更大的指数基金定投。

2. 高成长性

但是高波动率的指数一定就能赚钱吗？答案是“不一定”。长期下跌的指数，即使是高波动的，也无法获得高收益率。所以我们在关注波动率的同时，还要遵循另一个投资原则，那就是选择有高成长性的指数，因为在反弹行情或者牛市里面，一般成长性好的指数获益会更多。一般我们认为市值小的公司更具有高成长的潜力。同样的三只指数，我们来关注一组数据，如表 4.3 所示。

表 4.3　主要宽基指数利润增长及定投收益率比较

指数基金	2010 年 6 月 1 日平均个股市值（亿元）	2015 年 6 月 30 日平均个股市值（亿元）	定投累计收益率（%）	平均收益率（年化%）
创业板指数	43	209	185%	23%
中证 500	56	192	120%	17%
沪深 300	570	1189	63%	10%

数据来源：WIND，2010.6.1—2015.6.30，老罗话指数投资公众号测算。

我们来关注一下平均个股市值和收益率的联系。2010 年 6 月 1 日，创业板的平均个股市值远低于中证 500 和沪深 300 指数，截至 2015 年 6 月 30 日，创业板平均个股市值的增长率已经大幅领先于中证 500 和沪深 300，平均个股市值从 2010 年的平均 43 亿元，发展到 2015 年的平均个股市值 209 亿元。另外，创业板公司成长性好，行业主要分布在代表中国未来经济发展的新兴产业，聚集了代表中国经济未来发展方向的公司，公司所处的行业景气度也较高，这样的高速发展带来了 185%的定投累计收益率。

于 2009 年 10 月 30 日正式开创的创业板市场，在 2010 年 6 月推出了创业板市场的核心指数——创业板指数，相较于分别于 2004 年和 2005 年发布的中证 500 和沪深 300，无疑是一只年轻的指数。2010 年创业板的小市值不仅印证了这一事实，更预示了其在未来几年中无穷的发展潜力。创业板主要是为那些无法在主板市场上市的中小型企业和新型企业提供融资渠道的，小市值公司在融资后投入企业运营后成长空间会更大。在创业板市场上市的公司大多从事高科技业务，具有较高的成长性，往往成立时间较短，规模较小，业绩也不突出，但有很大的成长空间。因此，可以说，创业板是一个门槛低、风险大、监管严格的股票市场，也是一个孵化科技型、成长型企业的摇篮。

所以，高成长性的指数有两大优势，首先，处于成长期的企业一般处于上市初期，公司成长性好，行业景气度高，此时会扩大融资规模，经历沉淀期过后，主动寻求投资机会，在此期间企业规模不断被壮大，可获得高增速的收益；其次，选择市值较小的公司在牛市里面更容易被资金推动，所以涨幅会更高。

3. 高波动率、高成长性、高景气度的指数更适合定投

回顾数据，很明显的是，波动率越高、市值越小的指数，等到牛市卖出，获得的定投收益率越高。波动率越高，指数价格的波动越剧烈，指数的弹性越强；而市值越小且行业景气度高的公司，我们可以预见到其发展空间越大，市值越小证明了指数的成长性越被看好。根据海内外情况，长期来看，小市值高成长的股票会比大市值蓝筹的股票具有更高的超额收益。所以，当你在选择指数犹豫不决时，不妨尝试高波动率、高成长性的指数，可能会有意外的惊喜。

老罗有话说：

如果在沪深300和中证500中只能选一只定投,老罗可能会选中证500，如果在中证 500 和创业板指数里面定投，老罗可能会选择创业板指数。但是 A 股市场经常会出现结构性牛市，经常在某些年份会出现大盘指数涨、小盘指数跌，或者小盘指数涨、大盘指数跌，只有到真正的牛市大小盘指数才会一起涨。尽管老罗喜欢弹性高和成长性高的指数做基金定投，但是为了防止结构性牛市只涨弹性低和成长性低的蓝筹大盘指数的情况，老罗建议大家做组合定投，就是沪深 300、中证 500 和创业板指数三者都定投。

4.3 为什么说微笑曲线最美

说到专业健身，也许很多人还不知道练好身材应该“先增重（肌），后减脂”。初期脂肪和肌肉一起生长，熬过这段痛苦而必要的时期，再把脂肪减掉亮出曲线。

这跟常说的基金定投规律很像：开始→亏损→收益→赎回收获。下面我们仔细分析一下这条神奇的曲线背后的原理。看完这一节你就会明白，定投越投越亏和健身越健越胖一样，其实是一件值得微笑的事呢。

1. “神秘”的定投微笑曲线

投资者在市场上开始定投，待股市走出一段先下跌后回升的过程之后，在上涨到获利点时赎回，然后把这一段“开始→亏损→收益→赎回收获”的收益率连成一条线，这段弧线就构成了微笑曲线，如图 4.4 所示。

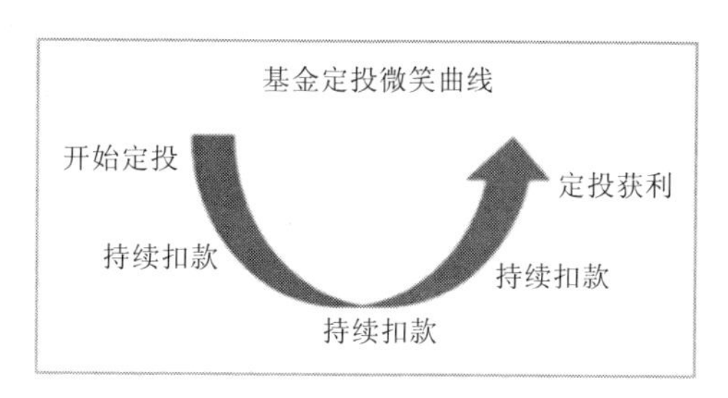

图 4.4　基金定投的微笑曲线

与一次性投资相比，定投微笑曲线的神秘之处就在于它的“定投”二字，定投意味着分散、分摊。投资者持续地投入，使得其在市场低迷时能以较低的成本获取筹码，在这一过程中摊薄了成本，那么当市场回升时，投资者自然将获利。

2. 可以把定投比作拿糖换糖水

- 开始时市场在高位，糖水都是比较浓的，一勺糖只能调出 1 碗糖水；
- 后来，市场变差，市场上的糖水变稀了，你再拿出 1 勺糖，就可以换来 3 碗糖水了，将两次换的糖水加在一起，第一碗浓糖水因为加了比自己淡的糖水，整体变淡（成本被摊低了，你只用了 2 勺糖就换来了 4 碗糖水）。
- 当市场回升后，比如升回最开始 1 勺糖换 1 碗糖水的时候赎回你的糖，普通投资者只能感叹回到原点没赚没赔，你却因为在低点“捡了便宜”，投了 2 勺糖最后赎回 4 勺糖。
- 回头看看，赚钱的关键不恰恰在于市场低点时，你顶住了所谓“亏损”的压力，坚持定投，用低成本买入了更多筹码吗？这就是定投的魔力。

3. 顺带通过微笑曲线回答两个问题

（1）如果直接在最低点买进，收益率不是更高吗？

是的，谁都知道低买高卖的原理，直接在微笑曲线的底部买进，收益率是最高的。但是，是不是太理想化呢？对于“基民”来说，择时是一个永恒的难题，定投就是专门解决这个难题的，基金定投对买入时机没有严格要求，只要能坚持一个周期或以上，微笑曲线只会迟到而不会缺席。但“在最低点买进”

本身就是一个缺乏可实现性的计划，这意味投资者需要有极高的预判能力，能判断出市场什么时候迎来低点。如果您知道，我只想说四个字：请联系我！

（2）定投和一次性投资究竟哪个更好呢？

定投和一次性投资并没有绝对的谁好谁坏，它们适合的市场和投资者不一样。定投为波动的市场而生，越是有间歇性下跌（摊平成本）机会的市场（比如中证 500 指数这种中小盘指数），越适合定投。坚持定投可以印证一句话——时间是熨平波动的最好工具。在投资人群方面，定投适合面比较广，特别适合缺乏时间和精力去研究投资的上班族、想强制储蓄的月光族和打算长期投资孩子教育基金或长辈养老基金的人。反之，一次性投资，就比较适合平稳上扬的市场和更专业的投资者。

4.5 段定投微笑曲线

2007 年 11 月，上证综指达到了“高峰”6124 点的时候开始了滑铁卢式的下跌，在当时进入股市的股民都哀嚎不止。然而如果在此时开始定投，是不是注定是一次必输的赌博？事实不然。根据数据显示，从 2007 年 11 月开始，每月月初定投一次，直到 2009 年 7 月末结束，周期为 20 个月。所得的结果显示，在 2009 年 6 月的时候定投已经基本弥补了损失，在接下来将获得正的收益，如图 4.5 和图 4.6 所示。

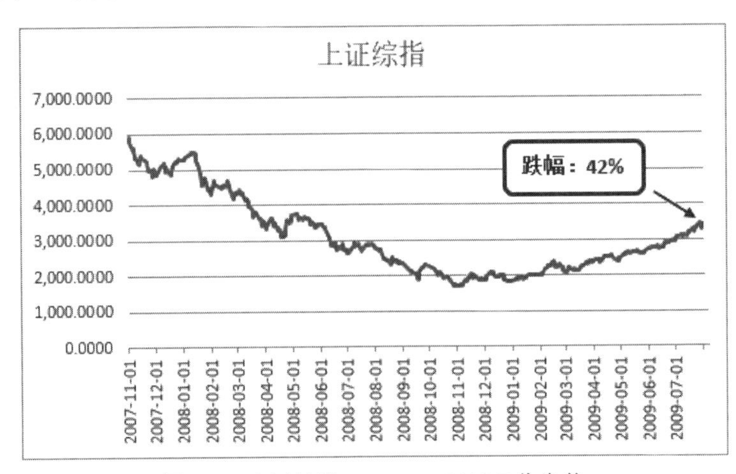

图 4.5　上证综指 2007.11—2009.7 收盘价

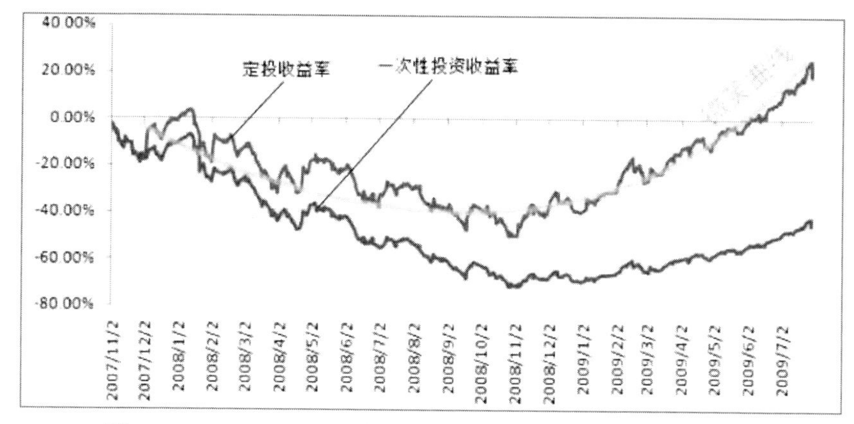

图 4.6　2007.11—2009.7 定投收益率与一次性投资收益率的比较

中国股市具有熊牛交替、熊长牛短的特点，因此更适合基金定投。根据 WIND 的数据，从 2001 年起，完整的定投微笑曲线一共出现了 4 次。而从 2015 年 5 月开始，第 5 段微笑曲线似乎已经初具形态，虽然并不完整明确，但我们知道微笑曲线只会迟到，不会缺席，如图 4.7 所示。

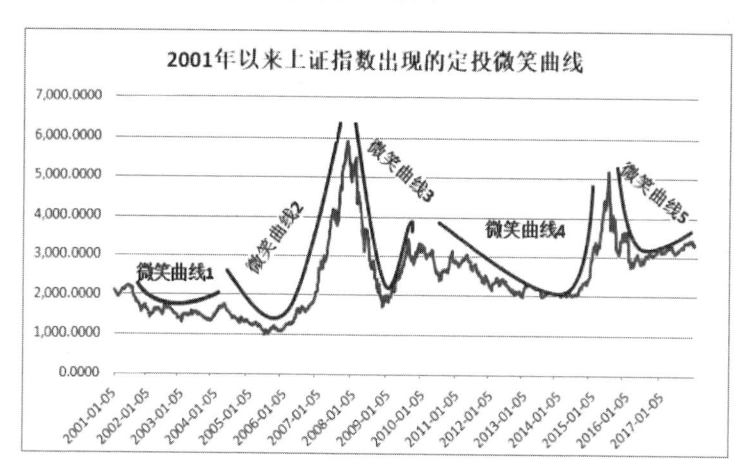

图 4.7　2001 年以来上证指数出现的定投微笑曲线

如果我们在每段微笑曲线出现的时候都进行定投而不是一次性投资，收益率会有什么不一样呢？假设在表 4.4 所示的 5 段微笑曲线开始的时点进行定投，每周定投 1000 元并且在开始时点即进行一次性投资直到结束，所得的结果让人惊讶：定投的累计收益率几乎总是比一次性收益率要高，在波动率较高的时段，定投所获得的收益率大大高于一次性投资的收益率。

表 4.4　5 段微笑曲线下定投收益率与一次性投资收益率

微笑曲线	开始时点	结束时点	定投收益率	一次性投资收益率
1	2001.1.5	2004.3.26	6.36%	–18.41%
2	2004.4.2	2008.1.31	162.19%	147.84%
3	2008.2.1	2009.7.31	32.41%	–21.03%
4	2009.8.7	2015.4.30	79.60%	36.22%
5	2015.5.8	2017.12.14	1.89%	–21.47%

注：数据来源：WIND，统计区间：2001.1.1—2017.12.14，每段开始时点每周等额定投，定投收益率=总的资产净值/总投入成本–1

2001 年以来的 5 段微笑曲线，每段微笑曲线经历的时间都不同，收益率也不同。

第一段微笑曲线从 2001 年 1 月 5 日开始到 2004 年 3 月 26 日结束，经历了 3 年，这段微笑曲线定投的收益率为 6.36%，而一次性投资收益率为–18.41%，如图 4.8 所示。

当然定投收益率也不高，投资者可以在这段微笑曲线不去止盈，等待牛市高点去止盈。

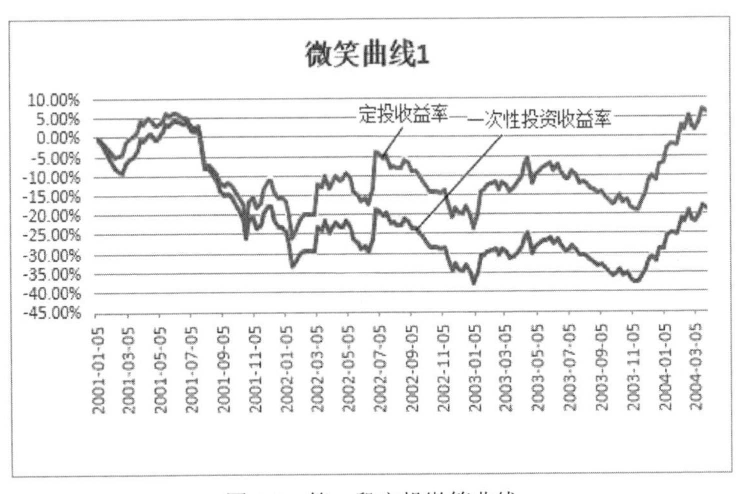

图 4.8　第一段定投微笑曲线

第二段微笑曲线从 2004 年 4 月 2 日开始到 2008 年 1 月 31 日结束，经历了约 4 年，这段微笑曲线定投的收益率约为 162%，而一次性投资收益率约为 148%，如图 4.9 所示。

定投收益率较高，这是一段比较完美的微笑曲线，熊市定投，牛市高点止盈将收益落袋为安。

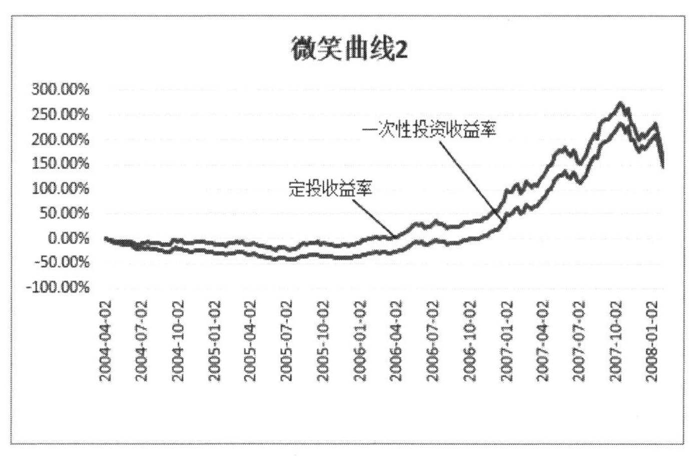

图 4.9 第二段定投微笑曲线

第三段微笑曲线从 2008 年 2 月 1 日开始到 2009 年 7 月 31 日结束，经历了约 1 年半，这段微笑曲线定投的收益率约为 32%，而一次性投资收益率约为–21%，如图 4.10 所示。

这段微笑曲线时间较短主要是由于 2008 年美国次债危机导致 A 股暴跌，国家为刺激经济采取 4 万亿元的经济刺激政策。这段微笑曲线表现也算不错，只花了一年半时间就达到 32%左右，年化收益率也达到 21%左右，远远好于一次性投入。

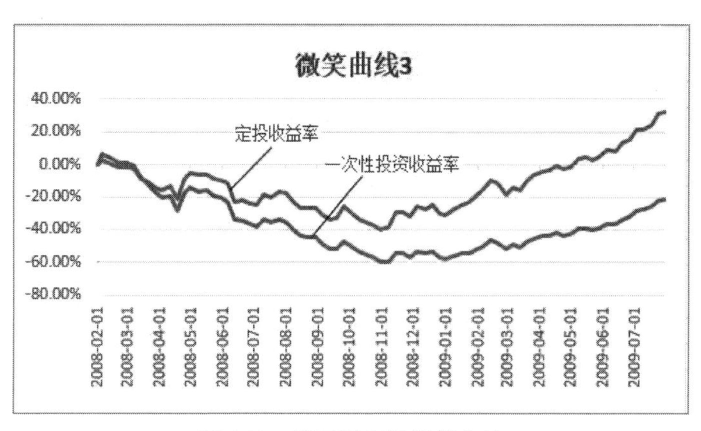

图 4.10 第三段定投微笑曲线

第四段微笑曲线从2009年8月7日开始到2015年4月30日结束，经历时间长达约6年，这段微笑曲线定投的收益率约为90%，而一次性投资收益率约为36%，如图4.11所示。

这段微笑曲线算比较完美的微笑曲线，收益率不够吸引大家是因为我们选取的是上证综指的计算，换个指数定投收益率将更加可观，这也是大家比较期待遇到的一段完美的微笑曲线。

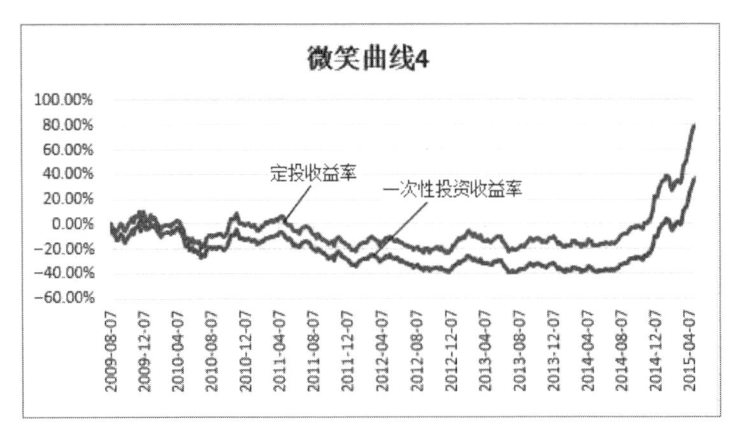

图4.11　第四段定投微笑曲线

第五段微笑曲线从2015年5月8日开始到2017年12月14日结束，经历时间两年多，这段微笑曲线定投的收益率约为2%，而一次性投资收益率约为−21%，如图4.12所示。

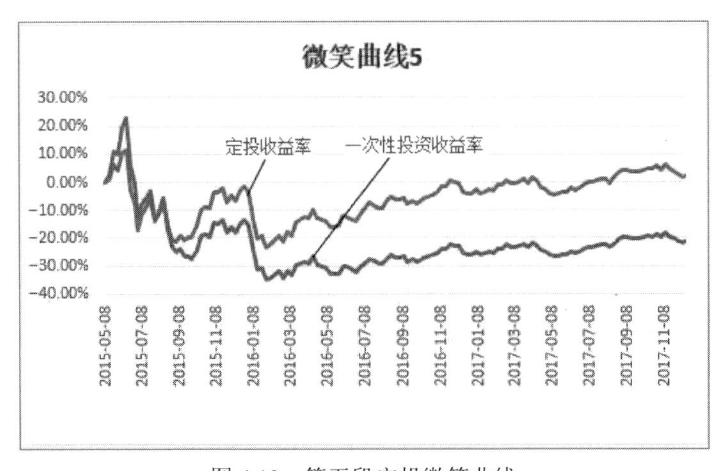

图4.12　第五段定投微笑曲线

这段微笑曲线严格意义上说并没走完，因为老罗曾经说过，等牛市来了再卖，收益率会更高，要坚信 A 股有牛市，只是你不知道要等 2 年、3 年还是 5 年，或者更长时间。

5. 定投微笑曲线之美

蒙娜丽莎的笑容之美来自于她的端庄稳重，而定投微笑曲线之美在于完成它的背后需要云淡风轻，耐心坚持。

（1）定投需要的是保持良好的心态，不骄不躁

定投基金的最佳选择是高波动率、高成长性、高景气度的指数基金，而这注定它在股市中的波动率会更高。升升跌跌、起起伏伏犹如坐过山车的体验让投资者心惊。恐惧的心态只会让你做出“止损”的错误举动，然而定投关键在于“止盈”而非“止损”。这时候应该学会拥抱波动，毕竟微笑曲线最终上升弧度总是要经历一段下跌的过程的。正如老罗所言：“开始有信心，中途要耐心，最后会开心。”然而，大多数的人正是失去了这一份冷静看待市场的平常心而经常捶胸顿足。

（2）定投需要的是坚持不懈的耐心和决心

基金定投的基本原理是采用平均成本的概念以及牛市、熊市交替出现的现象来降低风险的，这意味着要获得最终上升的曲线相应地就需要长期的投资以克服市场波动的风险。一般而言，股市的景气周期约为 3～6 年，因此基金定投通常需要 3～6 年才能看出成效。再一次说明“止损”只会让你的“微笑”下降在低点，并不会让“微笑”翘起，而拥有坚持到底的决心和耐心才能让我们获得后面上扬的弧度，完成最终的微笑曲线。

4.4 “市盈率估值”定投法

“基金定投”并非一定要严格按照“定期定额”的传统模式进行，老罗在这里为大家介绍另一种模式：根据“市盈率估值”，判断定投标的是否被低估或高估，从而决定何时定投、何时不投。投资者可以选择更适合自身的定投方法。

1. 估值是什么

一般的投资者都会在确定买入和卖出的交易价格时，估计一下当前的股价是被低估了还是被高估了，被低估了就买进，被高估了就卖出。

股票最终的交易价格，也就是市场上估低的人和估高的人之间形成的一个均衡值。指数则是在更大范围内，对更多股票进行的一次“估计”。

“市盈率”（PE）则是被大家常用到的估值工具。

一般而言，指数的长期上涨是每股收益上涨造成的，也就是公司的实际赚钱能力上升了；而公司的盈利能力在短期内不会有很大提高，所以指数的短期上涨是市盈率上涨造成的，也就是大家对市场比较乐观，愿意给市场上的股票更高估值。

2. 市盈率是什么

市盈率是用来衡量股价是否被高估或低估的指标，市盈率＝股价÷每股收益。

举一个简单的例子，假定你买了一家上市公司的股票，这家公司一共发行1亿股，每年可以为所有股东共赚取10亿元，则该公司每股收益为10元。

对于股东而言，他们会估计这个收益能维持多久，衡量该股的投资价值，这就对应了“市盈率”的数值；对于公司而言，他们就会根据每股收益和投资者对股票价值的估计，得出对投资者应设定的价格。即股价＝每股收益×市盈率，变形后就是市盈率的计算公式。

指数是很多只股票的集合，其市盈率=计算所有股票的市值÷计算所有股票的净利润，这相当于大家对这个指数未来整体表现的估计值。

3. 用“市盈率”做基金定投

（1）方法介绍

了解了市盈率和估值，就可以尝试着改变以往定投的“定期定额”模式，转而观察指数的市盈率，在指数被低估时才买进指数基金，被高估时则不买，甚至减仓。

我们根据当前市盈率数值在历史市盈率数值中所处的位置，来衡量目前的指数是被高估了还是被低估了，进一步制定定投的策略。

单纯通过市盈率数值来判断指数是否被低估的方法不可取，不同市场、不同行业的指数，市盈率数值会有很大差别，所以，根据“历史市盈率百分位”来判断当前指数是否被低估或高估，是比较合理的判断方法。

历史市盈率百分位是当前最新市盈率在统计区间内按升序排列所处的分位数，分位数=当前估值排名/历史估值总数，数值越小代表估值水平在这段时间估值水平越低。例如当前估值中证 500 估值在最近 100 个工作日里面估值分位数为 25%，意味着当前估值在这 100 个估值里面排名第 25，有 75 个工作日估值高于它，它处于一个相对估值低位水平。

（2）以“低估时买入”举例

我们以中证 500 指数在 2010 年 1 月 1 日至 2015 年 7 月 1 日区间定投的收益率为例，具体的市盈率法定投规则如图 4.13 所示。

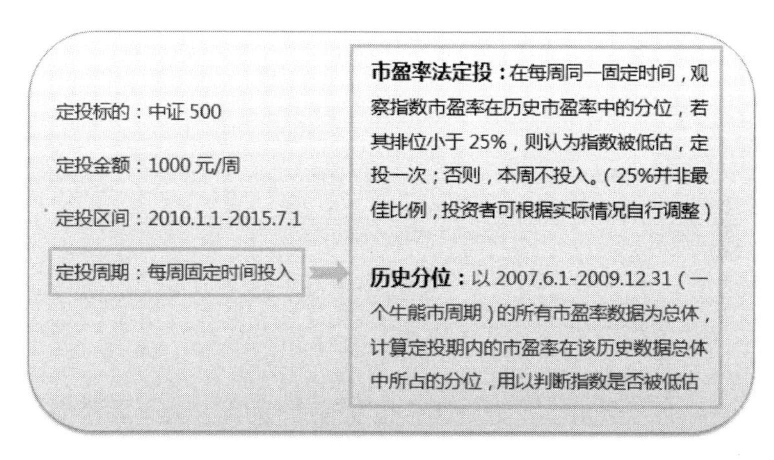

图 4.13　中证 500 市盈率法定投规则

最终，不同投资方式的累计收益率如表 4.5 所示。

表 4.5　2010 年 1 月 1 日—2015 年 7 月 1 日不同投资方式的收益率

投资方式	一次性投资	定投（定期）	定投（市盈率法）
累计收益率	62.93%	76.78%	101.87%

数据来源：WIND，统计区间：2010 年 1 月 1 日至 2015 年 7 月 1 日。

从表中的数据可以看出，市盈率法定投的累计收益率为 101.87%，定期定投的累计收益率为 76.78%，市盈率法定投的收益率明显较高。而一次性投入收益率仅有 62.93%，低于另外两种定投方式的收益率。

再来看一下这段较长时间区间内，两种定投方式的收益率趋势，如图 4.14 所示。

因为在指数被低估时买入，平均成本会更低，在市场回升时，你的收益率自然会提高。所以，我们可以在图 4.14 中发现，在定投中，市盈率法投入的收益表现比定期投入要更好。

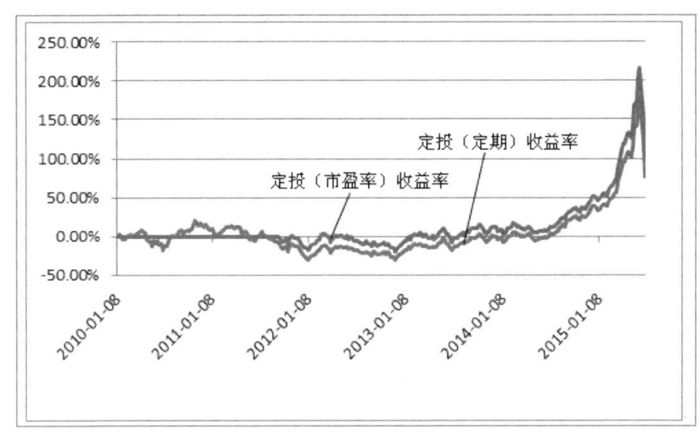

图 4.14　2010.1.1—2015.7.1 不同投资方式的收益率

4．总结

通过上面的讲解，大家可以注意几点内容：

（1）市盈率是衡量股价是否被高估或低估的指标，市盈率＝股价÷每股收益。

（2）改变定投中“定期投入”的模式，根据指数当前的市盈率，判断其是否被低估，被低估时再投入，可以降低投资平均成本，获得更好的收益。

（3）市盈率法定投也有缺点。若只在股价被低估时投入，你的投资机会将会减少。上述例子中，市盈率法的投资次数是定期投资次数的 54%，投资本金会减少，从而影响投资利润的金额。解决这个问题很简单，只要在市盈率法定投中将每次投入的金额相应增加，那么投资本金就不会减少，也就可以享受市盈率法的高收益率与利润。

（4）不同行业、不同市场的市盈率情况存在较大的区别，所有指数的市盈率数值，不能用同一套标准去判断其反映的指数估值情况。前面涉及的比例和数值，投资者可以根据自己和投资标的的实际情况来进行调整。

总的来说，投资者若选用市盈率法去定投，在指数被低估时才投入，则会有较大概率获得更高的收益。但是，该方法具有一定的专业性，如果普通投资者不擅长该方法，或者没有很多时间去关注市盈率的变化，那么，选择定期投入也一样可以获得高于一次性投资的收益率。最后，至于估值分位数的获取渠道，大家可以关注“老罗话指数投资”微信公众号（ID:inex_fund），老罗每天都会更新市场主流指数估值分位数的数据。

4.5　什么样的市场最适合定投

相信很多选择定投的投资者都会对入手定投的时机产生过疑惑。有些投资者认为，既然指数上涨可以赚净值，指数下跌可以赚份额，那么这样看来，似乎无论什么时候开始定投都没有关系。然而，定投并非万金油，在不同的市场状况下进行定投，其最终的收益截然不同。要想获得可观的投资收益，需要投资者多多注意开始定投的时刻，并在适当的时刻采取相应的止盈举措。

下面，我们以中证 500 指数为例，选取 4 个不同的指数走势区间测算周定投的收益率，并将定投的收益率与该区间的指数收益进行比较。

1. 先涨后跌

首先，我们选取了一个先涨后跌的区间，如图 4.15 所示。我们以中证 500 指数过去三年的表现为例，即从 2014 年 6 月 13 日开始，到 2017 年 6 月 12 日截止。如果从 2014 年的 6 月 13 日开始定投，则在 2015 年的 6 月 12 日到顶，之后开始下跌。通过计算可以得出，此区间定投的累计收益率为–0.91%。而如果采用的是一次性投资，则收益率为 54.72%。显然，这种先涨后跌的走势并不适合做定投，它反映的一个问题是如果定投过程中没能及时在适当的时刻止盈，那么前期的投入将会功亏一篑。

图 4.15　中证 500 先涨后跌的走势

2. 单边上涨

我们再来看单边上涨的指数走势所带来的收益。以中证 500 为例，测算从 2008 年 11 月 7 日开始，到 2009 年 8 月 7 日截止的定投收益率，得到区间的定投累计收益率为 46.66%，如图 4.16 所示。同样的区间，如果采用一次性投资，则收益率为 149.36%。显然，单边上涨的指数走势，定投收益率不如一次性的投资，然而单边上涨的行情也并非容易预见。

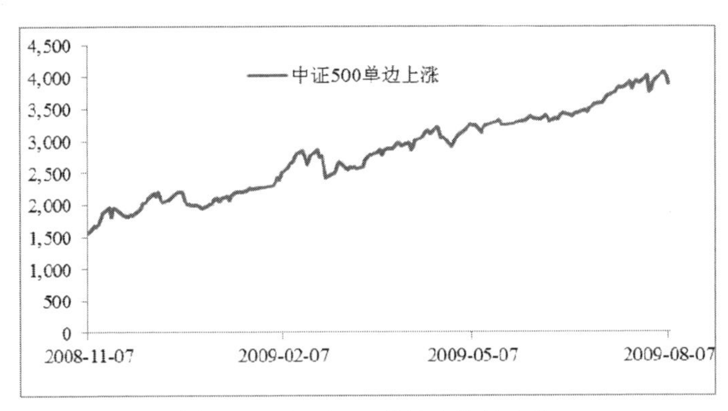

图 4.16　中证 500 单边上涨的走势

3. 单边下跌

单边下跌的情况，如图 4.17 所示，我们测算从 2008 年 1 月 18 日到 2008 年 11 月 7 日的收益率，得到定投的累计收益率为–47.45%。而一次性投资的投资收益率为–70.64%。可见，由于定投分批买入，因此分散了风险，在指数下跌的过程中，损失要小于一次性的资金投入。部分投资者在下跌过程中采取了止损的措施，导致假损失变成了真损失。

图 4.17　中证 500 单边下跌的走势

4．先跌后涨

最后，我们来看先跌后涨的情况。如图 4.18 所示，选取区间从 2008 年 5 月 23 日到 2009 年 8 月 7 日，测算同期的一次性投资的收益率仅为 1.66%，而定投的累计收益率则高达 50.97%，高于一次性投资的收益率。

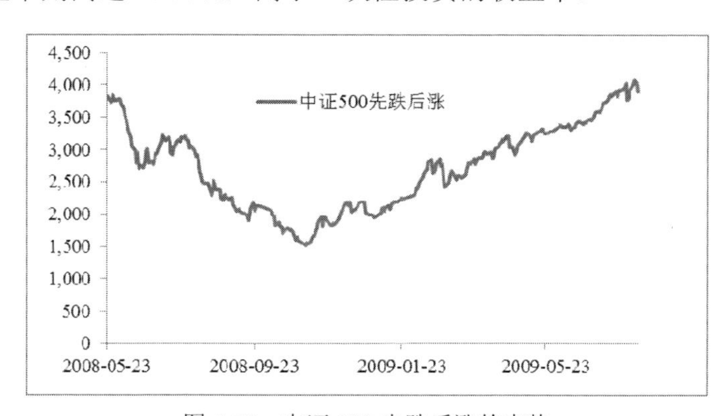

图 4.18　中证 500 先跌后涨的走势

这便是我们常常提到的微笑曲线，也是基金定投的最佳区间选择。对于普通投资者来说，懂得在市场开始下跌的过程中不断积累份额，等待市场反弹时，在合适的位置止盈，便可获取相当不错的收益，在基金定投中画出漂亮的微笑曲线。

从表 4.6 可以看出，4 种不同的指数走势区间，带来的是 4 种不同的投资收益回报。通过测算，我们再一次验证了微笑曲线的魔力，也验证了先跌后涨的市场环境是最适合定投的。

表 4.6　不同市场环境的定投收益率比较

时间区间	市场环境	一次性买入收益率	定投收益率
2014.6.13—2017.6.12	先涨后跌	54.72%	–0.91%
2008.11.7—2009.8.7	单边上涨	149.36%	46.66%
2008.1.18—2008.11.7	单边下跌	–70.64%	–47.45%
2008.5.23—2009.8.7	先跌后涨	1.66%	50.97%

注：数据来源：WIND，定投采用周五定投测算。

4.6　定投需要坚守的六大戒律

“你不理财，财不理你，再不理财你就 OUT 了”。老罗给基金新手的第一条建议就是：“不懂的东西不要碰”。

之前有媒体报道称，股民宋先生误将分级基金当股票买，导致一夜之间损失 80%，浮亏 54 万元，太可怕了……

然而，分级基金作为一个工具，其实本来是个好东西：按照个人交易风格的不同，既可以追求稳固获利，又可以利用杠杆来获取超额收益，甚至有时候可以无风险套利。但是如果对这种玩法不熟悉，很可能就落得“人为刀俎，我为鱼肉”的下场。

小贴士：

在投资入门之前，不懂的东西不要随便碰。在对一个投资工具没有基本认识之前，请不要冒然投入！

如今，基金定投拥有的“定期投资，积少成多；自动扣款，操作简便；平均投资，分散风险；长期坚持，收益可观”等优点，慢慢为众多人所熟知、所接受，并吸引投资者纷纷加入定投的大军中。

但相信很多人其实对定投不怎么了解，就喊着“我要定投”的口号进行定投，生怕输在投资起跑线上。虽说定投是“懒人投资”的利器，但毕竟是一种投资工具，仍需掌握一定的操作秘籍。

你可能会问，网上已经有人传授很多定投操作方式了，而且都大同小异。不就是，定期定额买入基金；定投不择时，随时进场都可以；定投关键看坚持，低点不停扣……

仅仅照搬基本操作流程，定投设置完就不管不顾，只坐等收益……你要是这么想那就太天真了。这么做是赚不到钱的，因为没有注意很多小细节，陷入一些迷思与陷阱，影响了定投效果。

正所谓“不听老人言，吃亏在眼前”，投资达人的经验能够很好地指引入门级定投者更好、更快地上手，多看、多听别人的告诫，定投历程才能少走弯路，投资收益才能早日到来。

结合老罗的定投戒律，教教你怎样摆正定投的方向。

一戒：盲目跟风，当下流行什么就不加考虑地买什么。定投是长期投资，应选择高成长、高波动、高景气的“三高”股票型指数基金产品，而不是追逐短期热门产品。

二戒：三分钟热度，亏损就跑路。定投就好比跑马拉松，投资周期起码要 3～6 年，才可获得可观的收益。若是中途耐不住下跌的折磨，轻易放弃，最后结局是亏损，这不怪定投而怪你，记住定投关键看坚持。

三戒：迷恋净值，热衷新基金。选择基金标的是要看绩效和运作方式的，而不是光挑净值高或净值低的基金买，净值低的基金未必就能涨上去。另外，新基金的不确定性较大，选择必须慎重。

四戒：设置了开始却忘了结束。“会买不是真功夫，懂得卖才是真师傅。”定投虽然不必考虑进场时点，但一定要适时获利了结，否则会进入下一轮微笑曲线，再等个好几年才能离场。

五戒：赎回之后就让资金闲置。跳出“一轮定投”的狭隘视角，在赎回资金后继续投入，才能充分享受复利的好处。

六戒：迷信明星基金经理。基金绩效、研究团队、基金操作策略与逻辑才是基金标的选择的重要标准。

总结 1：投资需要经营——定投可不是“放着不管、躺着赚钱”

定投需要定期检视，看基金的业绩是否符合预期，去芜存菁，才能让定投的效果最大化。定投需要止盈。达到停利点时一定要止盈，千万不能因为害怕错过后面继续上涨的行情而贪婪地持有，若幻想着更多的收益，无异于“贪心不足蛇吞象”。

总结 2：细节影响成败——定投可不是“仅仅定期定额投入”

仅仅知道定投操作方式是不够的，还需要注意很多事项。就好比各种笔试、面试，即使知道流程，你还是会上网搜各种经验贴，了解各种细节。投资也需要吸取别人的经验，这样才能少走很多弯路，轻松愉悦地享受投资的乐趣。

市场上很多人鼓吹定投是“傻瓜式投资”，定投完放着不管，躺着等赚钱就行了。事实上，没有一种投资是可以真正“躺着赚钱”的。定投并非是“一劳永逸”的投资，它也需要细心“看护”，尤其要注意各种小细节，只有这样，才能获得不错的收益。

第 5 章　基金定投问题及对策

5.1　为什么有人基金定投亏钱

在 A 股市场，老罗觉得指数基金定投是比较适合普通老百姓的一种理财方式。一直以来老罗都在大力宣传基金定投的优势，推荐大家做定投。然而，有些投资者却大吐苦水：都说基金定投好，怎么我却亏钱了？

甚至有些朋友们直接发帖问：基金定投到底是值得投资的理财方式，还是只是营销骗局？那么就在这里统一回答一下：基金定投的原理是绝对科学而且经得起时间验证的，但是基金定投并非在所有时间段内都盈利。

身处资本市场，恐怕找不到 100%盈利的投资项目。任何投资都是有风险的，基金定投也不例外。我们反反复复说定投的优点在于其能摊薄成本、波动越大盈利越多等，但是为什么你的定投账户还是亏钱了？

1. 基金选择不合适

之前曾提到，基金定投需要选择一只高成长性、高波动率、高景气度的指数基金。

高成长性：如果选择股票型基金，可以通过查看该基金近一个月、三个月、六个月、一年、三年等不同阶段的涨势，并与同类基金进行对比，根据历史业绩来看基金经理的管理能力，进而判断未来的表现情况。但是定投更推荐高成长性的指数基金，原因是指数基金费率低，透明化，受选股择时的影响较小，不容易被特定企业的非系统性风险影响，也在一定程度上避免了基金经理人更换带来的不利因素。

高波动率：基金定投不适合单边上涨的情形，更适合震荡的市场及先跌后涨的曲线。因为定投将成本投入的时间分散化，投资者能够在低位的时候“捡便宜”，积攒基金份额，从而在未来上涨时获得更高的收益。因此，收益稳定、波动较小的基金，如货币型基金、债券型基金，不适合定投。

高景气度：指数里面的成份股代表中国经济的未来，行业发展处于高景气度期，有前景的企业才值得投资。例如中国未来还处在高景气度期的行业主要在信息技术、医疗、传媒、环保、智能家居、消费升级、军工等行业。

2. 手头没钱了，中途停止定投

有数据显示：“20%的人能坚持定投 1 年，10%的人能坚持 3 年，5%的人能坚持 5 年，1%的人能坚持 10 年。”那其他的 64%的人呢？他们不到 1 年就离开了，有些人可能有少量盈利，但大部分人只能认栽出局。

开启账户的时候信誓旦旦说要坚持好几年，结果没几个月就因为急着用钱，随便终止了定投计划。如果把定投账户当作是你的“备用存钱罐”，它自然也不会回馈给你满意的收益。

想买衣服、想旅游、手头有点紧，这些都不是随意终止定投计划的理由。选择了理财方式，就要一如既往地坚持。尤其是定投，其为中长期投资，所谓“时间玫瑰”，没有足够的时间，自然也等不到它最后的芬芳。

3. 无法承受初期亏损

都说定投风险低，但是这个“风险低”是针对定投的长期性来说的，短期定投也有亏损的可能。假如你贪图新鲜投个几期就跑路，那么和一次性投资的区别不大，定投的优势也无法全部显现出来。

有多少人被“定投微笑曲线”打动了？但是请看仔细，在定投的初期有一段曲线下滑的时间，这是最开始的扣款期，也是为了把平均成本降低。其实，初期曲线降得越低，后期涨得也越高，定投的微笑曲线也能画得更灿烂，如图 5.1 所示。

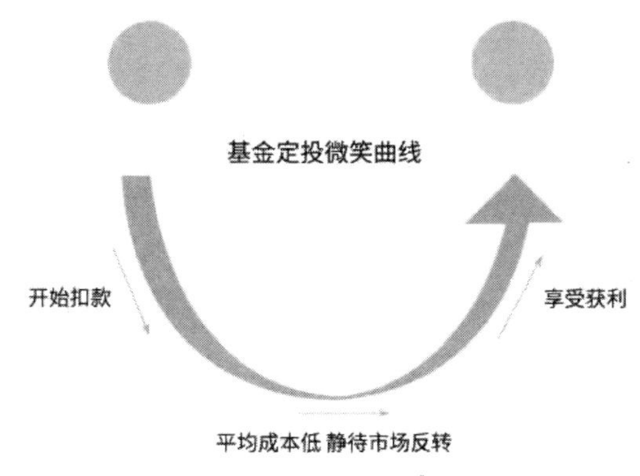

图 5.1　定投的微笑曲线

4．总想抢热点，最后一无所获

市场的热点变化万千、转瞬即逝。今天房地产板块大涨，明天金融板块大放异彩。假如一味地想追着热点跑，什么“火”买什么，最后往往会变成可怜的“接盘手”，站在高点无人解救。

自以为做了很多功课，找到了市场热点，其实最后却一无所获，看着账户上的亏损数字痛心，还不如一开始就踏踏实实地做定投。另外，优先考虑宽基指数做定投，因为宽基指数行业分布均匀，分享整个市场上涨的投资收益。

5．该止盈的时候没有及时止盈

该止盈时没有及时止盈的人和无法承受初期亏损的人恰好相反，也是“最遗憾”的一类投资者：明明坚持了好几年，却没有把握好止盈的时机，傻傻地守着账户，错过了最佳退出时机。

定投的收益还是和金融大环境联系在一起的，大盘上去了它的收益自然也上得去。假如你错过了 2015 年 4～6 月的黄金时期，没有止盈，等到 2016 年，之前的收益就有可能全部打水漂了。

市场有牛熊，定投的优点在于它对退出的时机选择不是那么敏感，但并不代表不需要选择退出时机。如果对市场时点不加判断，懒得看账户，任其扣款，该离开时没能及时离开，定投收益自然也会受到影响。

下面以一只基金的定投收益曲线为例，如图 5.2 所示。

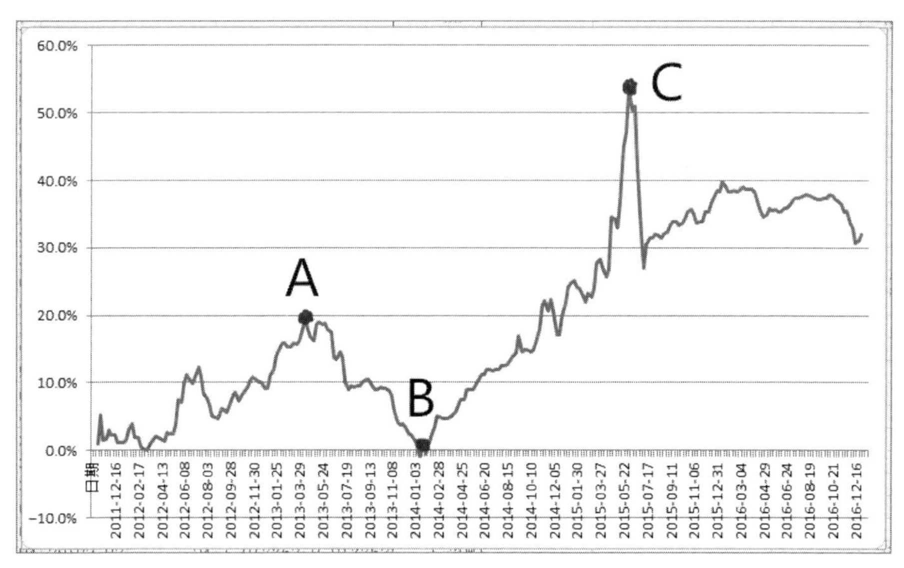

图 5.2　定投的收益曲线变化

如果从 2011 年年底开始定投，经历约一年多后会迎来一个收益率的小高峰；假如在 A 点未及时卖出，待到 B 点基金定投亏损时，投资者们也许要捶胸顿足了。

但是此时不用着急，B 点之后收益率逐渐回升，直到最高点 C，此时距离定投开始约为 4 年。4 年收益率高达近 60%！即使在 C 点没有卖出，之后的一年半内的收益率也逐渐稳定在 30%～40%，相当不错。

假如在 B 点定投亏损时卖出了基金，投资者就无法享受之后的高额收益了。因此我们还是建议大家在基金定投亏钱的时候多坚持一会儿，相信守得云开就能见月明。

知道了原因，定投亏钱的各位就可以对症下药了！欲戴王冠，必承其重；欲握玫瑰，必忍其伤。想要收获时间的玫瑰，就得耐心栽培，付之以心血。愿大家都能从基金定投中有所收获。

老罗有话说：

定投亏钱的原因可以简要归纳为：

（1）在定投过程中停止定投；

（2）未理智选择退出时机。

5.2　基金定投亏损了怎么办

据说定投最好的状态其实是：不看手机，忘记账户，放空自己，放飞心灵！

我跟我妈就这么说的，后来老太太把账号密码给忘了。

适逢市场震荡，天天盯盘的朋友发现定投的基金收益有反复，一颗红心被躁动的“红红绿绿”扰乱了，经常抱怨道：“股市天天跌，我定投基金已经亏了不少，我该怎么办？”

要回答“我该怎么办？”这个问题，我们应该回到定投的本质去思考。

1. 回到定投本质，越跌越买

所谓基金定投，是指以相对固定的周期和金额、采用自动扣款或者主动购买的方式所进行的开放式基金投资，是“懒人”投资理财的方法。这个过程淡化了“择时”的作用，降低了投资的专业门槛。但既然都很少做择时了，基金定投到底是如何赚钱的呢？

我们从测验一道小学数学题开始揭秘！

题目：小明从 1 月开始定投某基金，每个月月初固定投资 600 元，直到 5 月将基金份额全部卖出。在这段时间里，定投基金的净值波动如表 5.1 所示。

请问：如果不考虑分红及费率的影响，小明投资的整体盈亏情况如何？

表 5.1　基金单位净值变化

时　　间	基金单位净值
1 月	30 元
2 月	60 元
3 月	30 元
4 月	15 元
5 月	30 元

从数据可以看出，小明定投基金的净值经历了波峰、波谷后又回到了原点（可能心态亦是如此）。如果你做的是一次性投资，在这期间是没有任何收益的。现在，我们来计算一下小明的定投收益情况。

第一步，根据基本公式“获得份额=申购金额/净值”计算出每个月交易后获取的基金份额，如表 5.2 所示。

表 5.2　基金定投的基金份额

时　间	基金单位净值	基金份额
1 月	30 元	20 份
2 月	60 元	10 份
3 月	30 元	20 份
4 月	15 元	40 份
总计		90 份

第二步，计算小明花费的总成本。每个月固定投资 600 元，4 个月投资成本总计为 2400 元。

第三步，计算小明回收的资金总和。小明在 5 月以 30 元卖出 90 份基金，共获得 2700 元。

第四步，计算小明的总收益率。5 个月，小明净赚 2700 元–2400 元=300 元，收益率为（300 元÷2400 元）×100%=12.5%。

事实上，小明的实际收益更高，请参阅本书第 3.2 节“定投的真实收益率是多少”。

思考一个问题：

基金净值回到原点，小明通过定投仍然获得了不菲的收益。如果分阶段看，小明 4 次投入的 600 元资金，哪一次对收益的贡献更大？

答：显然是最后一次，虽然投入同样是 600 元，但买入了 40 份基金，是获得筹码数最多的一次，也是购买的基金份额最便宜的一次！因为这一次购买，极大地平摊了买基金的整体成本，从而在基金重新涨回到 30 元时，有了更多的收益。

当然，在现实生活中基本不会出现如此大的浮动，我们只是通过这个例子，让大家直观感受基金定投的魔力：通过基金定投赚钱的核心原理就是高价买入份额少、低价买入份额多，在市场波动中摊低单位成本，再在市场回暖时以高份额获利。

认清了基金定投赚钱的本质，本节开头那个问题的答案就显而易见了：

当市场回调时、当定投的基金发生亏损时，不能因为对亏损的恐惧，就停止定投或者赎回定投的基金，反而应该坚持在低位继续定投，越跌越买，用低成本获取更多的筹码，这些筹码在市场反转时将发挥很大的作用。

2. 波动，是您定投的好朋友

市场波动加剧往往会带动投资人的心跳起伏，但在基金定投中，一旦经过理性分析我们就会知道：波动和定投是很好的朋友。

【案例】

假设现在有 A、B、C、D 4 款基金产品可供我们选择去定投，每次定投 100 元，投资次数都为 5 次，在第六次时赎回。在定投过程中，4 款产品的净值变化如表 5.3 及图 5.3 所示。

表 5.3　四只基金产品定投的波动

产品	第一次	第二次	第三次	第四次	第五次	第六次
A	1	1	1	1	1	1
B	1	0.9	1.1	0.9	1.1	1
C	1	0.8	1.2	0.8	1.2	1
D	1	0.6	1.4	0.6	1.4	1

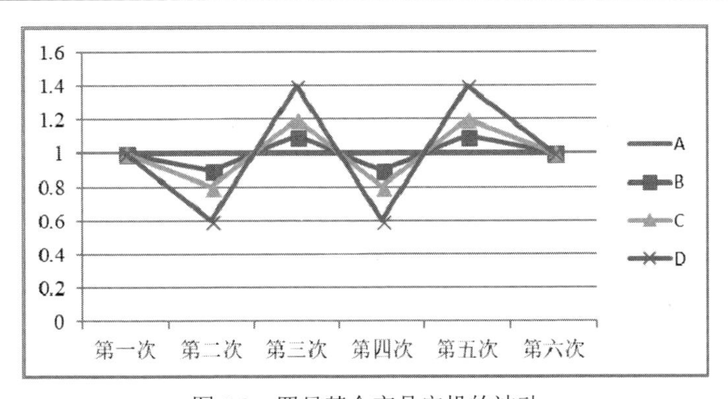

图 5.3　四只基金产品定投的波动

可以看出，4 款产品相同点在于起始和最终的净值均为 1，不同的是在定投期间的波动情况。在图 5.3 中，A 产品完全无波动，D 产品波动最大。那么，经过 4 次投资，不考虑分红及费率的影响，我们获得的收益率分别是多少呢？如表 5.4 所示。

表 5.4　四只基金产品定投收益率

产　品	定投收益率
A	0%
B	0.7%
C	2.8%
D	12.7%

波动率：A＜B＜C＜D

收益率：A＜B＜C＜D

从上述案例中可以看出，在起始净值和最终净值一定的情况下，高波动基金的平滑成本效果更好，能取得更好的收益。所以当市场波动加剧时，定投者不必恐慌，只需拥抱波动，安心遵守定投的指令即可。

那么面对波动的市场，投资者应该选择什么标的进行定投呢？指数基金因为具有紧密跟踪指数、费率低、投资操作相对简单、风格鲜明等特点，而具备天然的定投优势。

3．精准抄底——“难于上青天”

很多投资者都说，“下跌行情适合抄底，我就不要定投，直接加仓抄底！”

这类投资者的想法十分美好，但现实往往是残酷的。低买高卖的道理我们都懂，但真正“稳准狠”全仓买在最低位置的却极为少见。同样是玩概率的游戏，“精准抄底”可比世界杯赌球要难得多，不仅费时费力，而且十次中有八九次不成功！

我们所做的任何投资决定都基于对市场未来的预判，但没有人能保证判断百分百正确，我们要做的是“留一手”！而定投恰好就是这种“两手准备”的策略。

预测市场下跌，如果判断对了，日后跌破当前的点位时，自己仍然有充足的“子弹”不断加仓，如果判断错误，市场反弹上涨，也已经在底部留有一部分的仓位，剩余的资金还可供灵活调整，如此一来，就能做到“涨也开心，跌也开心”，简单的定期扣款便能做到两全其美。相反，如果预判失误，抄底也就失败了！

我们从另一个角度切入，想在定投中做抄底，无疑是想在底部多留一些筹码，但你能接受多大的仓位呢？加仓 20%或是 50%？甚至是全仓持有？我们需要明白：风险也是随着仓位的提高而增大的，要问问自己，是否有能力承担呢？

既然选择了定投，就是想通过资金的分散配置来赚取市场的平均收益的，定投本身就是分散风险的投资策略，而且，定投是长期投资，短期内抄底操作往往风险大于收益，过分投机要小心吃力不讨好。

4. 长期布局——“机会是跌出来的”

还有很多投资者会说：“现在这个跌法，继续加仓会不会太傻了？”

我们最后来解决这个问题。其实，当市场开始下跌时，定投投资者不应该感到丧气，反而应该加仓补仓。定投应该具备“长期布局”的思维，如图 5.4 所示。

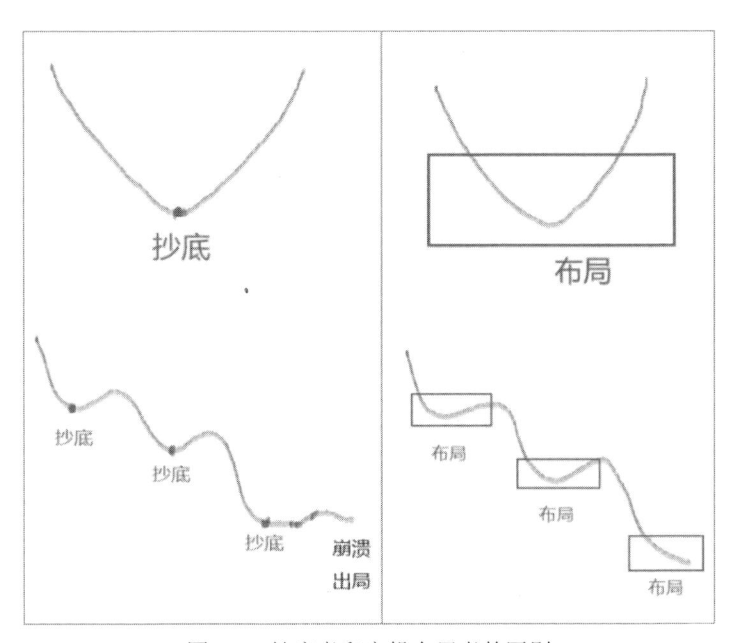

图 5.4　抄底者和定投布局者的区别

想象一下这种定投式布局策略就好比是一次持续期较长的抄底行为，市场越跌，也就意味着你的底部越低，在每一次下跌中不断地定投，甚至是增加定投扣款金额，也就意味着你在底部的筹码越来越多，市场一旦反弹上涨，你就能收获前期“抄底区间”所带来的丰厚收益，如图 5.5 所示。

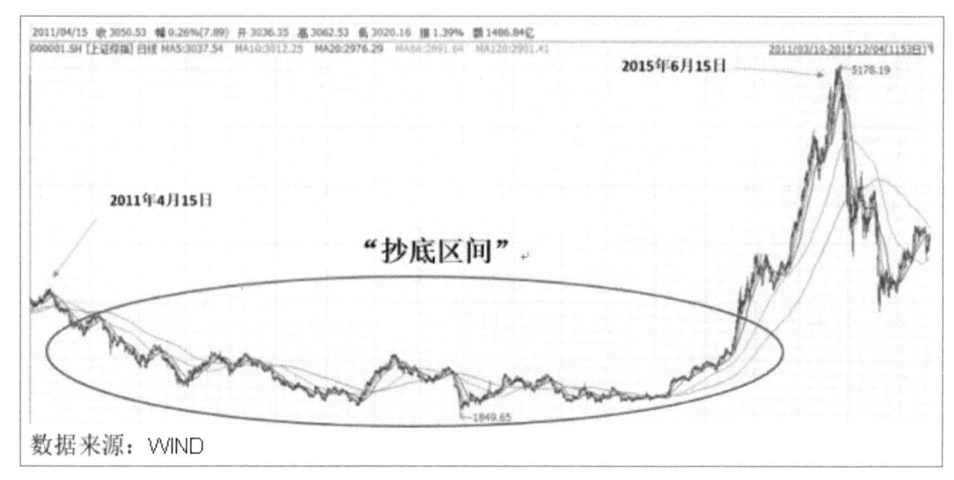

图 5.5　定投的抄底区间

“抄底区间”布局其实就是在微笑曲线的左半部分坚持不懈地加码，购买低价份额，但往往需要一两年的时间，短期内的收益并不太好看，但长期来看这正是份额积累的关键时期。所以，预期市场还会下跌，此时加仓并不是“傻”，反而可以说是“有智慧、有谋略”的布局思维。

5. 定投，是“反人性”的投资

在投资市场，我们经常听到一个词，叫作逆向思维。

当人人都对波动避之不及的时候，定投偏爱波动、无惧短期损益，这就是逆向思维的一种体现。

正如那句投资警句所说的——“别人恐惧时我贪婪，别人贪婪时我恐惧”，越跌越买的定投正是在严格地执行着这一策略。

从这个角度来说，定投是“反人性”的投资，作为一种长期理财工具，具有典型的“延迟满足”的特点。

人人都喜欢眼前的利益，但定投却要求我们：越是在市场不好时，我们越要坚持。

对于定投而言，最难的事情是坚持、最重要的事情也是坚持，但只有抵制住诱惑和恐慌，克服人性弱点，你才能笑到最后！

5.3　定投亏损为什么会慌

在定投的过程中，很多投资者都经历过持续的市场下跌过程，并且会产生疑问：我真的可以在定投中获得收益吗？到底什么时候我才能扭亏为盈呢？尤其是在牛短熊长的中国股市中，投资者在股市下跌的过程中往往要面对相当久的负收益率。面对着投入资金的不断缩水，部分投资者愈加难以做到“冷静看待市场”，并在难以忍受下跌的过程中开始赎回份额止损。然而，这一做法只会让账面损失变成真实的亏损。

中国台湾定投达人萧碧燕就有着一套与众不同的投资理念。童年的艰苦生活造就了她坚韧的意志和不怕吃亏的性格，使她在日后的定投中始终能冷静面对市场走向，乐观面对收益情况。在全球经济崩盘、股市大跌的金融海啸后的一次基金定投中，她一共做了 22 个月定投，前 20 个月的回报都是负的，但她仍然坚持定投。她的定投计划直到最后两个月才开始涨，但就是这两个月让她的投资总回报率达到 46%。

老罗也想拿自己的定投真实故事跟大家分享一下。老罗从 2016 年 1 月初开始定投中证医疗指数基金，到 2018 年 2 月末，共计定投了 26 个月还是亏损状态，直到 2018 年 3 月开始，中证医疗指数走势强劲，到 2018 年 5 月 25 日定投医疗的累计收益率达到了 15.04%，并且两年内的货币基金收益能够贡献 4%，因此定投两年的实际收益率达到了 19.04%，在这几年 A 股市场不好的情况下，这样的收益率算得上不错的成绩。

虽然萧女士和老罗的案例让投资者颇受鼓舞，但是许多投资者还是避免不了在漫长的熊市中赎回份额止损。其实道理大家都懂，但是为什么在定投亏了的时候，投资者心理会开始慌张，甚至做出让自己损失更大的举措呢？在这里，我们来看一个心理学上的理论——前景理论。

前景理论是心理学及行为科学的研究成果，由普林斯顿大学教授卡尼曼提出。卡尼曼教授还因此理论获得了 2002 年的诺贝尔经济学奖。前景理论中的价值函数中的第三条特征是：人们对损失比对获得更敏感，损失时的痛苦感要大大超过获得时的快乐感。

从图 5.6 中可以看出，盈利曲线为下凹形，亏损曲线为上凹形，形成一条 S 形的曲线形态。由于亏损曲线的斜率大于盈利曲线，亏损曲线比盈利曲线更陡，表明同样的获得和损失幅度，损失带来的心理预期影响要比获得带来的影响强烈。这也是为什么在市场下跌，即定投积累份额的最佳时期，很多人会选择止损退出的原因。

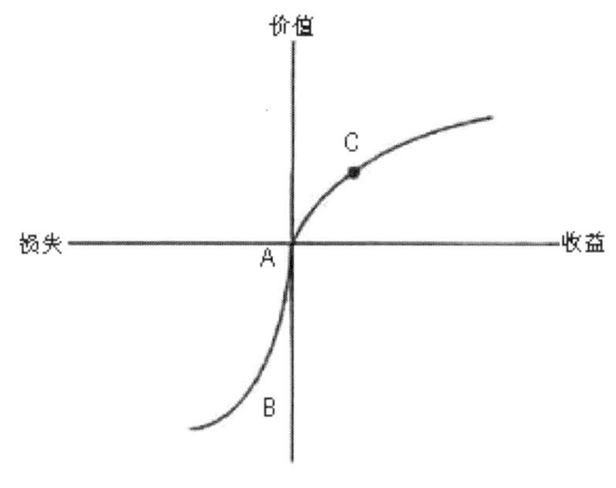

图 5.6　价值函数曲线

从定投的过程来看，投资者在熊市中往往要面对相当长的一段痛苦时期。面对着不断下跌的收益率，加上自身的心理作用，一旦忍受不了下跌的痛苦，投资者就会失去理性的判断，放弃定投，选择错误的止损。

其实，想要战胜这一心理作用，理性地做出投资决策，需要投资者牢记基金定投的“微笑曲线”。一个完整的微笑曲线，没有前期积累份额的过程，就没有后期迅速反弹的投资收益过程。只有克服心理上的波动，才能在动荡的市场中画出完美的微笑曲线，获得可观的投资收益。

最后，股市中流传着这么一句话：行情总是在绝望中产生，在犹豫中上涨，在疯狂中死亡。放到基金定投中来看，在市场低迷的时候，要看得长远；在漫长的熊市中，要积累份额，等待反弹；在适当的时机，学会止盈收割。希望大家能够理性看待市场波动，克服心理障碍，坚持定投，画出满意的微笑曲线。

老罗有话说：

在市场下跌时想赎回是人之常情，但是定投却不能这么做，应该调整好自己的心态，学会与时间做朋友，做到涨也开心，跌也开心。

5.4　为何我的定投坚持不到牛市

今天老罗给大家讲一个故事，看完这个故事你就知道为何你的定投坚持不到牛市了。

阿华从大学开始定投指数基金，到现在为止，已经赚得一大桶金。

但是阿华同样也很苦恼。

因为阿华曾多次向大学寝室的 5 个兄弟推荐定投，结果却殊途同归，大多都是半途而废，兄弟们定投时亏损了抱怨，放弃后看到阿华赚得盆钵满盈又开始懊悔。

对此阿华只能苦笑，并非定投赚得少，而是你们没有坚持下去啊！

1. 小辉定投无收益，不愿等待而退场

毕业那年，小辉刚踏入社会，拿着不高的起薪，却怀揣着发家致富的梦想，于是定投成为了他的不二选择。

小辉听从了阿华的建议，从 2010 年年初开始每月定投中证 500 指数。

然而刚过去半年，市场就开始下跌，尤其是到当年 7 月 1 日时，收益率只有–16.26%，小辉多次告诉阿华自己想放弃。

阿华说，这是形成微笑曲线必不可少的过程，只有积攒大量便宜的份额才能在以后的牛市中获得收益。

到了年底，阿华的说法被验证了，小辉很开心。

然而好景不长，从 2011 年下半年开始，市场一蹶不振，小辉的信心在长期的亏损中不断被磨灭。挣扎了一年多的小辉迟迟没有等到他想要的回报，不再相信阿华口中的“定投需要坚持”，带着–18.45%的亏损，放弃了定投。

可是一旦小辉坚持下去，定投收益率可达到 155.13%，如图 5.7 所示。

小辉的定投坚持了三年，他苦苦等待也等不来想要的收益。最后选择了放弃。然而人生也是一样的，最好的风景总是要等到最后才出现，可更多的人们总是急功近利，想要尽快获得想要的东西，于是坚持不到最后。

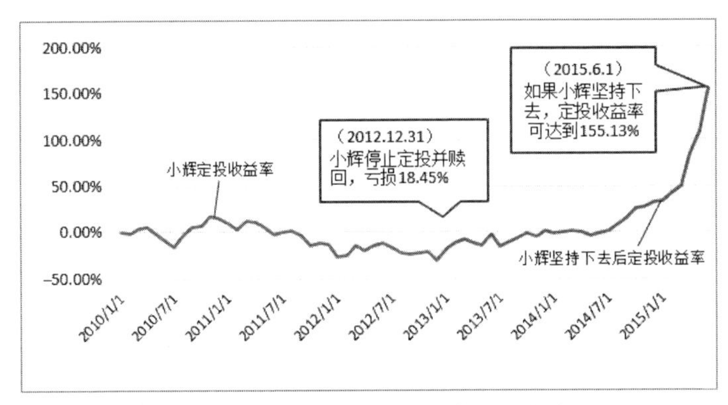

图 5.7　小辉定投中证 500 收益率走势

2. 阿亮定投遇股灾，恐惧亏损弃定投

随着 2015 年的牛市来临，阿亮也开始心动，想到以前阿华的案例，于是也加入到定投大军中。

阿亮从 2015 年 5 月 3 日开始每周定投中证 500ETF 联接 A 基金(基金代码：162711)。到 6 月中旬，他看到 18.88%的收益率，心里别提有多乐呵。然而，没有想到“股灾”紧随而来。

受到接连两次的股灾冲击，亏损达到了-19.23%，阿亮心想，“都亏成这样了，我为什么还要继续往里投，及时止损才是硬道理”。

虽然继续坚持下去还有回本甚至获利的可能（如图 5.8 所示），但是这句话道出了大多数人的心声。

图 5.8　阿亮定投广发中证 500ETF 联接 A 基金

人的本性便是如此，克服不了内心的恐惧，于是选择逃避。

而巴菲特口中的“在别人贪婪的时候恐惧，在别人恐惧的时候贪婪”，很少有人做得到。

3. 小伟自恃天赋高，放弃定投去炒股

小伟 2012 年硕士毕业，有了一笔小积蓄，想要做点小投资，于是听从阿华的建议开始了定投。

他从 2013 年 1 月 4 日开始每周定投创业板指数，到了 2013 年 12 月 31 日，小伟获得了 26.03%的累计收益率。

这时小伟开始觉得自己本应获得的收益不止这些，定投赚钱的速度太慢了。并且他觉得自己本来就比常人聪明，若是能进入股市，那不知道能翻多少倍啊！

于是小伟不顾阿华的风险提示，毅然投身股市中。

小伟在股市中不断摸索、不断学习，选择了当时较热门的乐视网进行投资，乐视网在一段时间内确实表现良好，扩张极快，有一个宏伟的乐视生态圈蓝图，然而从 2016 年下半年开始，……，乐视网走势大家应该清楚，小伟投资乐视网的结果也可想而知了。

对个股的投资，需要投资者极高的投研能力，而且投资者需要承担公司特有的非系统性风险。而定投指数基金，若是能在最高点止盈，小伟可获得最高收益率 197.30%；即使未能及时止盈，在历经三次股灾之后，依然能保持着正收益，如图 5.9 所示。

图 5.9　小伟定投创业板指数累计收益率走势

这时小伟才发现，凭借个人的投研能力，是很难跑得赢股票市场的，若不是自恃聪明，也不会投入股市血本无归。

而绝大多数在股市中亏损的人，开始也都是怀着这种侥幸心理奔赴股市的，认为自己和别人不一样，却得到了一样的结果。

4．阿龙只看眼前利，因小失大终悔恨

2014 年年底，阿龙看到小伟通过定投赚了不少钱，于是心一动，用工作几年的积蓄准备开始定投。

阿龙自 2015 年 1 月 9 日开始，每周定投中证 500ETF 联接 A（基金代码：162711），看着一路上涨的曲线，心里美滋滋的，到了 2015 年 4 月 30 日，他的定投收益已经达到了 29.75%！

但是随后他通过计算后发现：如果当时是一次性买入的，收益可达到 52.67%！

这相差得可不是一点，而是快要接近两倍了！

阿龙心里按捺不住了，如果当时没有选择定投，而是选择一次性买入，那收益可远远不止现在这些。

于是阿龙果断放弃了定投，于 2015 年 5 月 8 日开始了一次性买入。

结果可想而知，接二连三的“股灾”让阿龙猝不及防。阿龙不停地安慰自己，虽然亏了，但是若当时选择定投，同样也会亏损啊！

然而时至今日，一次性买入仍然亏损且毫无起色，但定投的收益率已经逐渐扭亏为盈，如图 5.10 所示。

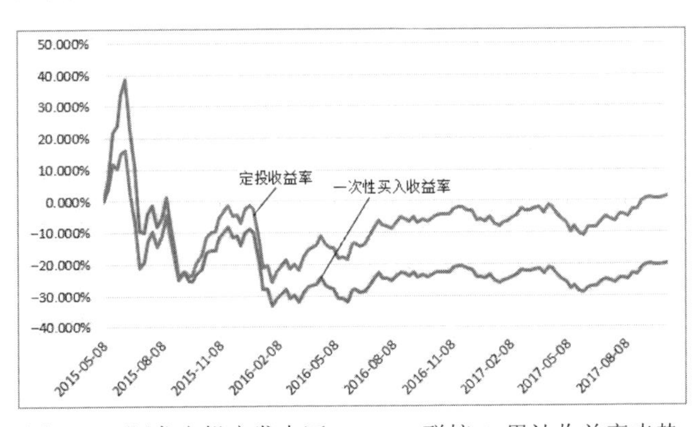

图 5.10　阿龙定投广发中证 500ETF 联接 A 累计收益率走势

单边上涨的情况固然有，此时的确是一次性买入的收益更大，然而一旦市场开始震荡，形成微笑曲线时，定投才是最正确的选择，但对于市场来说，单边上涨少有，波动才是常态。

人性也是如此，人总是短视的，容易为了眼前短暂的利益而忽略了长远的利益，而只有具有长远眼光的人，才会笑到最后。

5. 大白身有拖延症，拖了 7 年才定投

大白是同寝室兄弟里最与众不同的一个。

其他兄弟要么是在阿华三番两次推荐下加入定投大军的，要么开始表态不定投，后来才有了定投的想法。

而大白从一毕业就表明了有定投的想法，却迟迟没有动作。

每次阿华问他进展怎么样，大白总是回答“最近忙，过一阵子就开始定投”。

忙事业，忙买房，忙婚姻，忙家庭。

大白在拖延中过去了 7 年，而此时的阿华已经在定投中取得丰厚的收益了。

终于，今年大白开始定投了，阿华惊愕不止，一问才知道，大白要开始攒儿子的教育金了。

正是对子女的爱，让大白战胜了拖延症。

定投要趁早，要克服大多数人具有的拖延症，尤其是在市场低位的时候，才能积攒更多的份额。

为什么定投坚持不下去？

因为定投就像人生一样，会经历重重的考验，而人性中很多特点都与其相悖。

比如小辉的缺乏耐心。

比如阿亮的恐惧。

比如小伟的自负。

比如阿龙的短视。

比如大白的拖延。

只有克服了这些人性的弱点，才能走完定投这条长长的路。

老罗有话说：

5个小故事暴露了在定投过程中大家常常会遇见的问题，最主要还是对定投不相信，若你坚信中国未来肯定有牛市，只是时间不确定，不知道是2年、3年、5年甚至更长，只要你坚定牛市必会到来的信念，相信你一定可以坚持定投。

5.5 在市场下跌时，定投应如何加仓

我们都说在定投基金时，市场越跌，越要去加仓。因为这样可以用同样的筹码吸纳更多的份额，从而摊低整个投资期限内的平均成本。可是，真的到市场下跌的时候，你知道应该怎样加仓吗？本节就推荐几个实用的加仓方法。

当市场下跌时，在思考“如何为定投的基金加仓”这个问题前，你首先要知道为一只基金加仓的前提条件：

（1）你定投的基金没有问题，其业绩不会长期表现很差或是几乎没有起伏；

（2）在开始定投时，你就考虑了未来加仓的可能性，并对资金进行充分计划。

在以上前提下，你才应该开始考虑如何在下跌行情中进行定投基金的加仓。下文列举了一些可以参考的加仓方法，部分方法我之前也有详细的讲解，这里进行统一的总结。

1. 中国台湾定投达人萧女士的方法

萧女士曾说：“当定投基金下跌30%的时候一定要非常开心，因为这是非常难得的加仓机会。”

她认为如果定投的基金下跌了30%，可以单笔加仓资金的1/3；如果继续下跌了10%，则开始第二次加仓，再补资金的1/3；如果再继续下跌10%，则进行第三次加仓，即补充剩余的1/3。

之后就可以继续坚持基金定投，等待市场的反转。

2. 金字塔投资法

金字塔投资法分为金字塔买入法和倒金字塔卖出法，如图5.11所示。

金字塔买入法：正金字塔型，投资中应在低价位时买进较多数量，在价位上升时，买进数量逐渐减少，从而降低投资风险。

倒金字塔卖出法：与正金字塔型相反，随着价位的上升，卖出数量逐渐增多，以赚取更多的差价收益。

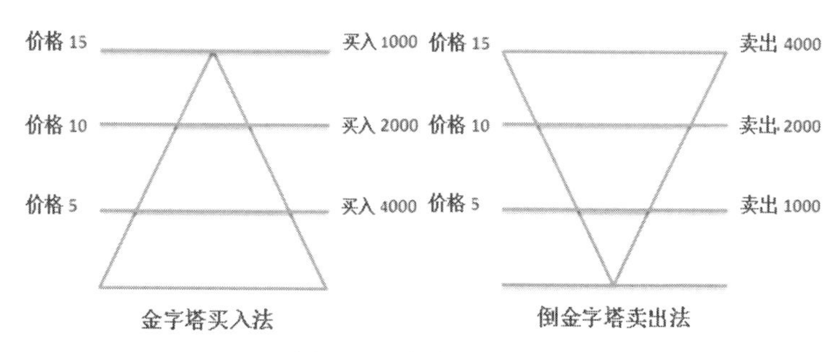

图 5.11　金字塔投资法

在基金定投中，我们可以运用金字塔法，在市场下跌时购入更多的份额。例如以下两种具体操作。

（1）定比例加仓

投资者可以根据市场行情，设定未来可能发生的总跌幅，然后确定准备加仓的次数，就能得到每次加仓的平均比例。当基金净值较上一次加仓时下跌达到这个比例，就进行下一次加仓。

例如，你预计定投的基金未来会下跌 20%，并且准备加仓 4 次，那么当基金下跌 5%时，就可以进行第一次加仓；下跌 10%时，就可以进行第二次加仓，依次类推。金字塔加减仓策略的具体内容将在第 5.6 节详细介绍。

（2）技术指标加仓

普通投资者可以利用反映超买、超卖的技术指标，决定如何在定投中运用金字塔法。例如 RSI 指标，数值为 20 时被视为超卖，而很多股票在跌到 30 或 40 时就已反弹。这时可以利用金字塔加仓法，在 RSI 为 40 时进行少量加仓，为 30 时进行较多加仓，最后为 20 时进行最多加仓。

3．分批买入法

分批买入法指的是在市场下跌时，定投投资者可以根据每次下跌的具体幅度，确定每次需要补仓的比例。

假定按照分批的第一次买入时点，在每年的第一天，买入 30%；下跌 15%时，加仓 30%；再下跌 15%时，加仓 40%（这里下跌设置的 15%只是其中的一种，并不一定是最优值，可根据市场环境设置不同的值）。

我们用中证 500 指数的数据从三种不同的市场（上涨市场、下跌市场、震荡市场）来分别对分批买入策略和满仓买入策略进行测算，如表 5.5 所示。

表 5.5　三种市场的收益率情况

单边下跌市场	策略	初始资金（元）	2016 年期末资金（元）	2016 年收益率
	满仓	10 000	8222	−17.78%
	分批买入	10 000	10 128	1.28%
单边上涨市场	策略	初始资金（元）	2016 年期末资金（元）	2016 年收益率
	满仓	10 000	13 901	39.01%
	分批买入	10 000	11 170	11.70%
震荡市场	策略	初始资金（元）	2016 年期末资金（元）	2016 年收益率
	满仓	10 000	10 028	0.28%
	分批买入	10 000	10 551	5.51%

由表 5.5 可得知，在下跌市场与震荡市场中，分批买入策略比满仓买入策略收益率要高。因为该方法可以在市场下跌时进行低成本吸纳，分摊成本；而在较高点时可以领先满仓买入策略一步获得更高的收益。同样地，在定投加仓时，我们也可以采取这种方法，但是下跌和加仓的比例数值，需要根据实际情况进行调整。

4. 网格交易法

定投是震荡市场中不错的长期投资方式，而网格交易法更适合震荡市场中的短期投资。当市场下跌，而定投投资者不确定该如何加仓时，也可以考虑转用部分资金进行网格投资。

网格法是在捕捉市场行情后，隔一定点数设置买点与平仓点的机械式操作，在下跌时，进行分档买入；在上涨时，进行分档卖出，如图 5.12 所示。

举例说明该方法的操作步骤。

第一步：制订网格计划

假设：总资金 10 万元，每格仓位为 1 万元，建立 10 个格子；从 10 元开始建仓，每个格子 10%的密度，覆盖从 10 元到 3.87 元的价格空间。

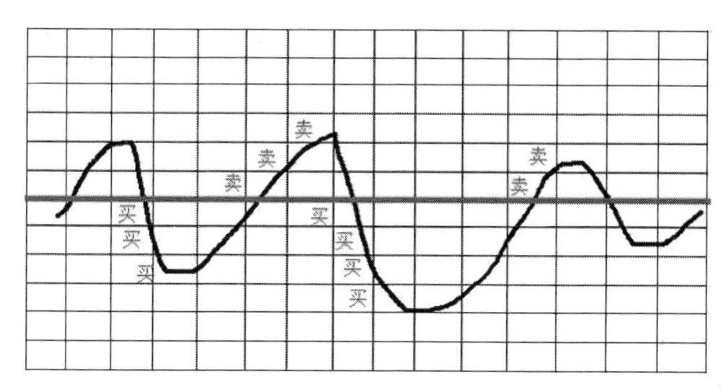

图 5.12　网格交易法示意图

第二步：买入股票

从起始价位开始，价格每下跌一格，就买入相应的资金量：10 元开始建仓，买入 1000 股；跌到 9 元，买入 1100 股，依次类推。

第三步：卖出股票

从买入价位开始，价格上升一格，就卖掉买入的仓位：跌到 9 元时，买入 1100 股，当价格回升到 10 元时，就卖掉 1100 股，依次类推，如表 5.6 所示。

表 5.6　网格交易法具体操作情况

网格序号	股票价格	每挡涨跌幅	网格资金（元）	该价格买入股数	买入资金（元）	该价卖出股数	总资金（元）
0	11					1000	11 000
1	10	10%	10 000	1000	10 000	1100	11 000
2	9	10%	10 000	1100	9900	1200	10 800
3	8.1	10%	10 000	1200	9720	1300	10 530
4	7.29	10%	10 000	1300	9477	1500	10 935
5	6.65	10%	10 000	1500	9975	1600	10 640
6	5.9	10%	10 000	1600	9440	1800	10 620
7	5.31	10%	10 000	1800	9558	2000	10 620
8	4.78	10%	10 000	2000	9560	2300	10 994
9	4.2	10%	10 000	2300	9660	2500	10 500
10	3.87	10%	10 000	2500	9675		
合计					96 965		107 639
总体收益率	11.01%						

根据上面的模拟数据，我们运用网格法总计买入资金为 96 965 元，卖出后收

回 107 639 元，收益率为 11%，远高于在 11 元满仓持有，最后只有 0%的收益率。

但是实际情况不会这么完美——直接跌下来再涨回去。该方法主要适合于震荡市场，因为单边上涨容易网格卖光，单边下跌容易网格击穿。此外，我们可以酌情设定最低持有仓位，避免在突破最高价后，仓位空仓，开始牛市行情导致收益不高。

以上为大家提供了几种加仓方法，但具体如何操作，特别是每种方法中涉及的数字与比例，都需要投资者根据自己的实际情况进行调整。

老罗有话说：

虽说基金定投是“越跌越要买”，可也不能盲目加仓。

加仓前一定要确认：（1）基金本身没有问题；（2）有充足的资金用来加仓。

5.6 金字塔加减仓策略

大家经常强调，在基金定投中有两点很重要的投资理念：

（1）当市场行情下跌时，投资者应坚持投入资金，买入更多份额，摊低整个投资期的平均成本；

（2）当市场行情上升时，如果投资收益已经达到预期，这时需要考虑及时止盈。因为随着时间的拉长，市场也会有下跌的风险。

所以，很多定投投资者都在考虑，随着基金净值的涨跌，适时地进行加减仓操作，是不是会让投资收益更加丰厚呢？

确实是这样，今天老罗就用一种很实用的加减仓方法——金字塔投资法，来为大家介绍如何在定投中进行加减仓操作，让投资收益更快地达到预期。该方法主要包括正金字塔加仓法与倒金字塔减仓法。

1. 金字塔投资法简介

（1）正金字塔加仓法（如图 5.13 所示）

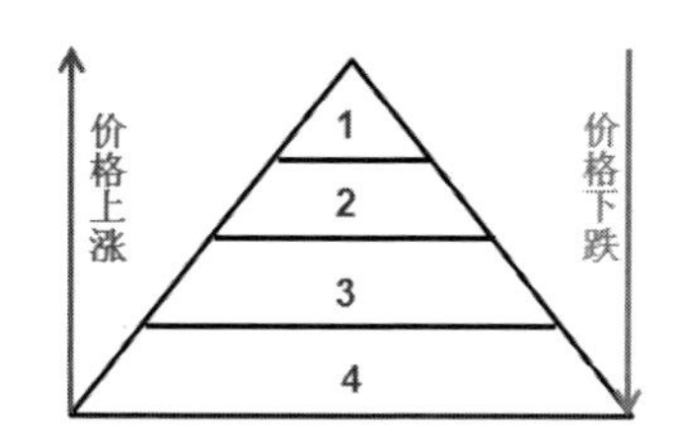

价格上涨

如果你认为投资标的的当前价格被严重低估，市场情绪显示，近期价格可能上涨，你可以选择开始加仓，并且随着价格的上涨，每次加仓仓位逐渐减少，直到达到你认为的不再被低估的价格，结束加仓。

价格下跌

如果你认为投资标的虽然已经被低估，但市场情绪显示，近期价格仍可能下跌，你可以选择开始加仓，并且随着价格的下跌，每次加仓仓位逐渐增多，直到你认为价格被低估得不能再低估，结束加仓。

图 5.13　正金字塔加仓法

（2）倒金字塔减仓法（如图 5.14 所示）

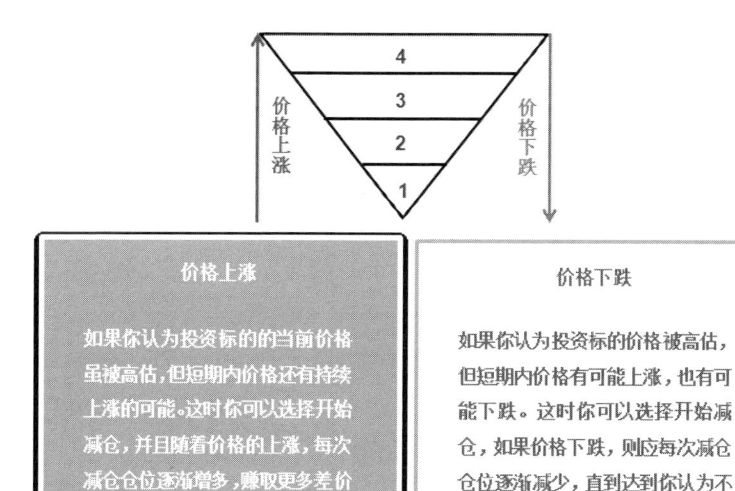

图 5.14　倒金字塔减仓法

2．金字塔投资法应用于基金定投

在基金定投的加减仓中，我们可以按照以下内容来应用该方法。

正金字塔加仓法：当基金净值下跌时，定投投资者可以开始加仓操作，并且随着净值的下跌，逐渐增加每次加仓的仓位，从而摊低投资的平均成本。

倒金字塔减仓法：与正金字塔型相反，当基金净值上升时，定投投资者可以开始减仓操作，并且随着价格的上升，逐渐增加每次减仓的仓位，从而赚取更多的差价收益。

要做好金字塔投资法，首先就要做到认清资金管理：不管是股票交易还是其他任何金融交易，资金管理/头寸确定都是极为重要的一环，仅次于情绪管理。资金管理，说到底就是两个问题：

（1）什么时候买，什么时候卖？

（2）每次买多少，卖多少？

在这里，老罗以中证 500 指数在 2011 年 1 月 1 日—2015 年 1 月 1 日区间内的周定投为例，为大家详细讲解定投加/减仓的过程。注意：例子中涉及的数字不一定是最优选择，需要投资者根据自身的实际情况进行调整。

举个例子。

定投标的：中证 500

定投频率：周定投

定投金额：每周 1000 元

加减仓资金：共 100 000 元

（1）什么时候加/减仓？

将“基金净值发生 10%的变化”作为加/减仓的信号。即在加仓时，与上一次加仓相比，若基金净值下跌了 10%，就进行下一次加仓；在减仓时，与上一次减仓相比，若基金净值上升了 10%，就进行下一次减仓。

（2）每次加/减仓多少？

定投投资者需要在决定定投时，就为加/减仓做足资金计划。例如：总加/减仓资金为 100 000 元，涨跌幅度分为 1 至 4 层：10%、20%、30%和 40%，逐层递进形成一个金字塔或倒金字塔，每次加/减仓的资金量依次变化，分为 10 000 元、20 000 元、30 000 元、40 000 元共 4 个梯度。

① 首先，我们来看一下中证 500 在正常周定投情况下，不进行加/减仓操作

时的收益率为 42.94%，如表 5.7 所示。

表 5.7　中证 500 定投（正常）收益情况

操作	日期	指数点位	涨跌幅	每周定投金额（元）	累计收益率
每周定投 1000 元	2011-01-07	4975.14		1000	0.00%
	2011-06-10	4469.05	−10.17%	1000	−8.05%
	2011-11-11	4062.14	−9.10%	1000	−11.38%
	2012-06-15	3648.99	−10.17%	1000	−11.48%
	2013-01-04	3258.25	−10.71%	1000	−14.89%
	2013-06-14	3584.98	10.03%	1000	−4.93%
	2013-12-13	3925.43	9.50%	1000	4.53%
	2014-08-08	4311.70	9.84%	1000	14.00%
	2014-10-24	4774.67	10.74%	1000	24.83%
	2014-12-19	5524.12		1000	42.94%

数据来源：WIND。统计区间：2011.1.1—2015.1.1。

② 现在我们按照上述的金字塔方法进行加/减仓操作，最终收益率为 55.02%，如表 5.8 及图 5.15 所示。

表 5.8　中证 500 定投（加减仓）收益率情况

操作	加减仓	日期	指数点位	涨跌幅	每周定投金额（元）	累计收益率
开始定投		2011-01-07	4975.14		1000	0.00%
下跌 10%加 1 成仓	+10 000	2011-06-10	4469.05	−10.17%	11 000	−5.61%
下跌 10%加 2 成仓	+20 000	2011-11-11	4062.14	−9.10%	21 000	−8.00%
下跌 10%加 3 成仓	+30 000	2012-06-15	3648.99	−10.17%	31 000	−9.22%
下跌 10%加 4 成仓	+40 000	2013-01-04	3258.25	−10.71%	41 000	−12.41%
上升 10%减 1 成仓	−10 000	2013-06-14	3584.98	10.03%	−9000	−3.25%
上升 10%减 2 成仓	−20 000	2013-12-13	3925.43	9.50%	−19 000	6.56%
上升 10%减 3 成仓	−30 000	2014-08-08	4311.70	9.84%	−29 000	18.31%
上升 10%减 4 成仓	−40 000	2014-10-24	4774.67	10.74%	−39 000	35.70%
及时止盈		2014-12-19	5524.12		1000	55.02%

数据来源：WIND。统计区间：2011.1.1—2015.1.1。

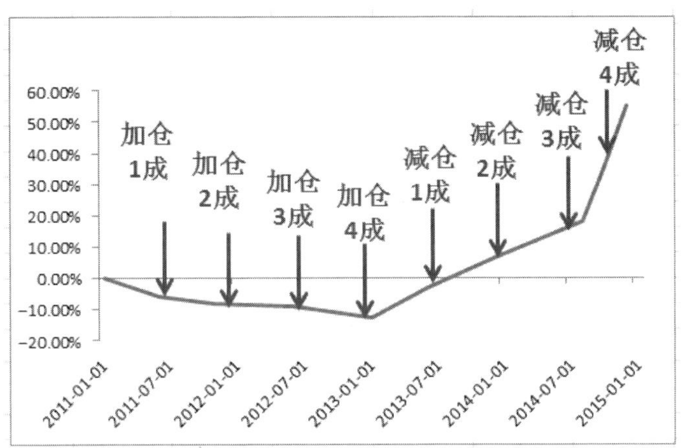

数据来源：WIND。统计区间：2011.1.1-2015.1.1。

图 5.15　中证 500 定投加减仓操作

③ 最后，我们来对比一下不同投资方式的收益率，如表 5.9 所示。

表 5.9　中证 500 不同投资方式的收益率对比

日期	投资方式		
2012-1-1 至 2014-12-19	一次性投资	定投（正常）	定投（加减仓）
收益率	11.03%	42.94%	55.02%

数据来源：WIND。统计区间：2011.1.1—2014.12.19。

通过以上数据的分析可以发现，一次性投资的收益率仅为 11.03%，正常周定投的收益率为 42.94%，进行加减仓后的周定投收益率为 55.02%。

老罗有话说：

金字塔投资法是一种比较简单实用的定投加/减仓方法，可以使你的定投收益更加丰厚，但使用该方法时也有需要注意的问题：

（1）在基金定投中进行加/减仓操作是有前提的，一个前提是“基金自身没问题，业绩不会长期表现很差或几乎没起伏”，另一个前提是“投资者有足够资金用于加减仓”。

（2）方法中的具体比例和数字，需要投资者根据自身实际情况进行调整，老罗只给大家提供大致思路。

5.7　珍惜熊市，慢慢定投

距离上一个牛市的顶峰 2015 年 6 月已经过去了几年，股民、基民们在震荡下行、反复筑底的市场上信心受挫，表示“跌怕了”。为此，老罗将用客观历史数据分析熊市走向，探讨目前我们是否已经走到了熊市的底点。

“敢问底在何方？”

我们对 2000 年以来三次熊市底部进行了特征分析，并由此判断目前熊市是否已经探底，现在入场是否明智。

先来简单回顾一下历史上三次熊市及当前的基本状况，如表 5.10～表 5.13 及图 5.16～图 5.19 所示。

表 5.10　2000 年以来第一次熊市基本状况

第一次		
	时间	上证综指
顶点	2001/6/14	2245
底点	2005/6/6	998

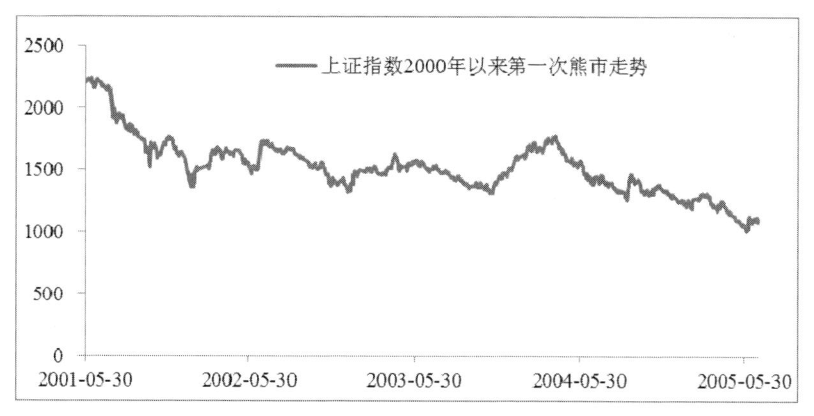

图 5.16　2000 年以来第一次熊市走势

表 5.11　2000 年以来第二次熊市基本状况

第二次		
	时间	上证综指
顶点	2007/10/16	6124
底点	2008/10/28	1664

图 5.17　2000 年以来第二次熊市走势

表 5.12　2000 年以来第三次熊市基本状况

第三次		
	时间	上证综指
顶点	2009/8/4	3478
底点	2013/6/25	1849

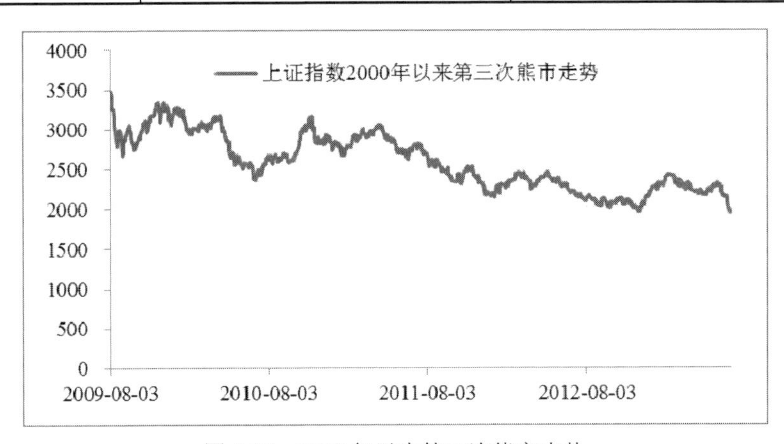

图 5.18　2000 年以来第三次熊市走势

表 5.13　当前基本状况（2018/7/10）

当　　前		
	时间	上证综指
顶点	2015/6/12	5178
底点	2018/7/10	2827

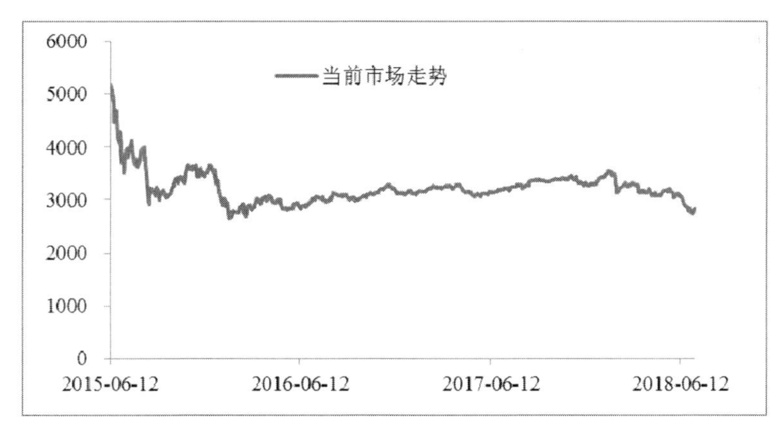

图 5.19　当前市场走势（2015.6.12—2018.7.10）

下面我们将对历史上三次熊市触底进行特征分析，这些分析能够帮助我们判断目前大盘是否已经下降到足够低点，蓄力反弹。

1．跌幅与周期

通过观察，我们发现 2005 年、2008 年、2013 年熊市底部上证综指跌幅都在 40%以上，周期在 1 年到 5 年间不等，如表 5.14 所示。

表 5.14　熊市底部跌幅与周期

时间	2005/6/6	2008/10/28	2013/6/25	当前
顶点	2245	6124	3478	5178
底点	998	1664	1849	2827
跌幅	55.55%	72.83%	46.95%	45.40%
周期	4 年	1 年	5 年	3-? 年

数据来源：WIND，2018/7/10。

通过对比可以看出，熊市当头，上证综指的跌幅已经到达 45.40%，接近 2013 年 6 月熊市见底时的下跌幅度。另外，本轮熊市的周期也接近历史熊市周期的平均值水平。熊市见底的初步特征显现。

2．成交额与换手率

熊市见底特征还体现在低迷的成交额和换手率上。为此，我们测算了处于熊市底点的上证综指成交额，以及换手率相对于该轮下跌顶点时的跌幅，并与当前数据相比较，如表 5.15 所示。

表 5.15　熊市底部成交额与换手率

时间	2005/6/6	2008/10/28	2013/6/25	当前
成交额（亿元）	50.27	387.53	1047.44	1326.33
降幅	72%	76%	58%	87%
换手率	1.58%	1.29%	0.68%	0.36%
降幅	48%	57%	74%	85%

数据来源：WIND，截止时间：2018/7/10。

与此前三次熊市见底时的情形相比，当前股市的成交量的萎缩幅度更大，与 2015 年 6 月的牛市顶点相比下挫了 87%。当前换手率仅为 0.36%，比历史上三次熊市触底时的换手率更低，与 2015 年 6 月的牛市顶点相比降幅高达 85%。

3．市盈率与市净率

从估值角度出发，低市盈率（TTM）与低市净率是熊市触底的显著特征之一，如表 5.16 所示。

表 5.16　熊市底部市盈率与市净率

时间	2005/6/6	2008/10/28	2013/6/25	当前
市盈率（TTM）	16.70	13.89	9.67	12.59
市盈率历史分位数（2000 年以来）	41.09%	19.23%	3.46%	17.20%
市净率	1.64	2.08	1.31	1.48
市净率历史分位数（2000 年以来）	21.77%	41.87%	2.70%	5.26%

数据来源：WIND，截止时间：2018/7/9。

提取上证综指的数据进行分析，无论是从市盈率还是市净率估值角度出发，当前熊市的估值绝对数都靠近历史上三次熊市底部的估值数据的中位数，并且都处于历史分位的相对低点。值得注意的是，当前上证综指的市净率所处的历史分位为 5.26%，远远低于 2005 年和 2008 年两次熊市触底时的市净率。

4．破净股数量

历史告诉我们，破净公司的数量越多，熊市见底的可能性就越大，如表 5.17 所示。

表 5.17　熊市底部破净股数量

时间	2005/6/6	2008/10/28	2013/6/25	当前
破净股数量	102	248	185	237
占比	7%	15%	7%	7%

数据来源：WIND，截止时间：2018/7/9。

截至 2018 年 7 月 9 日，市场上已有 237 只破净股，占比约为 7%（数据来源：WIND）。历史上三次熊市底部的破净股占比在 7%到 15%之间。当前股市破净股的绝对数量已超过 2005 年及 2013 年熊市底部的破净股数量，破净股占比也与这两次熊市底部时期相当。

5. “一元股”数量

邻水樵夫在《关于熊市》中提出了一种新颖的判断熊市是否到达底部的方法，即测量股市中“一元股”（即股价小于 2 元）的数量。如果“一元股”的数量达到 10 只以上，则认为股价已经下跌到了底部，后市即将反弹，如表 5.18 所示。

表 5.18　一元股数量

时间	2005/6/6	2008/10/28	2013/6/25	当前
数量	82	42	18	31
占比	6.00%	2.62%	0.73%	0.88%

数据来源：WIND，截止时间：2018/7/10。

对比历史上三次熊市底部“一元股”的数量，我们可以看出，目前市场中“一元股”的绝对值数量为 31 支，占比为 0.88%（数据来源：WIND），虽然与 2005 年以及 2008 年两次熊市底部的数据仍有差异，但绝对数和相对数都已经超过了 2013 年熊市见底时“一元股”的数量。

6. 市场情绪

在熊市底部时期，市场悲观情绪释放，即使出现利好因素，更多的分析师也选择维持谨慎态度，不轻易发表推荐评级。

与此同时，从交易者行为来看，当前开户数量不及 2015 年峰值开户数量的 1/6，开户数量的减少也同样预示着当前股市正经历着与历史上三次熊市触底时相似的市场状态。

投资者怎么说？

上述判断熊市是否到达底部的方法也许不完全，但是，种种信息预示着市场已经在反复筑底的过程中探寻最低点。

下面我们来看看股民和基民们对当前熊市的看法。

股民 A 说："当自己感受到下跌的压力越来越大，甚至想要清仓的时候，底部就差不多到了，忍忍就过去了！"

股民 B 说："宏观局势不明朗，不想再当接盘侠！"

何为投资之道？正当大家对熊市是否已经触底产生犹豫，对是否抄底入场悬而不决的时候，精明的投资者已经为自己量身打造了一个相对保险的投资方法——定投！

正所谓"熊市不买股，牛市白辛苦"，在熊长牛短，大底难预测的中国股市，定投的优点显露出来。

1. 无须过度择时

在市场上摸爬滚打多年，老股民们都清楚，精准抄底，难于上青天！

定投的一大好处就在于无须过度择时，只要股市处于相对低点，股民就能够用固定的投资资金购买相对多的份额，摊平成本，降低风险！

根据上面的分析，当前熊市周期已达 3 年，流动性、估值等指标与历史上三次熊市触底时的各项指标都相近，熊市已经到达底部的可能性很大。这时候开始定投，可以不考虑股指继续下挫的风险，分散了一次性投资的风险，岂不美哉？

2. 避免主观情绪的干扰

你是不是已经厌倦了为市场行情的涨涨跌跌而忧心忡忡的日子？有个图非常形象，如图 5.20 所示。

定投为你提供了解决办法。定投的一大优点就在于避免主观情绪的干扰，不为小波动而打乱长远的策略。不论市场上如何腥风血雨，坚持定投，总能在保持平稳心态的同时看见曙光，获得不菲的收益！

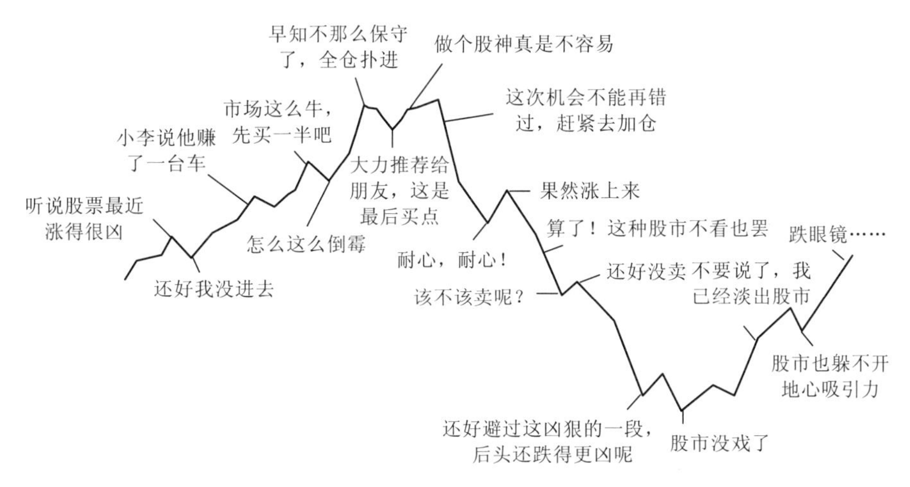

图 5.20　股民炒股心态图

3. 降低“机会成本”

我们需要考虑“机会成本”。市场上没有人能料事如神，就因为对熊市何时见底抱有不确定的心态就一拖再拖，放弃一段时间内定投累积的份额，带来的“机会成本”是很高的。

此外，定投的收益存在着复利效应，复利效果需要较长时间才能充分展现。沉下心来，在熊市慢慢定投，终将收获胜利的果实。

第 6 章　学会定投止盈的方法

6.1　基金定投的止盈方法

定投作为一种适合新手及“懒人”操作的投资方式，需要在很长一段时间内分散投入资金，因此对择时的要求不高，这样能够缓解择时错误带来的损失。

股市里常说“会买的是徒弟，会卖的才是师傅”，不少投资者因为不会止盈，会有在股市“坐过山车”的经历。而对于定投而言，卖比买更重要！即选择何时止盈往往比选择何时投资更重要，也更有难度。

小贴士：

隔壁邻居小王从 2010 年年初开始，于每月 1 日定投中证 500，在亏损中挣扎了 5 年，却始终坚持着定投，终于在 5 年后进入牛市，小王喜笑颜开，手头的收益越来越多，到了 2015 年 6 月 1 日，累计收益率达到了 155.50%。小王越来越不舍得就这样止盈，多持有一天仿佛就能够多涨一天，一时的贪念导致小王错过了最好的止盈时机，股灾来了，收益越来越少，小王也越来越笑不出来了。从图 6.1 我们可以看到，从 2016 年 2 月开始，小王的定投累计收益率再也没有超过 50%。

经过计算，假设小王从 2011 年 1 月 1 日开始定投，到 2015 年 6 月 1 日时，定投累计收益率为 159.64%；如果从 2012 年 1 月 1 日开始定投，到 2015 年 6 月 1 日时，定投累计收益率为 167.23%（但是由于定投时间晚，投入本金少，收益也较少）。因此我们可以看出，对于定投，“何时买”带来的影响远远没有“何时卖”大。

图 6.1　小王定投中证 500 收益率变化

那么投资者会问老罗，定投坚持了那么久，牛市来时根本舍不得止盈呀！有没有什么办法能判断何时处于牛市高点呢？老罗给大家总结三个止盈的好办法，希望对大家下一轮牛市到来止盈有帮助。

1. 市场情绪法

如巴菲特所说："在别人恐惧时贪婪，在别人贪婪时恐惧"，市场情绪法的实质正与这句话不谋而合。

小贴士：

有一天，庙里来了一群香客，在菩萨面前烧了许多香，苦苦哀求，希望菩萨保佑他们脱离苦海。老和尚心善，问是怎么回事。香客们说，股市大跌，我们被深度套牢，赔了许多钱，不知怎样才能解脱。老和尚心想股票真是个坏东西，害了这么多人，我佛慈悲，普度众生，快快把他们救出来吧。于是老和尚拿出庙里所有的香火钱，怀着"我不入地狱谁入地狱"的慈悲心，出世解救众生，慷慨地接手了所有的股票。几年过去了，香客们又来庙中烧香，一个个都情绪激动，祈求股票快涨多涨，还有的人抱怨自己老买不到股票。老和尚不明白，怎么股票又成了好东西了？不过既然善男信女都想要股票，那我就普度众生，卖给他们吧。于是老和尚又来到股票市场，把股票抛了个精光。就这样，老和尚成了股市最大的赢家……

老和尚的大智慧总结如下：

（1）在别人恐惧时贪婪。老和尚买在众人疯狂卖出之时，卖在众人疯狂买入之时。尽管老和尚慈悲为怀，为的是“普度众生”，但很巧合的是，老和尚成功避开了追涨杀跌，很巧妙地完成了低买高卖。其实，就是根据市场情绪逆向操作，而不是随大流！

（2）在别人贪婪时恐惧。股市投资往往是少数人赚钱，多数人亏钱，因为人云亦云，当买卖股票变成群体行为时，疯狂就要付出代价。所以，老和尚买在众人疯狂卖出之时，卖在众人疯狂买入之时，拒绝人云亦云！

回想老罗经历的这三波大牛市，第一波2006年至2007年，第二波2009年，第三波2014下半年至2015年上半年。在股市后期最疯狂状态的时候，老罗看到亲戚朋友、街坊邻居都想要买股票，大家对股市都热情高涨、雄心勃勃，这很有可能就是牛市高点。虽然大家都情绪高涨，仿佛此时不买股票，就会像没有早早买房那样后悔，但是必须知道的是，市场已经上涨很久了，此时可能正是止盈的时刻，一旦再拖延下去，很有可能连之前的盈利都没有了。这个方法在这三轮牛市高点屡试不爽。

市场情绪法的优点在于：容易观测、不需要掌握太多的财务和金融知识、适合新手；但是，市场情绪法过于主观和感性，作为判断牛熊市的依据不具有说服力。

2. 目标收益率法

目标收益率法也是一个简单易操作的止盈方法，该方法需要做的事就只有一件，即确定一个目标收益率，一旦定投的收益率超过了目标收益率，就可以止盈了。

这时重点就来了！一定会有朋友问，我应该选择一个什么样的标准作为止盈线？由于指数走势具有不确定性，如果选择的标准过高，可能未能及时止盈，错失了止盈良机；如果选择的止盈线过低，在止盈之后看到指数增长势头仍不减，心里难免会觉得可惜。

这时我们需要考虑一个“机会成本”的概念。坚持定投了那么多年，设置的定投收益率若连机会成本都比不过，那还有什么意义呢？

如果没有拿这些钱定投，我们可以去投资无风险或风险较小的理财产品，获得理财产品的年化收益率；除此之外，还需要考虑通货膨胀率。因此我们得到：

最小目标收益率(机会成本)=（1+通货膨胀率+理财产品的年化收益率）^{定投年限}-1

举一个小例子，假设理财产品年化收益率为 5%，通货膨胀率为 3%，如果定投 5 年，那么最低的目标收益率为：$(1+3\%+5\%)^5-1=46.93\%$。当然这是理想假设的目标收益率。值得注意的是，这只是根据理财产品年化收益率及通货膨胀率计算出来的一个理论上的最低指标，通常还应该根据个人的风险偏好，并考虑市场情绪的影响，在该数据的基础上做出一定的调整。

上面那个方法有点复杂，老罗还有一个简单粗暴的方法帮你判断，就是看看最近几轮牛市你定投的指数从最低点到最高点涨多少，然后再取一个最小涨幅来判断牛市，牛市来了分批止盈，这样就不会错过牛市了。以中证 500 指数为例，三波牛市从最低点到最高点，涨幅均超过 200%以上，如表 6.1 所示。大家判断牛市的一个好方法就是，只要中证 500 区间涨幅超过 100%，则说明牛市来临了，大家可以分批慢慢减仓了，这就是目标收益率法，自己根据以往该指数牛市的涨幅空间，大概设置一个目标涨幅空间。

表 6.1 中证 500 三波牛市的最大涨幅

牛 市	牛市最低到最高点区间	区间涨幅
第一波	2005.7.18-2008.1.15	687%
第二波	2008.11.4-2010.4.14	228%
第三波	2014.1.13-2015.6.12	220%

数据来源：WIND，老罗话指数投资公众号测算。

虽然目标收益率法简单、易于执行，但是它也有缺点，比如设定目标收益率过低，止盈过早，市场仍处牛市之中，这时就只能干瞪眼了。设定的目标过高，就容易错过止盈时机，最好的方法就是分批止盈。

3. 估值止盈法

指数估值水平是反映指数被低估或者被高估的一个重要指标，尽管估值过高也包括市场情绪过高及对未来看好的因素，但是从长期来看，估值过高都存在估值回归的一个过程，故可以根据指数的估值水平进行止盈。

图 6.2 是中证 500 指数从 2007 年 1 月 1 日到本书写作时为止的指数点位和对应的 PE 值。

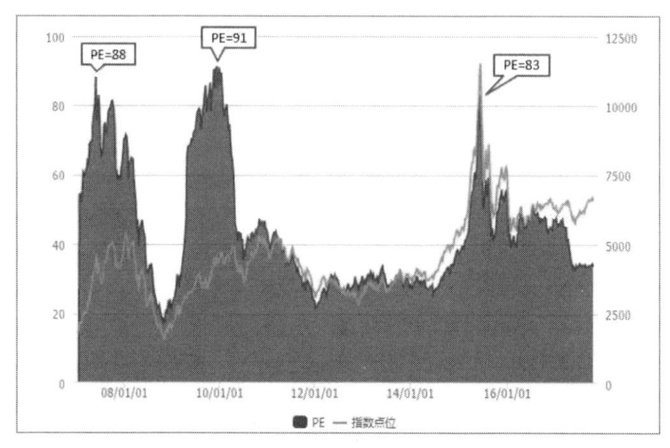

图 6.2　三轮牛市中证 500 估值高点变化

从图 6.2 中我们可以发现一个小规律，牛市的时候 PE 值通常都比较高，而到了熊市 PE 值却较低，尤其是 2007 年、2009 年、2015 年上半年几个重要的牛市，中证 500 的市盈率最高值分别为 88、91 和 83，牛市高点的市盈率均超过 80。而中证 500 的市盈率到了 80 这条线不久之后，股市就进入了熊市阶段。也就是说，当指数的估值超过一定的标准后，气势汹汹的牛市很有可能已经走向了尽头，股市可能即将发生反转。

但是，虽然历史规律表明牛市时期中证 500 的 PE 值都能突破 80，如图 6.3 所示，但是并不能保证下一次依然呈现这样的规律，因此选择恰当的止盈线十分重要。

这里需要利用一种方法，叫分批估值止盈法，即估值止盈法。

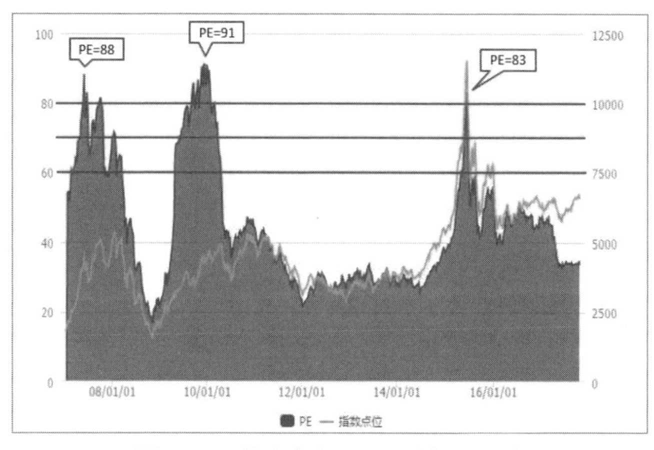

图 6.3　三轮牛市中证 500 分批止盈线

即在 PE=60 时，赎回 60%的基金份额；PE=70 时，赎回 30%的基金份额；如果 PE 值能够达到 80，赎回剩下 10%的基金份额，其间任何时候 PE 值回落到了 60 时，都将剩余基金份额全部赎回。表 6.2 为在三个时间段内对中证 500 指数每周定投的收益率计算。

表 6.2 中证 500 分批止盈收益率

牛市时间		分批止盈时间			累计收益率	年化收益率
		PE=60（60%）	PE=70（30%）	PE=80（10%）		
	开始时间					
第一轮	2004/12/31	2007/2/16	2007/4/30	2007/5/18	196%	57%
第二轮	2008/4/3	2009/4/30	2009/6/5	2009/9/4	28%	19%
第三轮	2010/4/30	2015/4/30	2015/5/22	2015/6/5	125%	17%

数据来源：WIND，老罗话指数投资公众号测算。

我们可以看到，利用这种方法，年化收益率最低也在 17%以上，表现良好。就算之后市场继续上涨，自己也留有一部分份额，不至于太过可惜。

估值法是止盈方法中最靠谱的一种方法，但并非绝对，估值法也有缺点，即不能保证未来的规律和历史一致。并且需要注意的是，估值法不能一概而论。即不同类型的行业适用的估值指标可能不一致；另外，不同的指数基金适用的止盈线也有所差异。具体的选择也需要看个人的风险偏好，这里给出的方法仅供参考。

以上是止盈常用的三种方法，每种方法都有利有弊。并且，以上三种方法并非规定了只能用一种，可以将三种方法结合起来用，也可以将分批估值止盈法用于目标收益率法中。具体情况具体分析，根据实际情况灵活选择最适合的止盈方法才是最有效的办法。

老罗有话说：

对于止盈的方法，老罗总结了三个原则。（1）不要奢求卖在最高点，分批止盈为佳。投资者要判断市场高点、低点谈何容易，既然定投建仓是细水长流，那么止盈也不必苛求一次性退出。（2）定投早期不止盈，中、后期要谨记止盈。定投早期不止盈：部分投资者可能运气好，定投几个月就有不错的收益，但由于积累的资金不多，即使赎回对投资者影响也有限，也不能起到强制储蓄的作用，这个时候止盈意义不大。后期止盈根据市场情绪、指数涨幅以及估值等三个方面就可以判断牛市已经到来，可以准备分批止盈了。（3）止盈套路有很多，找到适合自己的方法。基金定投止盈的方法有很多，在网上搜索就可以找到指数参考法（点位、PE、PB、PS等）、目标收益法、技术指标法等。老罗觉得每一种方法都有它的逻辑和适用性，难以准确评价其优劣，关键是要找到适合自己的方法。

6.2 大额定投中证500止盈的方法

基金定投是定期投资基金的简称，是指在固定的时间、以固定的金额、自动扣款投资到指定基金的投资方式，是一种简单实用的“懒人投资法”。基金定投是依据牛市、熊市交替出现而设定的投资策略，其依赖同样的资金在牛市获得较少的份额，在熊市获取较多的份额，从而实现摊低成本，最终获取平均收益的目标。

之前跟大家介绍的定投，举的例子大部分都是以每周投1000元为例的，属于小额定投。但对于一些高净值客户而言，一周1000元，明显不能达到其要求。所以今天给大家介绍一种大额定投的策略——高波动市场中的波段投资。

1. 高波动市场中的波段投资

在高波动市场中做波段投资的思路和方法有很多，包括且不限于基于经济周期、流动性周期、通胀周期、技术分析、价值周期等多种策略。这里我们以中证500指数的长期估值周期为基础，设计一个大额定投的波段投资策略。

衡量市场价格是否合理的指标之一就是估值，我们以市盈率（PE）来代表估值，中证500指数成份股的市盈率自2007年年初以来平均为43.75，最低为17.12，最高达到91.31，波动区间大且均值回复期长，具备波段投资的基础，如图6.4所示。

假定当指数市盈率低于30倍后，每周开始进行大额定投，投入2万元；持有到市盈率高于60倍时，每周按所持份额的5%卖出。若当市盈率低于60时，基金份额还没有完全卖出，则在第一次市盈率低于60时将所剩份额全部卖出。

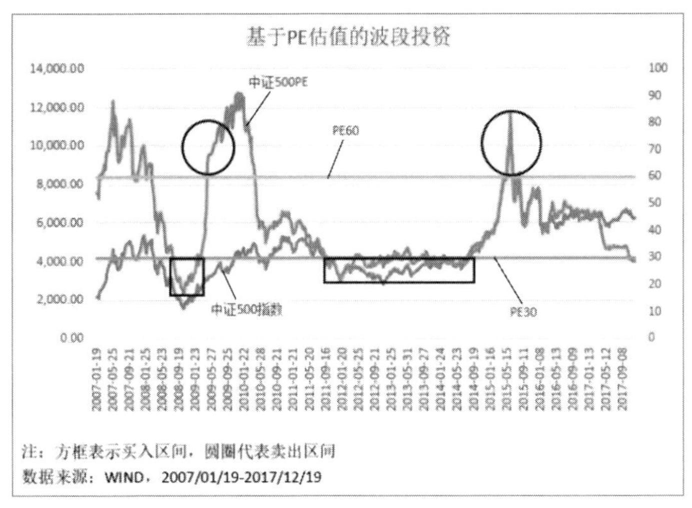

图 6.4　中证 500 大额定投止盈

从测试结果看，自 2007 年以来，共有两次波段投资机会，其中一次持有期较长，大约持有 45 个月，需要有一定的投资耐心，但最终波段业绩均不错。通过计算数据可以看到，两次大额定投的收益率也都比较高，在 2008 年至 2009 年期间，投资收益率达到 71%，在 2011 年至 2015 年期间，投资收益率更是高达 134%，累计收益达到约 293 万元，如表 6.3 所示。这也充分解释了为什么有钱人越来越有钱。

表 6.3　两轮牛市大额定投收益率

投资区间	持有时间	收益率	投入本金（元）	累计收益（元）
2008/08/08—2009/09/11	13 个月	71%	540 000	383 425
2011/09/30—2015/07/03	45 个月	134%	2 180 000	2 930 986
2017/11/17—?	?	?	?	?

数据来源：WIND，老罗话指数投资公众号测算。

值得注意的是，从 2017 年 11 月 17 日开始到本书写作时，中证 500 指数的估值再一次降到 30 倍以下，也就是说这正是大额定投上车的好机会！

2. 大额定投基金选择

介绍完大额定投的策略，投资者可能会问大额定投该选择一些什么样的基金，下面就再给大家介绍一下大额定投的基金选择方法。

大额定投基金选择法要点——先选公司、再选产品、最后选组合。

首先，选公司。基金的长期业绩往往跟公司的研发实力密切相关，选择大型基金公司还是要稳妥一些。

其次，选产品。由于大额定投涉及资金量大更需谨慎，因此应选择具有以下特点的产品：

✔ 运作时间较长

✔ 长期业绩优秀

✔ 波动性高

✔ 基金经理投资业绩较好

✔ 规模不会过大

最后，选组合。通过资产组合配置的定投，可进一步分散风险，充分参与不同板块、不同主题、不同风格的投资。可以是：

✔ 大盘+小盘

✔ 国内+国外

✔ 主动+被动

✔……

对于高净值的投资者来说，大额定投是一种既省力又容易赚钱的方法，同时还可以分担一定的风险。大额定投与普通小额定投一样，也要越早越好，现在正是大额定投上车的好时机！

老罗有话说：

谁说定投只能适合工薪阶层？收入较高的中产阶级或者富人阶级也可以采用大额定投的方式去投资，分享定投这种能坚持到牛市的投资方式，从而取得较高的投资收益率，大额定投为资金量较大的投资者也提供了一种投资思路。

6.3 玩转两种定投止盈的方法

在震荡市场或者单边下跌市场中，定投的优势慢慢体现出来，尽管短期的收益会出现亏损，但是比那些一次性买入的投资者的亏损要小。而且跌得越多，后续可以买到的更便宜的份额就越多。此外，你的卖出时机也并不是短期内的，而是牛市来临的时候。本节老罗将给大家普及定投止盈的方法，满满都是干货，希望大家坚持看下去。

定投最关键的是牛市来临后进行止盈，才能使得收益落袋为安。当然，定投止盈也许会损失一部分潜在收益，然而，一方面 A 股风云变幻莫测，谁也不能去预测市场，“止盈”是一个很好的风控选择；另一方面，定投止盈策略能为投资者带来理想的收益。

前面老罗已经简单介绍了定投止盈的三种方法，例如市场情绪法：如果某一天，隔壁老王成了股神，对股票一窍不通的亲朋好友也开始贸然入市，这时候市场一般已经到了相对高位了，可以考虑止盈。这种方法比较简单和主观，除此之外，“估值止盈法”和“收益率止盈法”在定投的“江湖”中也备受推崇，本节老罗将继续帮助大家玩转这两种方法。

1. 估值止盈法测算

“估值止盈”的理论认为，如果市场估值过高或者已经接近历史高点，则股市转折点即将到来，此时投资者需要赎回基金、进行止盈。常用的作为估值的参考指标有市盈率；而“收益率止盈”则是设定一个收益率标准，达到此标准后即赎回基金。例如，当累计收益率达到 25%时，即停止定投并赎回基金。

这两大“派别”的战术各有侧重，为了进一步说明问题，我们以中证 500 指数作为标的分析。

先来看“估值派”的实际情况。如图 6.5 所示是中证 500 指数自 2007 年年初到 2015 年年底收盘点位与市盈率的对比图。这期间股市经历了几次完整周期，具有一定代表性。方便起见，我们在图上标出了市盈率分别约为 60、70、80 时的三条横线。

分析发现，第一次和第二次牛市高点市盈率分别为 88 和 91，第三次则在市盈率达到了 83 后，走势急速下降。我们不妨设置三个止盈时机：当大盘在上升期且市盈率分别为 60、70、80 时赎回基金，用事实说话，看看效果如何。

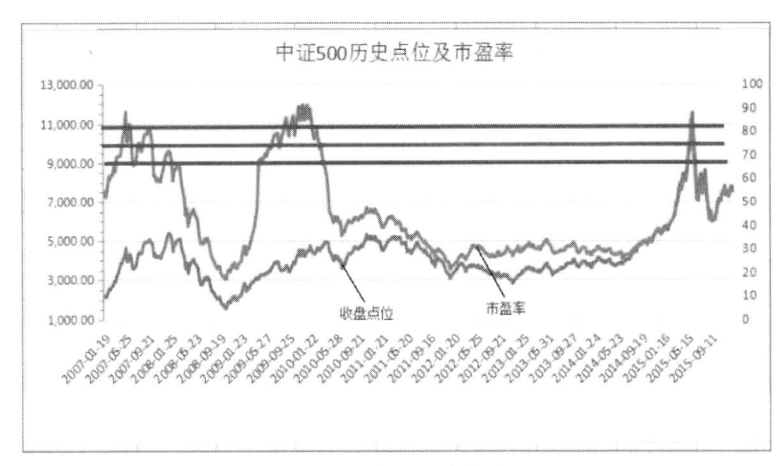

图 6.5　按照三个不同估值水平止盈

从 2007 年 1 月 19 日至 2015 年 12 月 31 日期间，坚持每周五定投 1000 元，当指数市盈率达到 60、70、80 时分别止盈，赎回当轮定投基金继续定投，并在 2015 年 12 月 31 日赎回全部剩余份额，共计 459 期。不考虑分红和基金申购、赎回费用，最后一个定投周期不完整。

本测算仅供演示之用，不代表投资中证 500 指数的真实收益。

从定投开始至触发止盈条件算一轮，止盈后，还是坚持每周五定投 1000 元，至 2015 年 12 月 31 日结束，不考虑红利收益再投的情况，得到测算结果如表 6.4 所示。

表 6.4　设置不同市盈率止盈收益率计算

止盈策略	定投轮数	累计收益（元）	累计收益率
PE 达到 60 止盈	4	793 564	72.89%
PE 达到 70 止盈	4	895 071	95.00%
PE 达到 80 止盈	4	982 311	114.01%

数据来源：老罗话指数投资微信公众号，统计期间：2007 年 1 月 19 日至 2015 年 12 月 31 日。

显然，市盈率设置在较高位止盈时收益率较高，但是达到较高市盈率往往需要较长等待周期；同时，由于指数走势的不确定性，前次高位并不能保证下一次一定可以达到，如果死守某一高位可能会不赚反亏。因此，投资者需要对指数估值走势有比较深刻的认识。

估值止盈法总结如下。

（1）在选取具体的估值指标时，通常选择市盈率指标。

（2）不同板块历史估值范围一般不同，投资者需要结合历史点位和估值走势，选择符合自己风险偏好的止盈策略。

（3）在高位止盈风险与收益并存，切不可只见利益不见风险；反之亦然。

（4）学会灵活使用估值止盈策略，比如在估值较高位时，可选择分批卖出。

（5）上面方法未考虑红利再投，若将达到止盈点的累计收益再投入下一期定投过程中，累计收益会更多，我们在后面的方法中也会告诉大家如何在止盈收益后再投资。

2. 收益率止盈法测算

收益率止盈法是一个“简单粗暴有效”的测算方法。“达到了就赎回，没达到就等着”，对小白也十分友好。那么下一个问题自然就是，将止盈收益率设置为多少比较合适呢？

最好的答案就是“用数据说话”。我们测算了在当期累计收益率分别为15%、30%、50%、60%和 100%时止盈的最终收益率情况（投资者也可以选择将止盈指标设置为年化收益率等）。

2007年1月19日至2015年5月29日期间，坚持每周五定投1000元，当期累计收益率达到 15%、30%、50%、60%和 100%时分别止盈，赎回当轮定投基金，并在2015年5月29日赎回全部剩余份额，共计429周。不考虑分红和基金申购、赎回费用，最后一个定投周期不完整。

从定投开始至触发止盈条件算一轮，止盈后，还是坚持每周五定投1000元，不考虑红利收益再投的情况，根据上述方法测算，我们得到了如表6.5所示结果。

表6.5　设置不同止盈收益率的结果

止盈策略	定投轮数	累计收益（元）	累计收益率
15%止盈	14	500 514	16.67%
30%止盈	7	576 275	34.33%
50%止盈	5	651 007	51.75%
60%止盈	3	686 614	60.05%
100%止盈	3	874 602	103.87%

数据来源：老罗话指数投资微信公众号，统计期间：2007年1月19日至2015年5月29日。

从表6.5中不难看出，止盈点的设置和期末累计收益率基本呈正相关关系。比如，100%止盈需要等待下一拨大牛市的到来，持有时间较长，一般3～6年，定投期间存在投资被套的可能性，投资者难以坚持，但这种策略的长期收益率较高。

较低的止盈点导致较多的定投轮数，这种“小富即安”的想法，可以大大降低被套牢的风险，定投持有时间也大大缩短，但是会存在指数大牛市来临时失去较多的潜在收益。

到底需要设定一个怎样的收益率最合理呢？这还是需要结合投资者的风险偏好、所投指数、预期持有时间等综合来看的，不可将上面估值和收益率生搬硬套。

准备做长期定投、所投资指数具有成长性的投资者，可以结合自己的风险偏好，设置一个“适当高”的止盈点。至于倾向于“小富即安”和“短期战线”的投资者，可以设置一个较低的止盈点，但是建议不低于现行定期存款同期收益率。

收益率止盈法总结如下。

（1）设定收益率止盈指标时，除累计收益率外，投资者还可以选择指数收益率等作为指标。

（2）设置合理止盈目标：目标过高则时间成本过高，目标过低则无法起到财富积累作用。

（3）上面的方法未考虑红利再投的情况，若将达到止盈点的累计收益再投入下一期定投过程中，累计收益会更多，我们也会在后面方法中告诉大家如何在止盈后再投资。

老罗有话说：

无论是估值止盈法还是收益率止盈法，设置的估值或者收益率越高，定投收益率就会越高，但是如果设置过高，也会错过止盈的机会。在此，老罗建议大家可以分批止盈，参考历史牛市估值和收益率的涨幅分批止盈。

6.4 定投止盈法可以随便选择吗

定投是一个长期不断投入的过程，在考验耐力的同时，也考验投资者的智慧，定投不只要“傻傻地买”，还要“聪明地卖”！试想一下，当你苦苦熬过凄凄惨惨的熊市，挺过提心吊胆的震荡市场，终于迎来股市的春天时，却因为没有及时止盈，使得收益昙花一现。这时的你岂不是要捶胸顿足，追悔莫及！

所以，我相信聪明的投资者都会更加关注止盈，积极学习各种定投止盈法。但你是否问过自己：这么多的定投止赢方法，你可以随便选择吗？

1．估值止盈法

常用的估值指标一般包括市盈率（PE）、市净率（PB）等，以市盈率为例，证券市场的行情走势与市盈率密切相关，牛市的市盈率普遍较高，而熊市较低，如果市场估值过高，或者已经接近历史高点，那么股市很有可能发生转折，图 6.6 为中证 500 指数点位及市盈率估值。

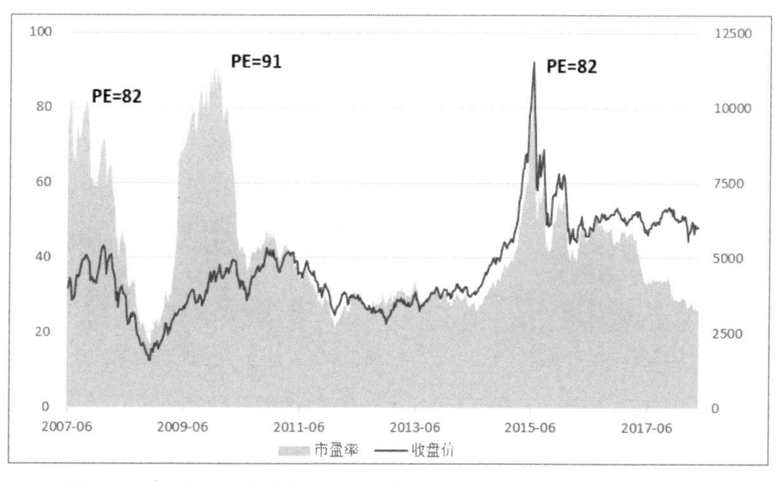

图 6.6　中证 500 收盘价和历史估值（2007.06.01—2017.12.31）

可以看到，在 2007 年、2009 年和 2015 年的三波大牛市中，中证 500 的市盈率均呈现有规律的上涨和下跌，并且都达到了 80 多的位置，按照历史规律，在下一波大牛市到来的时候，市盈率很可能会上涨到之前的高点，因此我们可以设置三个止盈标准：在大盘上升到市盈率分别为 70、80、90 时赎回基金，不考虑红利收益再投的情况，分别测算从 2007 年年初至 2015 年年底的定投累计收益率，如表 6.6 所示。

目前来看，市盈率 PE=80 是最优的止盈点，在市盈率 PE=70 时止盈，退出市场过早，收益甚至还不如不止盈；但是，市盈率 PE=90 又会因标准太高，而错过两次牛市高点，收益更是不如意。

表 6.6　中证 500 定投累计收益率

止盈点	定投轮数	累计收益率
不设止盈点	1 轮	97.46%
PE 达到 70 止盈	4 轮	95.53%
PE 达到 80 止盈	4 轮	114.10%
PE 达到 90 止盈	2 轮	65.93%

数据来源：老罗话指数投资微信公众号测算，统计区间：2007.06.01—2017.12.31。

所以，要想选择合适的估值止盈点，需要了解指数历史估值的涨跌范围，并且估值在波动的行情中具有周期性的规律，但是所有的指数估值都是有规律可循的吗？我们接着看！如图 6.7 所示。

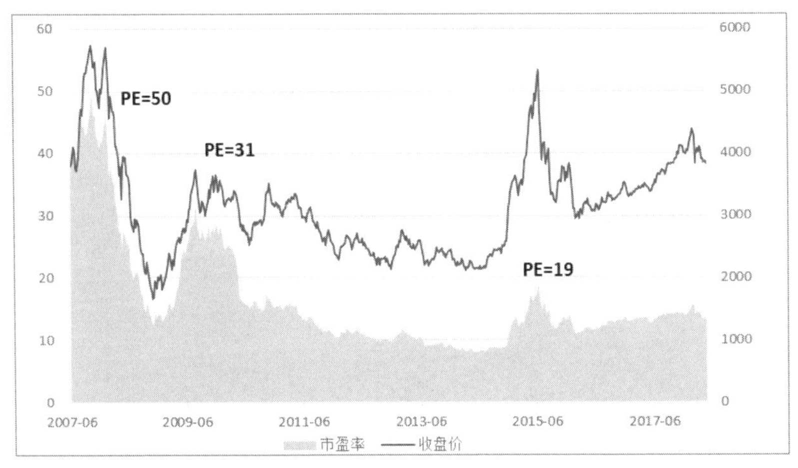

图 6.7　沪深 300 收盘价和历史估值（2007.06.01—2017.12.31）

很明显，沪深 300 指数的市盈率虽然仍跟随市场呈现周期性的涨跌，但市盈率峰值逐次降低，从 50 左右跌落到 20 附近，将估值止盈法应用到这类指数很有可能会失效！我们来测算一下，如表 6.7 所示。

表 6.7　沪深 300 定投累计收益率

止盈点	定投轮数	累计收益率
不设止盈点	1 轮	31.12%
PE 达到 20 止盈	3 轮	61.50%
PE 达到 30 止盈	2 轮	30.53%
PE 达到 40 止盈	2 轮	31.75%

数据来源：老罗话指数投资微信公众号测算，统计区间：2007.06.01—2017.12.31。

可以看到，在市盈率 PE=20 倍时可以获得最高的收益，也就是说，在无法预测第三次牛市、市盈率 PE 会降低到 20 倍附近的情况下，如果按照前两波牛市市盈率 PE 的波动区间来设置止盈点，不仅会错失 61.50%的收益，还有可能不如不设止盈点的定投！

估值止盈法具有局限性，投资者应谨慎选择。

局限一：

估值止盈法并不适用于所有指数，确切来说，只有当指数的估值指标（市盈率 PE，市净率 PB 等）具有十分明显的周期性规律，并且在牛市估值可预测的情况下，估值止盈才能发挥最大的效果。

局限二：

市盈率 PE 受价格 P 和每股盈余 EPS 影响，所以当 EPS 涨幅高于 P 时，便会出现估值整体下降的情况，上例中的沪深 300 在 2015 年牛市高点的市盈率也只有 19 左右，这是因为指数成份公司的盈利增速要高于市场的整体判断。因此，估值止盈点的确定难度更大，需要将公司未来的经营状况、行业成长空间等因素考虑进来。

以中证 100、中证 800 以及创业板指数为例，牛市估值都不像中证 500 那样比较容易预测，所以都不太适合估值止盈法，如图 6.8 所示。

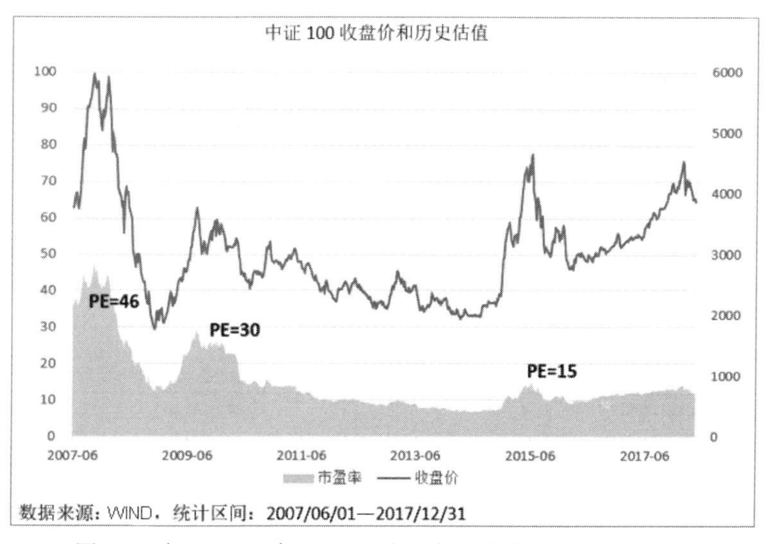

图 6.8　中证 100、中证 800 及创业板指数收盘价和历史估值

图 6.8　中证 100、中证 800 及创业板指数收盘价和历史估值（续）

2．目标收益率法

该方法理解起来十分简单，就是在确定了一个目标的定投收益率后，一旦达到该标准就止盈。沪深 300 指数不适合用估值止盈法，那么目标收益率法呢？用数据说话，如图 6.9 所示。

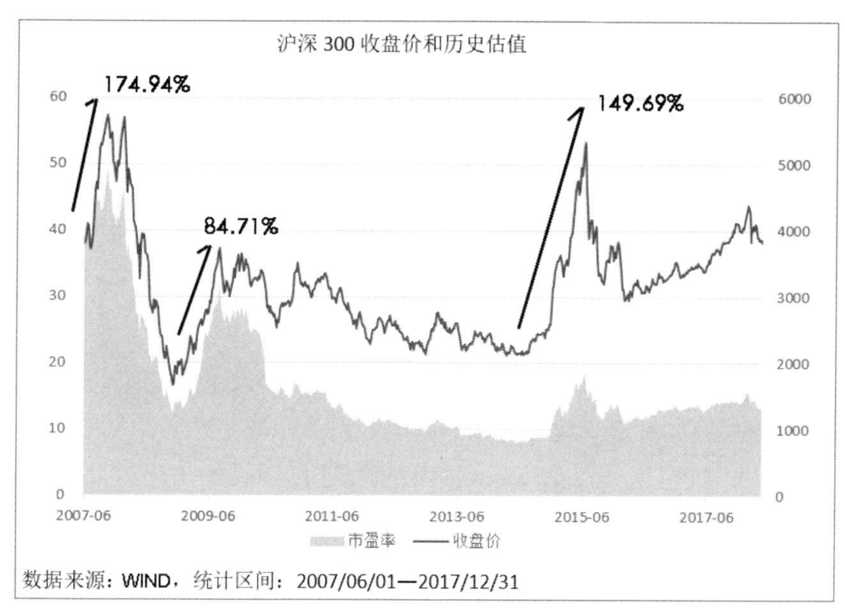

图 6.9　沪深 300 收盘价和历史估值

三轮牛市中沪深 300 收盘价的最高涨幅分别为 174.94%、84.71%和 149.69%，简单看来，第二次的牛市涨幅比其他两次要低一倍甚至不止，如表 6.8 所示。

表 6.8　沪深 300 定投累计收益率

目标收益率	定投轮数	累计收益率
不设止盈点	1 轮	31.12%
20%	6 轮	19.58%
30%	6 轮	28.46%
40%	3 轮	36.58%
50%	3 轮	46.81%
60%	3 轮	61.13%
70%	2 轮	64.92%

数据来源：老罗话指数投资微信公众号测算，统计区间：2007.06.01—2017.12.31。

从表 6.8 中不难看出，随着止盈点收益率的升高，定投的累计收益率也随之增加，具有一定的规律，更方便投资者设定目标收益率。

并且，止盈收益率可以根据机会成本（最小目标收益率）、指数点位的高低来设定，不确定因素较小，当估值止盈法失效时，目标收益率法则会是更加可靠的方法。

目标收益率法简单、易行，但也面临着定投时间长、目标收益率迟迟达不到的风险，如果收益率设定偏低，同样也会错失牛市的潜在收益。

3．市场情绪法

上面的两种方法都想通过既定的标准来排除投资情绪的影响，严格要求自己坚持定投，适时止盈。但投资者往往会忽略明显的“市场情绪”，其实这也是非常有用的一种止盈信号。

除了“逆市而行”的个例外，市场情绪止盈法一般不会受限。而且市场情绪更容易观察：当你发现身边的邻里、亲戚朋友都在谈论股票，人人都高喊“赚钱啦”之时，市场情绪空前高涨，这其实就是非常明显的“止盈信号”了，说明市场已经到了相对高位；同时，各类指标其实也明确指示着市场的变化，换手率、新基金发行量、股票开户数、融资余额等各方面的指标都在一定程度上反映市场是否过热。

投资者在坚持定投的同时，也要了解自己定投的产品，多多观察其点位和各项指标，从而判断更加适合用哪种止盈方法。并且，不要奢求能够卖在最高点，任何一种理财方式都不能让人一夜暴富，只有不断坚持，并懂得止盈，才能成为赢家。

老罗有话说：

单单依靠一种止盈方法是有风险的，更不要盲目地认为设置好止盈点后就可以高枕无忧，坐享收成了，往往越是简单的策略越容易忽略重要的行情变化因素。一般来讲：

（1）估值止盈法更加适用于估值历史走势有规律、未来估值高点容易预测的指数；

（2）目标收益率止盈法适用于对自己的目标收益、风险偏好有清楚认识的投资者；

（3）市场情绪法更适合作为辅助方法，“强迫”投资者多关注市场，弥补前两种定量止盈方法的局限。

6.5　最大回撤止盈法

古语有云："知进退，明得失"。先人的智慧告诉我们，做人要善于观察和取舍，心中应有"进退之尺"；这句话放在定投上同样适用——知道何时买入，何时止盈卖出。对于投资者而言，定投基金的买入并无时点的限制，越早入场越好，但定投基金的卖出，却是一门值得琢磨的"学问"。

定投的卖出，涉及止盈方法的选择。聪明的投资者总能在渡过漫长熊市、迎来短暂牛市后，审时度势，选择适当的止盈方法，从而在关键点位抛售，赚得一笔可观的收入。老罗前面用数据测算，详细地介绍并讲解了止盈的三种方法——"估值止盈法""目标收益率法"和"市场情绪法"，如果想了解，可以看本书第 6.1 节和第 6.4 节。

市场状况总是随机变化的，或许有些投资者会发现，这三种止盈方法并不能满足他们的投资需要。尤其是当市场出现指数不断上涨、点位已经接近历史高点的情形时，投资者往往最纠结——想赎回又怕错过后市的机会，但观望又要承担高点的高风险。

因此这一次，老罗将为大家介绍另一种实用的定投止盈方法——最大回撤止盈法。

在了解最大回撤止盈法之前，我们首先需要了解"最大回撤"的定义。

最大回撤是指在选定周期内任一历史时点往后推，在净值下跌出现一个谷底时，谷底的最低点与谷底之前的最高点之间的差值，通常用百分比来表示。

简单说，选定指数的一段时间区域并挑选其中的任一时点，指数最（极）高点位与之后回落的最（极）低点之间，所得出的最大跌幅的绝对值，即为所求最大回撤幅度，如图 6.10 所示。

1. 如何使用最大回撤止盈法

最大回撤止盈法的操作方法大致为：在牛市开启后，当定投收益率超过止盈信号线后，应每日监测基金净值（指数收盘价）的回撤，一旦回撤幅度大于所设最大回撤阈值，则清仓锁定牛市定投的收益。

牛市来临后，定投累计收益率通常会超过 50%，用最大回撤设置不同阈值，找到不同指数在牛市在最大回撤发生多少后止盈为最佳。

图 6.10　最大回撤的计算

假设当定投累计收益率达 50%（止盈信号线）考虑回撤，选择每周五定投 1000 元，选取区间为 2007 年年初至 2015 年年末，当定投收益率超过 50%时，开始用下面的最大回撤阈值进行止盈，当触发最大回撤阈值时，之前定投的金额全部止盈卖出。另外，按照每周五定投 1000 元继续下去，当定投收益率再次达到 50%时，开始考虑之前设定的最大回撤阈值，如此反复，如表 6.9 所示，统计在不同最大回撤阈值共计发生几轮止盈，并且计算这几轮的累计收益率。

表 6.9　沪深 300 的不同最大回撤阈值

最大回撤阈值	投资轮数	累计收益率	年化收益率
5%	2	159.39%	12.61%
10%	2	145.32%	11.63%
15%	2	122.14%	10.27%
无	1	31.12%	3.17%

数据来源：WIND，统计区间：2007/1/1-2015/12/31。

依据表 6.9 中测算的结果，似乎能够轻易地得出这样一个结论：最大回撤阈值似乎与收益率成反比。确实，当最大回撤阈值从 5%增至 15%时，沪深 300 指数定投累计收益率和年化收益率皆呈现了下降趋势。从中可以得知，当最大回撤阈值设置得过大时，投资者所承受的风险更高。因为若市场依然持续下跌，则收益率持续降低，亏损增多。

但是，这是不是意味着，最大回撤阈值越小，收益率越高呢？让我们以中证 500 和创业板指数为例，依然将最大回撤阈值的范围设在 5%至 15%之间，或许会有新的发现，如表 6.10 和表 6.11 所示。

表 6.10　中证 500 的不同最大回撤阈值

最大回撤阈值	投资轮数	累计收益率	年化收益率
5%	3	376.17%	21.45%
10%	3	426.87%	22.60%
15%	3	309.52%	18.80%
无	1	102.20%	8.45%

数据来源：WIND，统计区间：2007/1/1—2015/12/31。

表 6.11 创业板指数的不同最大回撤阈值

最大回撤阈值	投资轮数	累计收益率	年化收益率
5%	1	91.96%	34.60%
10%	1	166.72%	51.51%
15%	1	152.29%	47.89%
无	1	8.74%	1.75%

数据来源：WIND，统计区间：2013/1/1—2017/12/31。

因此，中证 500 和创业板指的测算告诉我们，即使最大回撤阈值逐渐减小，收益率也并不一定是逐渐提高的。出现这种情况的原因在于，市场是波动起伏的，当最大回撤阈值设立得过小时，投资者很有可能会错过“当前小幅下降，但后续上升迅猛”的更大的牛市，从而失去获得更高收益率的机会。

既然，收益率与最大回撤阈值并不是反比关系，那么，最大回撤的设定必定有一个较为合适的范围（值）。依据以上的测算结果，我们能够知道：在中证 500 和创业板指数中，当最大回撤阈值设置在 10%左右时，投资者能够获得此方法止盈的最大收益。

此外，通过对有无最大回撤点的累计收益率进行比较，我们也可以得出另一个结论：当最大回撤点设置得较为合理时，所获得的收益远多于不设回撤点所带来的收益。这也再一次证实了止盈是定投最为重要的环节之一，因为它将决定熬过漫漫熊市、坚守多年定投的投资者最终能否等到满意的回报。

2．最大回撤止盈法的局限性

然而，天下之物并无全美，最大回撤止盈法亦有它的局限性。

首先，最佳的最大回撤点并不容易确定。倘若设定的阈值过小，则容易错失之后更大的牛市；若设定的阈值过大，投资者所要承担的风险也就更高，因为谁也不知道，现在的低点之后要面对大幅下降的预兆，还是迎接历史高点的转折。

其次，使用最大回撤止盈法，就意味着无法在最高点位卖出，即所卖出的价位一般是在最高点位之后的相对高点。

最后，如果止盈信号线设置得过高，会错过一些小牛市的收益率，例如将止盈信号线设置为 50%，会错过定投收益率为 30%～40%的机会，所以止盈信号线的设置要依据你个人对盈利收益率的预期。

但正常情况下，能够在最高点位卖出的人少之又少，毕竟这种择时需要有极好的运气。因此，在相对高点抛出，获得的高收益已经足够让投资者窃喜了，不必过于追求所谓的“最高点位”。

以上便是最大回撤止盈法的介绍及其带给我们关于“定投止盈”的启示。其实，每一种止盈方法都有它的最佳适用背景，投资者不应盲目乱用。只有把止盈方法用到实处，“对症下药”方能突破常规，摘取定投之“硕果”！

6.6 教你止盈后盈利再投

定投的魔力在于“复利”和“止盈”两大神器。两大神器的效果分别如何呢？沿着“先分后总”的逻辑，不妨先来看看这两种策略的威力。

先说第一个魔力——“止盈”。关于定投止盈，之前老罗已经详细探讨过很多次了。毕竟“什么时候卖”直接关系着钱袋子的温饱，定投“止盈不止损”也是老罗强调过无数遍的重点了。我们以中证 500 为例，已经测算过按照不同当期收益率止盈的整体收益情况，得到了“止盈策略是有效的”这一结论，如表 6.12 所示。

表 6.12　设置不同止盈收益率的结果

止盈策略	定投轮数	累计收益率
15%止盈	14	15.96%
30%止盈	7	31.91%
50%止盈	5	49.41%
60%止盈	3	55.42%
100%止盈	3	97.22%

数据来源：WIND，统计区间：2006 年 1 月 6 日—2015 年 5 月 29 日。

再看第二个魔力——“复利效应”。“复利效应”也是定投高手所孜孜提倡的，我们提到了中国台湾定投专家萧女士建议按月定投的投资者把上次定投获利再除以 36（约 3 年），便可以得到继续定投的金额。萧女士在这里提倡的，其实是用第一只基金止盈后的收益在平均后以定投的方式投入其他基金中，起到“以基养基”的效果；如果将这个思路映射到单只基金上来，就是老罗基于 A 股市场研究并一直提倡的“盈利再投”策略。无论是萧女士提倡的“以基养基”还是老罗坚持的“盈利再投”，其实都是巧妙运用定投的复利效应达到强化收益的效果，使财富的雪球越滚越大。

一组简单的数据告诉你“复利效应”的力量，如图 6.11 所示。

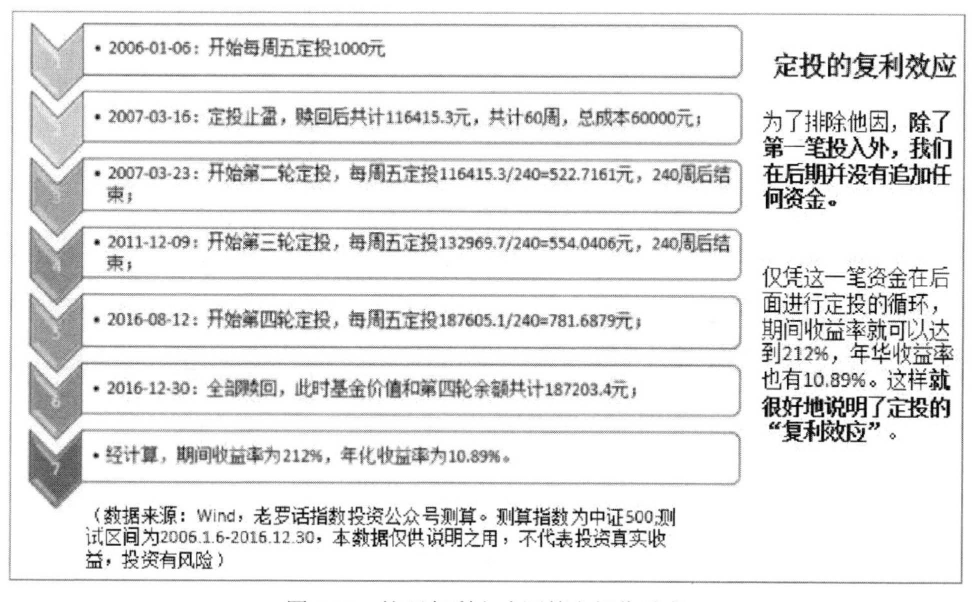

图 6.11　按照复利方式测算定投收益率

盈利再投+收益止盈，效果有多大？

至此，我们已经分别说明了止盈和复利的功力，那么“双剑合璧”的效果究竟如何呢？老罗一向主张用数据说话，还是老规矩，直接给大家呈上测算思路和结果。

Step 1：从 2006 年 1 月 6 日起，选择每周五定投 1000 元，当收益率达到 100%时进行止盈；

Step 2：止盈之后，将上一期全部收益平均分成 N 期，再加上 1000 元，作为新定投额度，继续坚持每周五定投（将上一期全部收益都投入后，新定投额度自动变回 1000 元），当期收益率达到 100%时进行止盈；

Step 3：重复第二步，直到 2015 年 3 月 27 日全部赎回，赎回后资金与前一期未投尽资金加总即为总收益。共计 471 期，成本为 471 000 元。

设置不同的当期收益率止盈触发点，分别测算不同 *N* 值下整体收益率的结果——1 年（50 周）、2 年（100 周）、3 年（150 周）；对于较高的止盈率触发点，由于达到时间较长，单独测算 5 年期（250 周）和 6 年期（300 周）结果。

计算结果如表 6.13 所示。

表 6.13　设置不同收益率及不同平分周期止盈收益率计算

平分周期	40%止盈率	50%止盈率	60%止盈率	100%止盈率
300	——	——	——	119.00%
250	——	——	——	118.00%
200	82.00%	111.00%	72.00%	120.00%
150	85.00%	115.00%	75.00%	123.00%
100	82.00%	115.00%	75.00%	126.00%
50	64.00%	64.00%	71.00%	110.00%

数据来源：老罗话指数投资公众号测算，统计区间：2006.1.6—2015.5.29。

将结果可视化，我们发现，整体收益率和平分周期（*N*）呈现出“倒 U 型”关系，如图 6.12 所示。

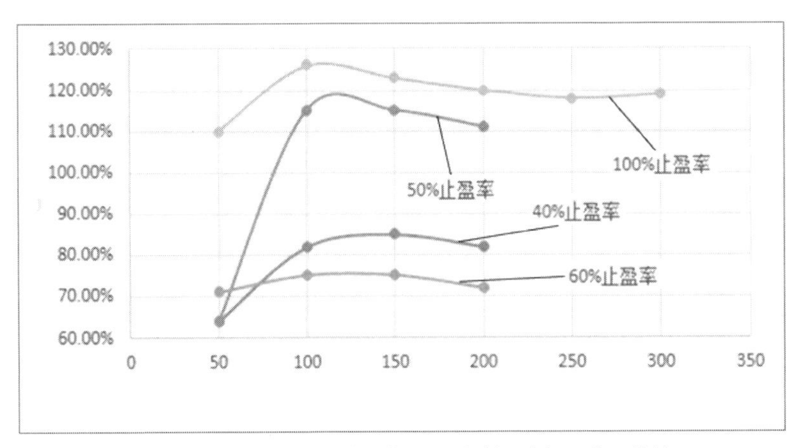

图 6.12　收益率与平分周期呈现出的“倒 U 型”曲线

分析数据和图表，可以得到以下结论。

（1）首先，从表中可以看出盈利再投+复利效应的效果非常明显，我们知道，一般按照某个当轮收益率止盈，定投结束后整体与设置的阈值相差不多，然而，如果将盈利进行再投资，则可以超出设定止盈标准 20%～30%，甚至有些可以达到 50%。

（2）其次，前文已经提到，整体收益率和平分周期（*N*）呈现出“倒 U 型”关系，那么在设定 *N* 时，选择“适中”比较理想。整体来看，可能 3 年期（分散成 150 周）投资效果对大部分止盈点比较适用。

（3）最后，在设定当期收益率的时候，既不可过于贪心，也不宜过于谨慎。以中证 500 这段时间的测算数据来看，50%止盈的整体收益率表现可谓不输于收益率 100%止盈的效果，而且具有较低的被套牢风险；当然，受制于数据测算周期选择、起始时间和标的选择，这个数据也仅供说明之用，在实际操作时不能生搬硬套。

老罗有话说：

再强调一下，如何用简单的原则指导时间的玫瑰绽放。

（1）持续定投不可半途而废：持续定投可以达成两个目的，一是时间积累，二是利用股市周期摊薄成本。特别是在熊市不要恐慌撤离，这其实是压低成本的好时机。从前面的测算来看，恒心再加上适当的策略，往往最后都有不错的收益。

（2）尽早开始：栽种一棵树最好的时间是 10 年前，其次是现在。定投同理，从时间成本角度考虑也是越早开始越好。关于定投进入时间的问题，读者们可以参考老罗话指数投资公众号之前的文章“定投不要等，早点开始才是真正的‘低买高卖’”。

（3）强化自己的组合收益：选择具有高波动和高成长性的定投标的也很重要。

（4）不贪婪，学会止盈：老罗一直主张“定投止盈不止损”，学会适时止盈也是做好定投的必备技巧。

6.7 教你如何处理止盈赎回的金额

在开始定投的时候，很多人都给自己定了一个小目标：给自己买个 iPhone X，送爸妈一台按摩椅，子女教育投资，买房买车。有了目标之后，一旦定投赎回就可以皆大欢喜了。然而，并不是所有人定投都有明确的目标，那么此时应该如何制定赎回之后的投资策略呢？

1. 以原有方式继续定投

将赎回金额作为本金，以原有方式继续定投。举个例子，从 2011 年 1 月 1 日开始每周定投 1000 元，投资中证 500 指数，2015 年 6 月高点止盈，投入本金共 231 000 元，赎回金额达到了 502 938 元。如果在止盈后低点开始继续定投，那么截至 2017 年 11 月 20 日，所投入本金仅为上一轮定投赎回金额的 20%。继续原来的定投方式的好处在于，即使以上一轮赎回金额作为本金，手中也依然掌握足够的稳定可支配现金，所以我们在面对下一轮定投时，心态会更加淡定。从图 6.13 所示的中证 500 指数走势看来，可以安心等待下一波牛市的到来。

图 6.13 中证 500 牛市高点后走势

但是缺点也显而易见，由于单次定投金额小，所以投放战线会拉得很长——将上轮定投赎回金额继续按照每周投放 1000 元的方式定投，需要近 10 年的时间才能全部投放完毕；按照中国 3～5 年一个牛市周期的规律，以这样的定投方式，即使在中间高点止盈也难以获得较大的收益。所以对于想要积累财富的人来说，缩短周期、加大每次的投入是很有必要的。

2．对原来指数加倍定投

在原始定投金额不变的基础上，将赎回金额均摊加投。继续上面的例子，2015 年 6 月高点止盈后，将 50 万元的赎回金额平均分摊，每周增投 1000 元，这样每周定投金额为 1000+1000=2000 元，可以增投近 5 年，5 年后有更大几率会出现下一波牛市，相对来说是一个比较科学的时间。即使 5 年后没有达到预期的牛市，我们在 5 年间的收入积累也可以继续用来定投，直至牛市的到来，收益也会比每周定投 1000 元的结果更加可观。再将止盈的赎回金额滚入下一轮定投，这样周而复始、积少成多，滚雪球优势会越来越明显。

3．增投另一只指数

增加另一只指数，以组合的方式继续定投。我们在之前的章节中提到过定投组合可以化解风险，同时得到稳定的收益。同样，止盈后增加另一只指数继续定投可以实现类似的效果。从 2015 年 7 月 1 日开始定投中证 500 指数+沪深 300 指数的组合，每只指数每周定投金额 1000 元，截至 2017 年 11 月 16 日止盈，本金一共 244 000 元，而赎回金额达到了 268 673 元，累计收益率约为 10%。我们来看看同样情况下只定投中证 500 指数的结果：相较之下，累计收益率仅为 1.9%，比定投组合的收益少了 2 万多元，如表 6.14 所示。高下立判，选择增设另一只指数继续定投为你多赚了两部 iPhone X 还绰绰有余！

表 6.14　增投一只指数收益率比较

指　　数	本金（元）	止盈赎回金额（元）	累计收益率
中证 500	244 000	248 564	1.9%
中证 500+沪深 300	244 000	268 673	10.1%

数据来源：老罗话指数投资公众号测算，统计区间：2015 年 7 月 1 日至 2017 年 11 月 16 日。

所以定投止盈后，为了在长期内获得更多收益，你知道该怎么做了吗？

老罗有话说：

三种方法中，老罗更倾向于第三种：增投另一只指数，因为一般中小盘指数容易在牛市取得较好收益，而在未来的弱势震荡市中，蓝筹大盘指数容易表现更加突出，另外，从分散投资角度看，增加一只指数也是不错的选择。

第7章　智能定投的方法

7.1　教你掌握智能定投的正确方法

在跟刚入门的朋友解释“定投”的时候，老罗经常会用到的一个比喻是“定投就像吃饭，一天吃三顿，一顿一碗饭，坚持这个习惯可以让你身强体健”。可是有的朋友就会反驳道，“道理我都懂，可是中午是补充能量的最关键时期，应该多吃，比如吃一碗半；晚上呢，为了防止消化不了，应该少吃，比如只吃半碗，这样的按需分配不是更健康吗？”

确实，这个比喻在定投界仍然适用——这种“定期不定额”的吃饭方式，正好对应这些年开始火爆的“智能定投”概念。在本节中，老罗将会从基础概念、常见类型等方面向大家介绍智能定投。看完你就明白，这种“定投 Plus”的方式神奇在哪儿，而我们参与智能定投的方式又是否正确。

1. 什么是智能定投

相信大家都已经掌握了定投的精髓——微笑曲线了。投资者如果在一个先跌后升的市场周期内坚持进行基金定投，在低位摊低成本，在市场回升时则可坐享收益。也正是由于这种“牛熊交替”的客观存在，定投投资者无须费力择时，只要坚持一个周期，就可以画出一条美丽的微笑曲线，如图 7.1 所示。

定投解决了“择时”这块硬骨头，可是有人心里也不免犯嘀咕：如果能够加入适当的“择时”，在低点进入、高点卖出，岂不更好？智能定投其实就可以看作是完全不择时与主动择时之间的一种权衡：通过在低位多投入，高位少投入，将波动变大。这样在同等情况下，比起普通定投，成本被摊薄得更多，一个周期下来，收益率也就更高。

不如看图说话。假设 11 个月内市场经历了类似图 7.1 所示的“微笑曲线”，比较以下两种定投方式（如图 7.2 所示）：

（1）小绿采取普通定投方式，每月定投 1000 元，11 个月定投总额共计 11 000 元；

（2）小红采取定期不定额的方式，高位少定投，低位多定投，11 个月内定投总额也是 11 000 元。

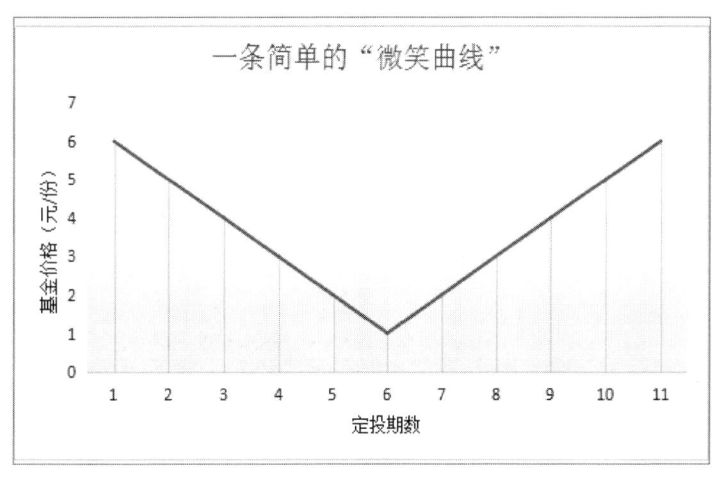

图 7.1 一条简单的微笑曲线

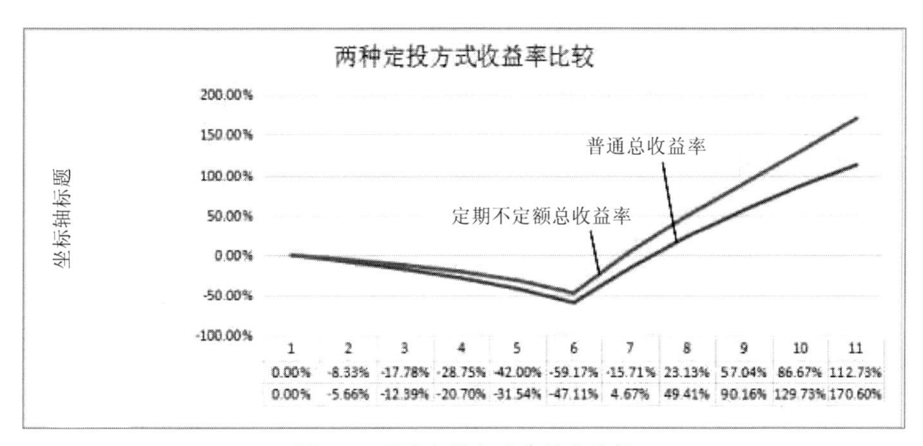

图 7.2 两种定投方式收益率比较

可以看出，定期不定额的收益曲线比普通定投总收益曲线要高，究其原因是由于在低位多定投、高位少定投，定期不定额的平均每份基金成本较低，如表 7.1 所示。

表 7.1　定期不定额与定期定额比较

定期不定额			
期数	基金价格（元/份）	金额	平均每份基金成本
1	6	318.18	6.00
2	5	618.18	5.30
3	4	918.18	4.57
4	3	1218.18	3.78
5	2	1518.18	2.92
6	1	1818.18	1.89
7	2	1518.18	1.91
8	3	1218.18	2.01
9	4	918.18	2.10
10	5	618.18	2.18
11	6	318.18	2.22
定期定额			
期数	基金价格（元/份）	金额	平均每份基金成本
1	6	1000.00	6.00
2	5	1000.00	5.45
3	4	1000.00	4.86
4	3	1000.00	4.21
5	2	1000.00	3.45
6	1	1000.00	2.45
7	2	1000.00	2.37
8	3	1000.00	2.44
9	4	1000.00	2.55
10	5	1000.00	2.68
11	6	1000.00	2.82

数据来源：老罗话指数投资公众号测算。

定额与不定额从表面上看仅是每期投资金额是否固定的差异，但这细小差异的背后却隐藏着大学问。“市场高位时少投，市场低位时多投”这一原理在老罗看来，与巴菲特擅长的“别人疯狂我恐惧，别人恐惧我疯狂”有着异曲同工之妙，因此是有坚实的理论基础的。

择时是一个永恒的难题，如果说定投就是专门解决这个难题的，那么我们可以把智能定投看作是一种加强版的解决方法——在坚持普通定投的基础上，跟随市场行情“被动择时”，涨则少买，跌则多入，从而更有效地摊薄了成本。

2. 如何实现智能定投

了解了智能定投的原理，大家可能又要被市场上各种相关产品的介绍绕晕了。其实，读懂智能定投产品，我们只需要理解几个关键问题，如图 7.3 所示。

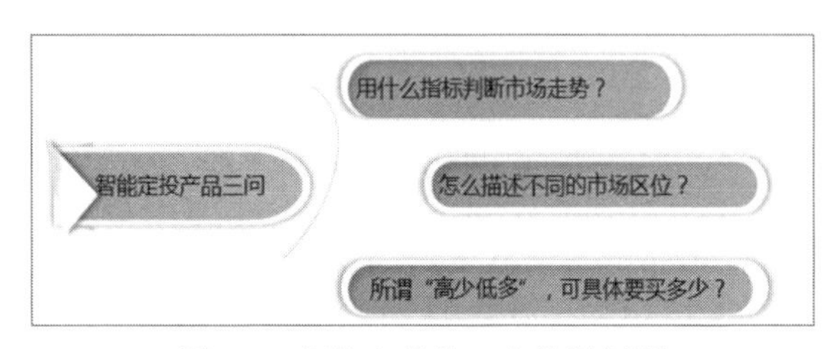

图 7.3　智能定投的三个关键问题

问题一：用什么指标判断市场走势？

（1）基于指数均线的技术分析策略。*N* 日指数均线可以理解为 *N* 日以来市场的平均持股成本，一般可以选的有 180 日、250 日、500 日等均线指标，而基准指数则既包含上证综指、沪深 300 等大盘指数，也提供中证 500 等中盘指供投资者选择。假设我们选择沪深 300 指数 180 日均线指标作为基准，每周五定投，那么周四沪深 300 指数收盘价与沪深 300 指数 180 日均线的比较之差就决定了我们将市场判断为走高还是走低，再相应地基于此判断进行后续扣款操作。

（2）基于指数市盈率的基本面策略。第二种常见方式则回归基本面，利用了市场的走势与 PE 的相关性，根据指数 PE 区位来描述板块走势，低估值则加码买进，反之亦然。

（3）基于平均投资成本的策略。最后这种方法则混合了市场走势和投资者行为，扣款时综合衡量基金净值和投资者的单位成本，若基金净值较低，则多扣款买入，否则将减少扣款金额。

不管基于何种参考指标，其运作的原理基本一致：均是基于参考指标最新值与历史值判断市场位置高低，然后在基础金额的基础上根据事先设定的级差和扣款档位，来计算每期投资金额。

这里老罗先普及几个投资者不大熟悉的名词。

基础金额：每月扣款基准金额，投资金额以此为基准根据市场位置上下波动；

扣款档位：与参考指标计算出来的市场位置息息相关，一般每个定投平台都会事先设定不同的扣款档位。

级差：每一个扣款档位变动的比例，常见的有 10%、20%、30%三档。

问题二：怎么描述不同市场区位？

在了解智能定投常见的判断市场走势的方式之后，下一个问题是将其量化。“分档”建立在市场走势指标的基础之上，比如，对应 *N* 日指数均线的，我们用偏离度描述：

$$\text{偏离度}=\left(\frac{\text{T}-1\text{日时参数指数的收盘价}}{\text{T日时该参数指数}N\text{天均线}}-1\right)\times 100\%$$

或者对应于平均成本的，则变为：

$$偏离度=\left(\frac{T-1日时基金单位净值}{当前持有基金的平均成本}-1\right)\times 100\%$$

在计算出偏离度之后，一般按照5%一档设置区间，再供投资者选择在对应区间扣款幅度。

问题三：所谓“高少低多”，可具体要买多少？

这个问题涉及的概念是“级差”，级差越大，加大和减小的金额幅度也越大，这其实反映了投资者自己的风险偏好。下面老罗以广发基金“赢定投”为例说明不定额定投的运作方式。广发基金赢定投是根据指数与历史均线的关系来确定每期投资金额的不定额定投方式。具体为：在扣款日（T日）前一交易日（T–1日）比较该指数点位与该指数历史均线点位的关系，当该指数点位低于该指数均线点位时，按对应档位和选择的级差自动增加扣款金额，反之则自动减少扣款金额。广发“赢定投”设置扣款档位有10%、20%和30%三档，如表7.2所示。

表7.2 广发赢定主要参数及扣款金额计算示例

参考指数种类		上证综指、深证成指、沪深300、中证500				
参考均线种类		180日均线、250日均线、500日均线				
级差分布		10%、20%、30%				
T日定投金额计算公式		T日定投金额=基础金额×（1+扣款档位×级差）				
基础金额		1000		级差比例		10%
指数	T–1日指数收盘价超过均线比例 *X*	赢定投T日扣款档位	T日定投扣款金额（元）	T–1日指数收盘价低于均线比例 *X*	赢定投T日扣款档位	T日定投扣款金额（元）
日均线	0% < *X* <= 15%	–1	900	0% < *X* <= 5%	1	1100
	15% < *X* <= 50%	–2	800	5% < *X* <= 10%	2	1200
	50% < *X* <= 100%	–3	700	10% < *X* <= 20%	3	1300
	X > 100%	–4	600	20% < *X* <= 30%	4	1400
				30% < *X* <= 40%	5	1500
				X > 40%	6	1600

数据来源：广发基金官网。

智能定投的扣款金额计算公式为：实际扣款金额=基础金额×（1+档位参数×级差）。假设市场上行，如果在前一步计算中对应档位参数为–2，且选择级差10%，基础金额为1000元，则当期应扣款1000×（1–2×10%）= 800元。这也就实现了我们一开始讲的“高位少定投”，从而实现了“被动择时”。

假设小明选择按月不定额定投广发沪深 300ETF 联接基金（270010），其设定：扣款基础金额为 1000 元，级差为 10%，同时选取沪深 300 指数 250 日均线为参考指标。某月 T-1 日指数收盘价超过均线点位 100%，查表 7.2 得到该比例对应扣款档位（-4），根据计算公式得出当月扣款金额为 600 元；而后市场大幅调整，指数收盘价低于均线 35%，对应扣款档位（5），该月扣款 1500 元。通过机制设置真正实现“高位少投、低位多投”的目标。

3．不定额定投参数选取研究

说到这里，投资者不禁要问：不定额定投真这么神奇吗？定投什么类型的基金产品比较好？不定额定投的参数如何选取（包括选取什么指数、多少日均线）？

下面老罗将通过广发“赢定投”计算器，用数据说话，为投资者逐一分析。

（1）不定额定投超额收益优势明显

如图 7.4 所示是 2011 年 1 月初开始至 2016 至 5 月，投资者定投（包括定额与不定额）沪深 300ETF 联接（基金代码：270010）与中证 500ETF 联接基金（基金代码：162711）相对一次性买入单只基金的超额收益情况。从这张图中至少可以得出以下信息。

① 这 5 年多时间，定投沪深 300 与中证 500 的基金相对一次性买入有超额收益，且不定额定投的超额收益情况总体优于定额定投。

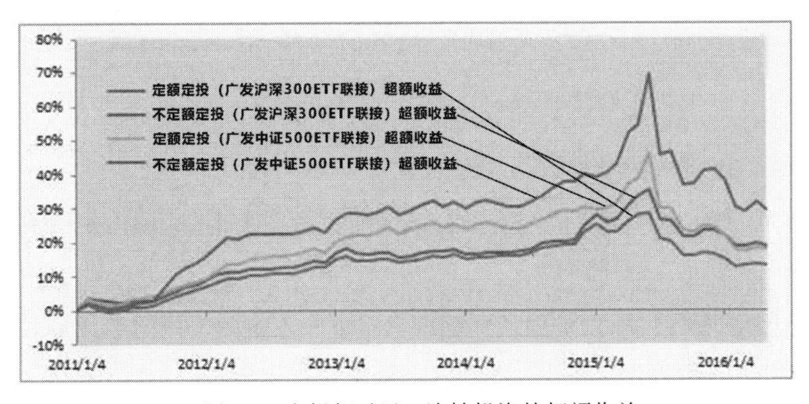

图 7.4　定投相对于一次性投资的超额收益

② 不定额定投中证 500 基金产品整体超额收益要优于沪深 300 基金，也就

是波动大的基金产品定投效果更好（关于这一点，老罗一直都在强调）。

（2）不定额定投的参考指数选取研究

如图 7.5 所示是 2011 年 1 月初开始至 2016 年 5 月，投资者选择不同的参考指数，不定额定投沪深 300ETF 联接基金（基金代码：270010）与一次性买入该基金的收益情况。从这张图中可以得出以下信息。

① 这 5 年多时间，不定额定投沪深 300ETF 联接基金的收益均优于一次性买入。选择不同的参考指数对收益有一定影响，但影响不大。

② 老罗建议，如果定投的是指数基金且标的指数属于参考指数，则直接选取标的指数为参考指数，否则建议选取上证综指或者深证成指为参考指数，毕竟 A 股技术分析用得最多的是这两条指数。

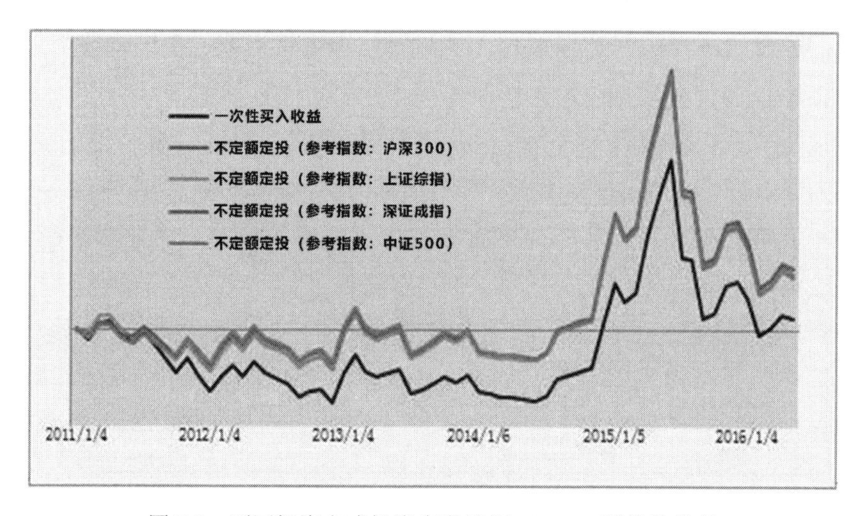

图 7.5　不同投资方式投资广发沪深 300ETF 联接的收益

（3）不定额定投参考指数均线选取研究

从表 7.3 所示不同投资周期下选择不同均线对超额收益的影响情况来看，老罗给投资者以下几点意见。

① 均线选取与目标投资周期匹配或者接近时不定额定投的效果更好。若打算定投 1 年，则选 250 日均线；若打算定投 2 年或者以上，则选择 500 日均线。

② 当然，定投最好坚持 3 年以上，周期长才能更好地体现定投的优势。因此，在没有明确投资期限时，建议选取 500 日均线。

表 7.3 不同均线对定投沪深 300ETF 联接基金超额收益影响

定投区间	定投周期	不定额相对定额定投的超额收益率		
		180 日均线	250 日均线	500 日均线
2015.6—2016.5	1 年	3.36%	4.08%	3.49%
2014.6—2016.5	2 年	0.59%	0.51%	2.12%
2013.6—2016.5	3 年	2.68%	2.77%	7.75%
2011.6—2016.5	5 年	2.23%	1.92%	5.64%

数据来源：广发基金官网。

4．智能定投，你找对“姿势”了吗

定投已经是“懒人理财”的方式了，那智能定投岂不是“躺着赚钱”？

确实，不定额定投作为定额定投的升级版，除了具备普通定额定投每月投资、复利增值，长期投资、平抑波动、抵御通胀等特点外，其在大部分情况下相对定额定投有超额收益，大家务必重视不定额定投的价值。当然，不定额定投也有一些雷区，需要投资者注意。

（1）做好资金管理，避免扣款失败。智能定投的逻辑是“定期不定额”，如果根据判断，市场处于低位，那么可能当期扣款金额将加大，此时如果账上没有足够的资金，会扣款失败，从而错过摊低成本的好时机。

（2）选择基准和级差时要结合风险偏好。在选择指数基准时，投资者要充分考虑自己的风险承受能力。一般而言，将长时间均线作为基准则波动率较小，选择短期均线则要承受较大的扣款波动。如果投资者能忍受定期扣款额度的强波动，则可以选择短时间均线、高扣款级差的“不定额”方式。

（3）耐心与恒心缺一不可。虽然我们说智能定投是“定投 Plus”，可是当市场进入长期熊市后，根据智能定投的算法，每次定投扣款额度都会上升，投资者可能会在一段时间内面临较为严重的亏空。这个时候，做智能定投的投资者还需要有“恒心 Plus”和“耐心 Plus”，坚持信念，等待牛市到来。

老罗有话说：

虽然每个平台提供的智能定投方法会有差异，但是大同小异，跌得越多，投入越多；涨得越多，投入越少。萝卜青菜各有所爱，而且每个投资者也都有特定的财务状况与投资目标，最终定投什么产品、选择哪种方式

定投，还是由投资者自行选择。而且历史不代表未来，也不能说老罗选取的指标就一定最好，老罗只是用数据说话，希望凭多年所学为广大基民的投基之路尽绵薄之力。

7.2 手把手教你设置广发赢定投

智能定投，即定期不定额定投，按照设置周期定期扣款，根据证券市场指数的走势进行不固定金额定投，实现对基金投资时点和金额的灵活控制，自动实现低位多投，高位少投，提高投资效率。

Step 1：登录广发基金网上交易。

打开广发基金官方网站（www.gffunds.com.cn）首页，点击左侧“我要登录”按钮登录，如图 7.6 所示。

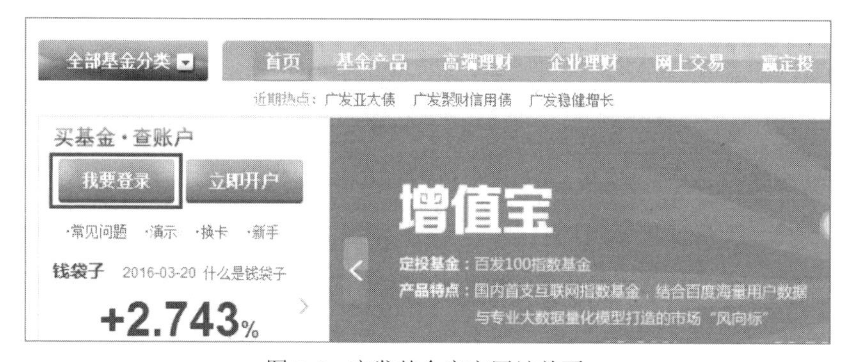

图 7.6 广发基金官方网站首页

Step 2：进入网上交易后，点击页面右上方的“赢定投”，如图 7.7 所示。

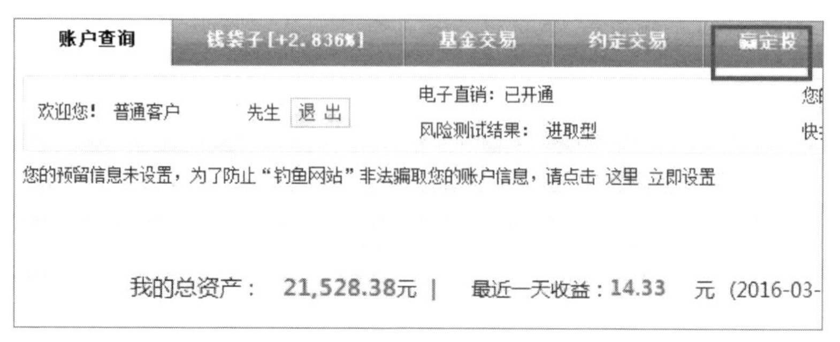

图 7.7 网上交易界面

Step 3：根据风险偏好选择定投的基金，也可自定义设置，如图 7.8 所示。这里推荐指数基金，较多投资者选择中证 500 指数基金，若选择中证 500 指数基金，最好选择定投指数基金相关度最高的指数作为其参考指数。

选择定投产品　　　　赢定投的金额是如何计算出来的?

	定投类型	基金	收费方式	指数	均线	级差
○	进取型	002939:广发创新升级混合	前收费	沪深300	250日均线	30%
○	成长型	270041:广发消费品精选	前收费	沪深300	250日均线	20%
○	平衡型	270002:广发稳健增长混合	前收费	沪深300	250日均线	10%
◉	自定义	162711广发中证500ETF联	前收费	中证500指数(399905)	250日均线	20%

如何选择最优收益率

图 7.8　广发“赢定投”设置界面

Step 4：设置扣款方式、扣款周期、扣款金额，确认后点击“提交”按钮，完成定投签约，如图 7.9 所示。在设置过程中，最好选择钱袋子扣款，这样费率折扣最大。定投周期选择周定投，定投金额根据每个人收入而定，量力而行。

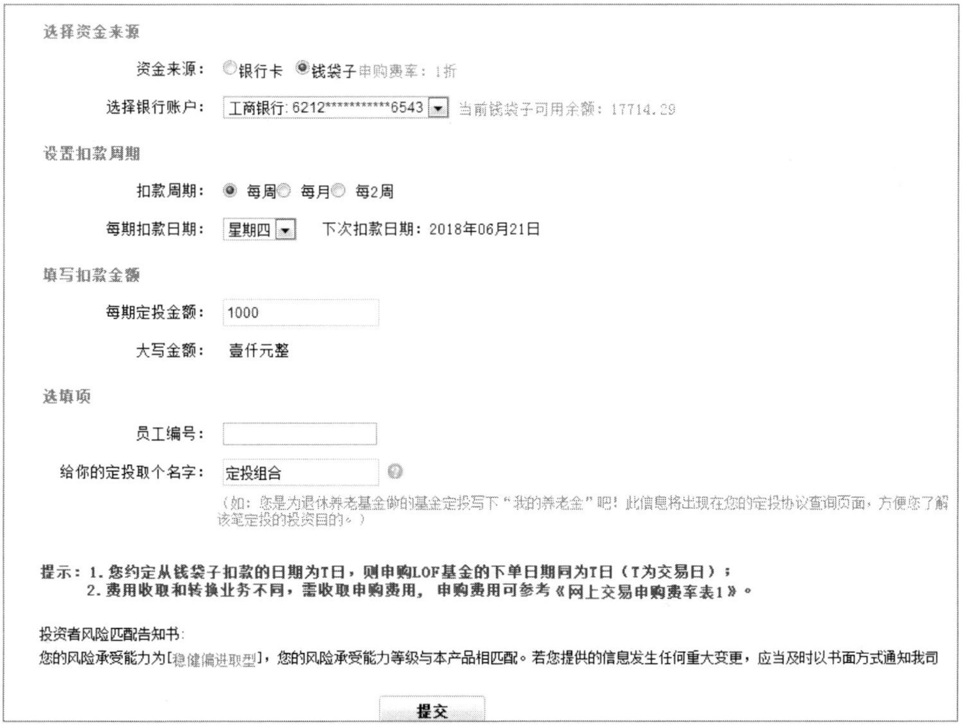

选择资金来源

资金来源：○银行卡 ◉钱袋子 申购费率：1折

选择银行账户：工商银行: 6212***********6543　当前钱袋子可用余额：17714.29

设置扣款周期

扣款周期：◉ 每周○ 每月○ 每2周

每期扣款日期：星期四　下次扣款日期：2018年06月21日

填写扣款金额

每期定投金额：1000

大写金额：壹仟元整

选填项

员工编号：

给你的定投取个名字：定投组合

（如：您是为退休养老基金做的基金定投写下“我的养老金”吧！此信息将出现在您的定投协议查询页面，方便您了解该笔定投的投资目的。）

提示：1. 您约定从钱袋子扣款的日期为T日，则申购LOF基金的下单日期同为T日（T为交易日）；
2. 费用收取和转换业务不同，需收取申购费用，申购费用可参考《网上交易申购费率表1》。

投资者风险匹配告知书：

您的风险承受能力为[稳健偏进取型]，您的风险承受能力等级与本产品相匹配。若您提供的信息发生任何重大变更，应当及时以书面方式通知我司

提交

图 7.9　广发“赢定投”其他参数设置

7.3 智能定投之价值平均策略

之前给大家介绍的都是简单易懂的“定期定额”普通定投策略，如果一直采用这种投资策略，在市场下跌时坚持定投，低价买入份额，可摊低单位成本，短期的确有这样的效果，但长期就暴露出一个问题，就是定投的“钝化”现象。为了优化定投效果，价值平均策略诞生了，同样发挥智能定投的作用。

1. 什么是“钝化”

在定投的初期，积累的本金不多，每期投入所占的比重较大，当基金净值出现下跌时，每次投入摊低单位成本的效果较好。

随着定投期数和投入成本的增加，每期投入所占的比重越来越小，定投对降低成本的作用不断下降，出现边际效用递减的现象，平均成本变得平滑、平稳，即出现钝化现象。比如每周定投 1000 元，1 年之后，共定投了 52 期，总投入 5.2 万元，往后每增加 1000 元投入的比重小于 1/52，所占的比重也就越来越小，进而降低成本的作用减弱了。

另外，定期定额的定投方式，不考虑市场点位和估值，会造成“低位买入不够，高位买入过多”的窘境。那么怎样才能有效地削弱“钝化”效应？除了市面上的基金公司提供的智能定投服务之外，还有一种更为简单的“低估多投，高估少投，灵活调整”的方法，叫作“价值平均策略”。

2. 什么是价值平均策略

价值平均策略，关注的不是每月固定投入多少金额，而是每个周期基金市值固定增加多少，比如定投目标不再是固定金额投入 1000 元/周，而是基金市值固定增加 1000 元/周，下一周期投入金额的多少取决于过去一个周期里基金的表现。

让我们以一个简单的例子和数据进行形象的说明。

第一周买入 1000 元指数基金；

第二～第四周行情不佳，当前基金市值相应一直下跌，为确保达到目标市值，买入的金额和份额逐渐增加；

第五周市场开始回暖，当周基金市值为 6400 元，超过目标市值，即可赎回 1400 元的基金，之前厚积的份额在市场反弹时瞬间扩大了基金市值，减少投入。

第六周和第七周市场继续上涨，定投金额减少或者赎回止盈，如表 7.4 所示。

表 7.4 价值平均策略定投资金详情表

周	基金净值（元）	目标市值（元）	当周市值（元）	买入金额（元）	买入份额	累计份额
1	1	1000	1000	1000	1000	1000
2	0.9	2000	900	1100	1222	2222
3	0.7	3000	1556	1444	2063	4286
4	0.5	4000	2143	1857	3714	8000
5	0.8	5000	6400	–1400	–1750	6250
6	1.1	6000	6875	–875	–795	5455
7	1.4	7000	7636	–636	–455	5000

注：(1)当月市值=上月累计份额×当周基金净值；（2）买入金额=目标市值–当月市值，负值代表赎回。

了解价值平均法的简单运作后，再来看看它与定期定额法的比较：净值在下跌过程中，市值定投法的投入金额是超过定额定投法的，在净值反弹过程中，市值定投法甚至会赎回份额，导致在上涨到第 5 周时，市值定投法的累计基金份额就开始小于定额定投法的累计基金份额。在第 7 周基金净值为 1.4 元的时候，市值定投法的累计金额为 7000 元，累计份额为 5000 份，而定投定额法的累计金额为 11 778 元，累计份额为 8413 份，如表 7.5 所示。

表 7.5 市值定投法与定额定投法资金详情比较

			市值定投法		定额定投法	
周	基金净值（元）	目标市值（元）	买入份额	累计份额	买入份额	累计份额
1	1	1000	1000	1000	1000	1000
2	0.9	2000	1222	2222	1111	2111
3	0.7	3000	2063	4285	1428	3539
4	0.5	4000	3715	8000	2000	5539
5	0.8	5000	–1750	6250	1250	6789
6	1.1	6000	–795	5455	909	7698
7	1.4	7000	–455	5000	715	8413

数据来源：老罗话指数投资公众号测算，负值代表基金赎回。

3. 价值平均策略的优劣势

价值平均策略最大的好处在于弱化定投的“钝化”效应，在低估时买入更多，在高估时少买甚至卖出，能够有效地降低平均成本。除了削弱“钝化”效应之外，价值平均法定投还能带来较为可观的收益。下面以沪深 300 指数周定投为例进行测算并对比收益，如表 7.6 及图 7.10 所示。

表 7.6　市值定投法与定额定投法累计收益率比较

	牛市	熊市	震荡市
	2014.1.1—2015.6.30	2015.7.1—2016.1.31	2007.4.1—2018.4.1
定期定额	63.78%	−17.40%	31.45%
价值平均	96.23%	−15.09%	65.76%

数据来源：WIND。

牛市 2014.1.1—2015.6.30

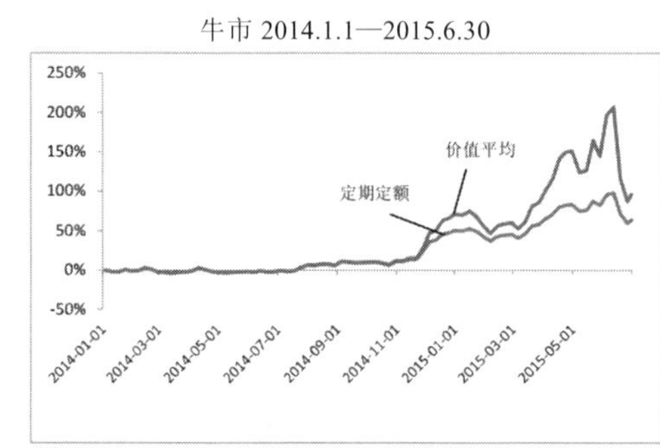

熊市 2015.7.1—2016.1.31

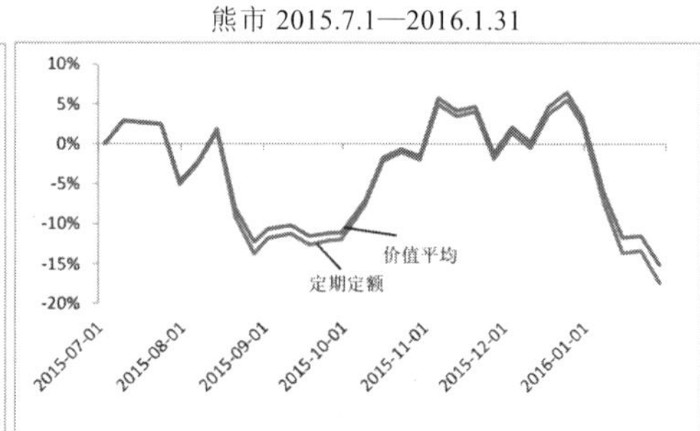

震荡市 2007.4.1—2018.4.1

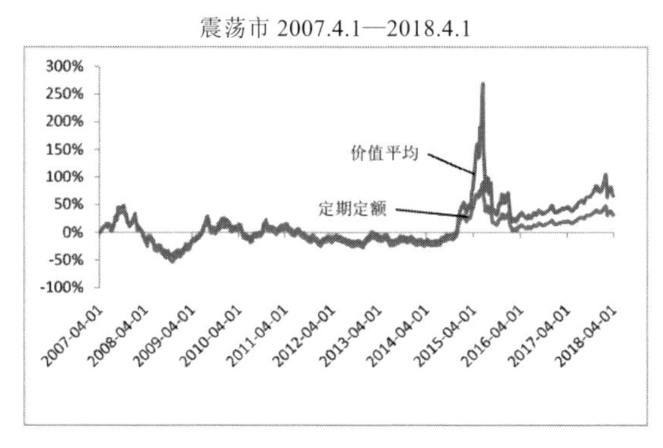

图 7.10　市值定投法与定额定投法累计收益率比较

由表 7.6 和图 7.10 可知，无论市场处于牛市、熊市还是震荡市场中，价值平均策略都能有效降低平均成本，并获得较为可观的投资收益，其中在市场不景气时也降低亏损幅度，具有较好的避险功能。

当然每个策略都有自身的缺点，定投投资者需要注意以下方面：

（1）虽说每月按照固定基金市值定投，但若作为一个长期投资策略，基金市值定投额不可一成不变，需动态调整。

（2）市场持续上涨时，期间会不断赎回资金，需要解决闲置资金的再投资问题。

（3）如果市场大跌，必然增加定投的金额（超过普通定投的金额），短期需要应对个人资金紧张的困境。

（4）市值定投法也可能会由于过早地赎回基金份额，错失在大牛市中获取更多投资收益的机会。

小贴士

1. 定期增加基准的定投金额

按照收入的增加速度和上市公司的盈利增速，在可接受范围内，可以每月提高1%或者每年提高10%～15%的基准定投金额，以保证可以买入足够数量的基金。

2. 赎回的资金充当“备付金”，以备下跌时加仓所需

赎回、闲置的资金可以买入流动性好的货币基金，可有效应对下跌时需要增加定投金额的资金需求。

3. 在市场高位时应及时出手止盈

市场高位往往面临较大的风险，以防市场出现逆转导致资产大幅缩水，可以结合市盈率或均线偏离度进行止盈。

与“定期定额”的普通定投相比，价值平均策略定投实现了高抛低吸，解决定投的“钝化”弊端；在整个定投过程中，投资者要算出每期需要定投的金额，适合有时间精力和有一定投资经验的投资者。该策略易操作，下期投资额的计算较为简单，且保持正收益的时间较多，投资小白们的进阶之路可以尝试学习和运用该方法。

7.4 智能定投的主要方法比较

我们都知道，定投贵在坚持，固定时间、固定金额地投入，从而能够在基金净值下跌时多买份额，上涨时少买份额。而"智能定投"能够通过投入资金的增减进一步增强、放大定投的优势，充分利用能够帮助投资者"收益加成"！普通定投与智能定投的对比如表 7.7 所示。

表 7.7　普通定投 VS 智能定投

普通定投	无视市场涨跌，定期定额	低位买得多，高位买得少
智能定投	设置一定标准，调整金额	低位买得更多，高位买得更少

熟悉定投的朋友会发现，大多数基金公司都提供"定期不定额"的选项，投资者可以根据自己的偏好来设置每期金额。如今市面上常用的主要有三种智能定投方法。

1. 均线策略法

均线策略定投法是目前最常用的智能定投法，广发、易方达、富国等基金公司都是采用这种方法来增强定投的，如图 7.11 所示。

图 7.11　广发基金"赢定投"收益计算器

首先，需要根据定投的基金选择一条用来参照的指数，并且通过对比指数的收盘价与指数均线的关系，判断市场是处于高位还是低位。

均线（MA）是移动平均线的简称，是用来观察证券价格变动趋势的一种技术指标。指数均线用来反映该指数收盘价的市场趋势，其计算方法如下。

（1）将一定时期内的指数收盘价加以平均，得到一个均值。例如，计算沪深 300 指数 4 月 1 日之前 180 天的价格平均值。

（2）把不同日期计算的价格平均值进行平滑连接，就形成一根沪深 300 的 180 日均线。

如图 7.12 所示，一共有 5 条不同计算周期的均线，MA5 即为 5 日均线，MA120 则为 120 日均线。可见，中短期均线比较灵敏，能快速反应指数走势；而长期均线则能更加宏观地反映出指数的相对高位区与低位区。

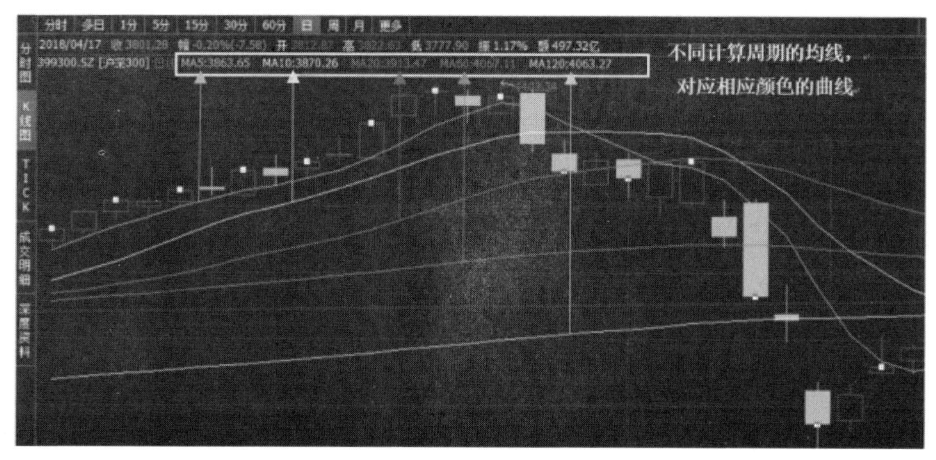

图 7.12　沪深 300 指数 K 线图

接下来就可以开始设置你的智能定投。

第一步：选择参考指数

定投指数基金，应该首选该基金的业绩比较基准中，相关性较高的指数。比如定投沪深 300 指数基金（基金代码：270010），那么就选沪深 300 指数，如果定投中证医疗，可以考虑选择偏小盘的指数代替（如中小 300）。

定投非指数基金，则应该根据基金的投资风格选择。比如，定投基金的风格是高成长的中小企业，那就选择中证 500 指数，如果是质优的蓝筹股，那么就选择上证 50 指数。

第二步：选择均线

不同时长的均线有不同的反映功能，如表 7.8 所示。投资者应尽量选择与自己投资期限一致的指数均线。

表 7.8　智能定投指数均线参考建议

定投期限	参考均线
1 年以下短期投资者	180 日均线，以获得较多投资机会
3～5 年的中期投资者	250 日均线，以增加投资稳健性
5 年以上的长期投资者	500 日均线，以获得较高的长期投资收益

第三步：设置级差

级差，是指在定投之前已经设置好的，每期金额调整的幅度。级差越大，标杆效应越明显。30%级差比 10%的级差更能体现定期不定额定投的效果。比如，你可以像表 7.9 这样设置 20%的级差。

表 7.9　级差设置

扣款前一天指数收盘价对比于均线的幅度	扣款额变动
50%～100%	减少 60%
15%～50%	减少 40%
0%～15%	减少 20%
0%	保持基准扣款额不变
–5%～0%	增加 20%
–5%～–10%	增加 40%
–10%～–20%	增加 60%

在完成一系列设置后，就可以像普通定投一样定期投资了，那么让我们以不同的指数为主要对象进行实际的测算，来看看均线策略法的效果到底如何。

首先选择熊市进行收益测算，选取 2015 年 7 月至 2016 年 12 月这一年半时间，并且以 180 日均线为参考，如图 7.13 及表 7.10 所示。

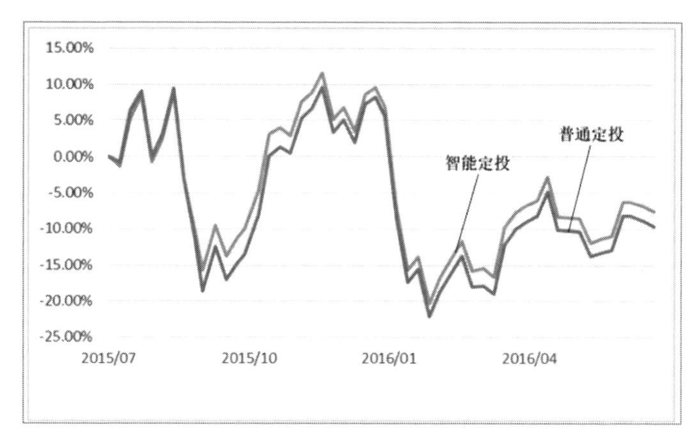

图 7.13　中证 500 智能定投与普通定投累计收益率

表 7.10　不同指数的智能定投累计收益率对比

标　　的	普通定投收益率	智能定投收益率
中证 500	–3.44%	–1.97%
沪深 300	–1.33%	–0.66%
创业板指	–12.24%	–10.57%

数据来源：WIND，统计区间：2015.07.01—2016.12.31。

整体来讲，智能定投中证 500 的收益率要稍高于普通定投，尤其是在指数收盘价上升的阶段，这种“增强”效果更加明显。并且，智能定投中小盘指的效果要更加明显。

当然，定投投资者都希望苦苦坚持多年，能够等来一场大牛市赚个够，那我们来看看牛市效果如何，如图 7.14 所示。

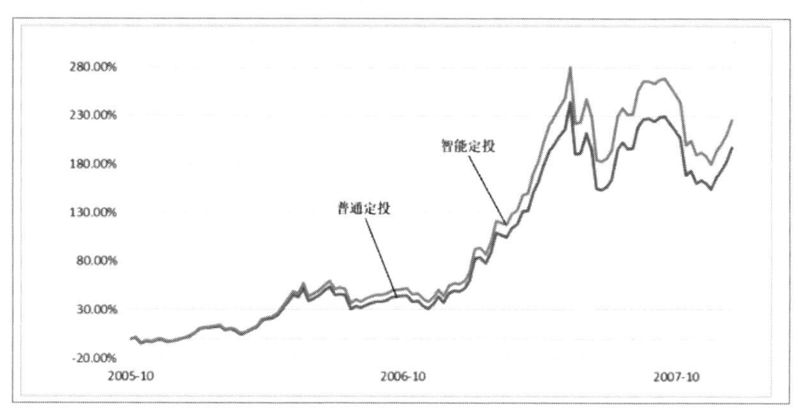

图 7.14　中证 500 智能定投与普通定投累计收益率

从 2005 年到 2008 年包含了一波大牛市，经测算发现，在牛市高点，智能定投中证 500 的优势明显，比普通定投高了将近 30%，如图 7.15 所示。

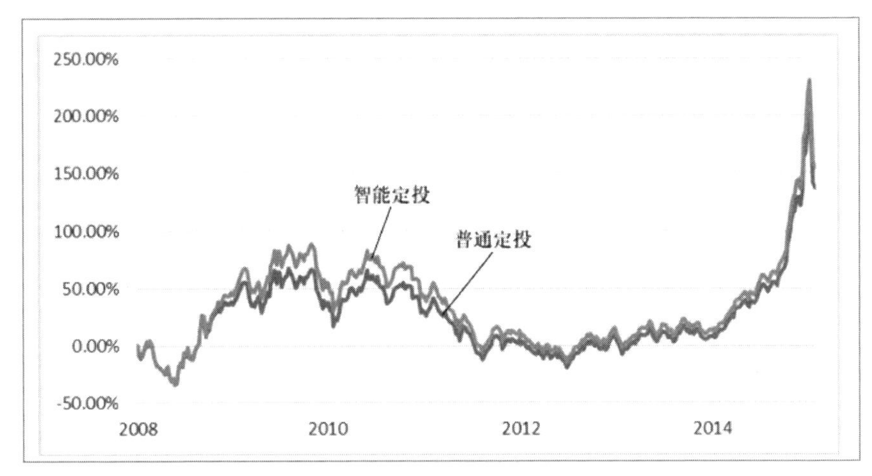

图 7.15　中证 500 智能定投与普通定投累计收益率

同样，2015 年也是一个超级大牛市，如果你从 2008 年开始定投中证 500，其间 2010 年股市有一次小幅上升，可以看到智能定投的收益率明显“凸起”，如图 7.16 所示；随后，2015 年迎来牛市，这时智能定投在下跌中积攒的份额发挥了作用，最高达到了 231.25%，比普通定投高 22%，如图 7.17 所示。

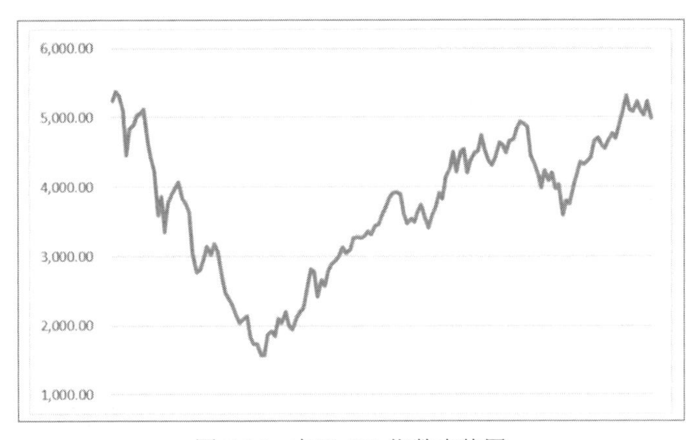

图 7.16　中证 500 指数走势图

特别把图 7.17 中的前半段定投收益放大，可以发现，2008 年至 2011 年的指数呈现“正 V 型”走势，也就是定投中的“微笑曲线”，果然，均线策略更胜一筹。

图 7.17　中证 500 智能定投与普通定投累计收益率

因此，总的来说，均线策略在不同的市场情况中都有不错的“增强效果”，而且不同的均线选择、级差设置带来的收益效果也不一而同。普遍的规律是，“微笑曲线”+适合的“定投增强”策略=丰厚的回报！

2．指数估值法

指数估值法与均线策略类似，不同的是，它依照的是指数的市盈率 PE 来界定当前的市场的高低位置。基金公司的研究中心会根据历史数据进行测算，得到市盈率 PE 区间，用来判断当前的市盈率 PE 值是处于“被低估”“中性”还是“被高估”的区间。

市盈率（PE），指股票价格（P）和每股收益（E）的比率，证券市场的走势与市盈率的高低密切相关，因此，市盈率是衡量市场被高估或被低估的良好的基本面指标。

一般来说，投资者在定投初始就设定好了“高估”“中性”和“低估”时想要定投的金额，然后系统就会自动地按照“高估值时少投，低估值时多投”的原则，定期不定额地买卖你的基金标的。

当前采用这种方式的主要有景顺长城的“精明 i 定投”和南方基金的“e 智能定投”，如图 7.18 所示。景顺长城提供了海通综指、中证 100、中证 500 和沪深 300 四个指数，来反映整体市场和大小盘股的估值状况。而南方基金则提供沪深 300、中证 500、中证 800 和深证成指四个指数，投资者可以根据所选基金的风格来选择。

图 7.18　南方基金 e 智能定投

3. 移动平均成本法

这种方法紧盯投资者手上的“成本”，根据下面公式的比率完成“逢高少买，逢低多买”的定期不定额投资。

$$\text{比率}=\frac{\text{T−1 日基金净值−基金单位持有平均成本}}{\text{基金单位持有平均成本}}$$

投资者设置固定扣款周期、初始扣款金额后，当基金净值高于平均持有成本一定比例时，则减少一定量的当期扣款额，甚至赎回基金；当基金净值低于平均持有成本时，则增加当期扣款额。

当前使用该方法的公司只有汇添富基金，投资者可以自由地设置扣款档位，如图 7.19 所示。移动平均成本法的优势在于，其以投资者真实的投资状况为跟踪目标（不以指数为目标），以实际的基金净值为标准，免去选指数、选均线、选级差的麻烦。

看到这里，你大概了解智能定投了吗？

市面上的智能定投的方法主要有三种，盯紧指数的均线策略和指数估值法，还有用成本去比较的移动平均成本法。不同的方法在不同风格的基金和不同时期的市场的效果也千差万别，正确选择才是关键！

需要大家牢记的是，无论选择哪一种方法，都是在不同程度上强化定投“越跌越买”的特点，更重要的是，你要坚信你选择投资的市场未来是看涨的，并且不断坚持，只有等到微笑曲线完成上扬，及时止盈，这一系列的“增强”才会有意义！

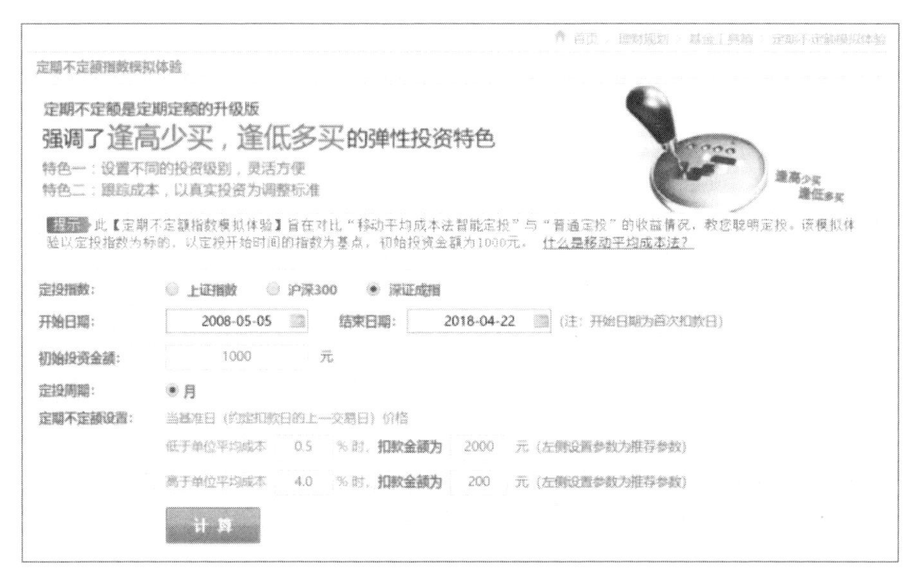

图 7.19　汇添富定期不定额指数模拟体验

第 8 章　如何进行组合定投

8.1　打好组合定投这套组合拳

定投指数我们已经十分熟悉：定投指数包含的成份股基数大，能够很好地规避“个股”涨跌的风险，并且无须择时，无惧市场下跌，只要坚持定投下去，总能够完成一条微笑曲线。同时，定投指数也能降低道德风险，避免因为基金经理过于激进或者消极的错误操作而造成不必要的损失。

如此一来，似乎只要选定一只指数就可以完全放心地定投。但是，需要注意的是，尽管指数包含了一定基数的成份股，它仍然面临着市场行情下跌带来的风险。

我们先从分散化原理讲起。被广泛应用的 CAPM 模型也认为：对一个充分分散化的资产组合，唯一剩余的风险就是市场系统风险。

简单点来解释系统性风险就是市场中总是存在着上涨和下跌的风险的，即使你能把所有的股票都买了也不能消除这个风险。这么说好像有点消极，但是尽管我们不能消除系统性风险，但可以降低非系统性风险！

购买指数就相当于进行简单的降低非系统性风险行为。相比于仅仅买一只股票，买进相关系数低的其他股票就能够降低非系统性风险。也就是说，如果你想要降低风险，那就打组合拳：购买多个相关系数低的股票。指数包含的成份股数量更多，它的分散程度将会更好，因此能降低更多的非系统性风险。

但要注意的是，指数也并不能包含所有的相关系数低的股票，不同的指数包含着不同风格类型的股票，指数之间的相关系数也会有高有低，因此就催生了“定投组合拳”这一打法。提到定投组合拳，不得不说马科维茨这名诺贝尔经济学奖的得主，他提出的现代投资组合理论（MPT）也是在说明同样的道理。

MPT 主要的论点简单概括就是：鸡蛋不要放在同一个篮子里！

分散风险的方法是指把所有相关系数都较低的股票组合在一起，即使中证 500 中已经包含了 500 只个股了，但由于没有包括其余风格的如代表 A 股大盘风格的沪深 300 的股票，因此它们的组合将会更好地降低非系统性风险。一般来说中国股市的指数表现是如果整个市场涨，则都涨，如果跌，则都跌，但是涨跌的幅度在不同风格的市场会不一样，有的时候是大盘风格，有的时候是小盘风格。因此，代表大小盘指数的混搭就符合分散化的原则，可以使组合表现更加稳定。

因此，我们在定投的时候可以再多分几个大篮子装鸡蛋——定投指数组合，而不是单只指数，比如说选择沪深 300、中证 500 和创业板这样一个指数组合进行定投。

首先，我们来看看三个指数之间的相关系数。通过测算 2010 年 5 月 31 日至 2018 年 1 月 26 日的数据，我们可以得到三个指数之间的相关系数如表 8.1 所示，相关系数一般为 0～1 之间，相关系数越高，代表两个走势越接近；如果相关系数为 1，则表示两个走势完全一样；如果相关系数为 0，则表示两个指数走势完全不相关。

表 8.1　主要宽基指数的相关系数

	沪深 300	中证 500	创业板指
沪深 300	1		
中证 500	0.85	1	
创业板	0.67	0.88	1

数据来源：老罗话指数投资公众号测算，截至 2010 年 5 月 31 日至 2018 年 1 月 26 日。

从表 8.1 可以看出，三个指数之间的关联程度并不高，其中沪深 300 和创业板指数之间的关联系数仅为 0.67。在通过计算 2010 年至 2017 年，这三个指数每年的走势变动，我们得到表 8.2。

表 8.2　主要宽基指数年度收益率

	沪深 300	中证 500	创业板指
2010	−12.51%	10.07%	——
2011	−25.01%	−33.83%	−35.88%
2012	7.55%	0.28%	−2.14%

续表

	沪深 300	中证 500	创业板指
2013	−7.65%	16.89%	82.73%
2014	51.66%	39.01%	12.83%
2015	5.58%	43.12%	84.41%
2016	−11.28%	−17.78%	−27.71%
2017	21.78%	−0.20%	−10.67%

数据来源：WIND，截至 2010 年 1 月 1 日至 2017 年 12 月 31 日。

由表 8.2 可知，2012—2015 年以及 2017 年这 5 年的时间内，三个指数的走势存在较大差异。假设在这 5 年中，我们进行最简单的组合策略，构建一个等额定投组合。我们在每周都分别向三个指数定投，坚持一年，测算三个指数和它们组合的收益率，如表 8.3 所示。需要注意的是，实际上，当我们选择了定投的时候就已经决定了我们的实际收益率会比表格计算出来的更高。原因很简单：货币拥有时间价值，最简单的一个例子就是你下期以及以后定投的资金可以在本期存进银行，每期定投再取出，那也能获取一笔收益。

表 8.3　各年份组合定投收益率

	沪深 300	中证 500	创业板指	组合
2012	4.01%	−3.00%	1.25%	0.75%
2013	−4.10%	6.03%	25.53%	9.15%
2014	50.47%	24.77%	3.43%	26.23%
2015	−2.80%	5.53%	13.72%	5.48%
2017	10.49%	−0.69%	−4.79%	1.67%

数据来源：老罗话指数投资公众号测算。

从表 8.3 可以看出，组合的定投收益率在不同的年份，均会优于表现最差的指数，甚至有时候会优于两个指数，这是因为组合能够分散非系统性风险，使我们每一年的收益更为平稳，避免了在大小市场风格差异时，只定投一类风格的指数而承担过大的风险，导致收益较差的情况。

平滑收益是定投组合拳的最大优点。而我们在构建定投组合的时候，需要从市场整体的结构来考虑指数成份股的构成。

定投组合是刚与柔的组合，正如中国功夫体系一般，刚柔并济。我们不妨将指数基金组合定投看作一套组合拳，刚硬的拳法制柔，阴柔的拳法制刚，刚柔并济的组合定投，将帮助我们实现更满意的投资收益。

老罗有话说：

中国 A 股市场经常发生结构性牛市，即要么大盘蓝筹股票大涨，而中小成长股票跌；要么中小成长股票大涨，而大盘蓝筹股票跌。当发生这种情况，而你却定投了那只下跌的指数的时候，是不是会很郁闷？如果大盘和中小盘都均衡配置进行定投，好处是结构性牛市到来时你的投资组合里面也能分享其投资收益，你的投资心态会更好，也有益于你将定投一直坚持下去。

8.2 宽基指数组合定投分析

“不要把鸡蛋放在同一个篮子里！”是分散投资的金科玉律，但是“每个篮子里面放几个鸡蛋？”，这又是一个难题。喜欢做饭的朋友都知道，饭菜好吃与否全看油盐酱醋的完美配比，投资理财也是如此，资产配置中蕴含着大学问！

根据上一节的分析可知，组合定投把资金分散到不同的指数基金上，能够平滑结构性市场造成的亏损，在不同风格的年份始终保持一个稳定的正收益率。那么，组合对于指数的偏重程度也必定会对最终的收益率产生影响，我们仍然以沪深 300、中证 500 及创业板指数为基础，并且选择其收益率表现差异较大的年份，按照不同比例（沪深 300∶中证 500∶创业板）配置定投金额进行测算，如表 8.4 所示。

表 8.4 2012—2018 年单独定投与组合定投累计收益率对比

年份	单独定投收益率			组合定投收益率				
	沪深 300	中证 500	创业板	1:1:1	3:3:4	4:3:3	2:3:5	5:3:2
2012	4.01%	−3.00%	1.25%	0.75%	0.80%	1.08%	0.53%	1.36%
2013	−4.10%	6.03%	25.53%	9.15%	10.79%	7.83%	13.75%	4.87%
2014	50.47%	24.77%	3.43%	26.22%	23.94%	28.65%	19.24%	33.35%
2015	−2.80%	5.53%	13.72%	5.48%	6.31%	4.66%	7.96%	3.00%
2016	−11.28%	−17.78%	−27.71%	−18.92%	−19.80%	−18.16%	−21.45%	−16.52%
2017	10.49%	−0.69%	−4.79%	1.67%	1.02%	2.55%	−0.50%	4.08%
2018	−4.53%	0.81%	8.53%	1.60%	2.30%	0.99%	3.60%	−0.32%

数据来源：WIND，统计区间：2012.1.1—2018.3.30。

分析以上数据，我们可以总结如下。

1. 不同资产配置比例的定投组合均能有效地分散风险

单独定投宽基指数，几乎每年都会存在个别指数亏损的情况，受市场结构性影响较大。而按照不同比例构造的定投组合，除2016全盘下跌的情况外，几乎都能“扭亏为盈”，甚至得到不错的收益；特别是在2017年，中小盘股呈现弱市，定投创业板与中证500均有亏损，但定投组合凭借沪深300的强势表现，有效避免了因选错指数而带来的亏损，这便是资产组合能够明显分散非系统性风险的最佳例证：结构性市场潜在的投资风险可以通过简单的资产配置大幅降低，使你的收益趋于稳健。

2. 根据市场结构选择定投组合的构成

“如何配置这三只不同类型的宽基指数？”我相信这是很多人最关心的问题。通过表8.4的测算数据可以看到，2:3:5和5:3:2的定投结果中均有两年为负收益，并且对比同期的另外三个定投组合，具有比较明显的劣势，所以老罗并不推荐大家采取这种资金配置比例。相反，1:1:1、3:3:4及4:3:3这三个组合的收益则更加平稳，虽然在行情好的年份拿不到最高的收益率，但也避免了市场低谷时的严重损失，看来比较均衡地分配资金能够走得更稳，这也是投资者们在市场巨幅震荡时信心的主要来源。

以年为周期的定投忽略了高点止盈的问题，定投体验不好，在真实情况中，我们进行定投一般都会持续2～3年，等到牛市到来之后才需要止盈，拿到最佳的收益。因此，如果按照实际情况，我们从2012年1月开始定投，并且假设在2015年6月12日牛市高点位置成功止盈并马上开始下一轮的定投，由此测算得出的定投组合还有可能获得更高的累计收益率！以每周定投500元为例，采用1:1:1、3:3:4和4:3:3这个定投组合进行两轮定投的具体情况如表8.5所示。

表8.5 2012年至2018年实际定投资金详情

定投区间	定投期数	定投成本（元）	组合总市值（元）		
			1:1:1	3:3:4	4:3:3
2012.1.1-2015.6.13	177周	88 500	256 880	263 869	249 827
2015.6.13-2018.3.30	143周	71 500	71 349	70 886	72 121
总计	320周	160 000	328 229	334 755	321 948

数据来源：WIND，统计区间：2012.1.1—2018.3.30。

如表 8.6 所示，三个定投组合的累计收益率分别为 101.22%，105.14%以及 109.22%，稍微偏重于创业板的 3:3:4 组合在过去的 7 年间具有最好的收益表现。的确，2015 年的牛市创业板的表现亮眼，市场风格也更加侧重于小盘股，所以以上结果也是比较合理的。如果小盘的投资风格能够延续，采用 3:3:4 的定投比例仍然能够在未来的行情中获得稳健、客观的收益。

表 8.6　指数收益率与定投组合累计收益率

定投组合	累计收益率
4:3:3	101.22%
1:1:1	105.14%
3:3:4	109.22%

数据来源：WIND，统计区间：2012.1.1—2018.3.30

综合以上分析，在实际的定投中，按照均衡的比例配置资产是比较稳健、便捷的方法，收益也居于中间位置。另外，如果你能比较肯定地判断未来的投资风格，并且具有一定的风险承受能力，那么可以适当增加成份占比。

选择基金定投的投资者大部分都是“稳中求高”的性格，宽基指数虽然“包罗万象”，相较于行业类指数对市场的敏感性较低，但在很大程度上仍然受到投资风格的影响。同样是定投宽基指数，极有可能出现“别人都赚钱、只有你赔钱”的悲惨境地，而作为一枚不愿意花太多时间的定投小白，尽可能地分散资金永远是最简单也最有效的分散风险对策。因此，大小盘宽基的混搭组合无疑是给你的收益上保险的好选择，而且经数据测算表明，3:3:4 的定投组合是当下较为合适的选择！

同时，老罗建议大家不要频繁地调整定投比例，一是市面上暂且没有直接提供组合定投服务的平台，投资者需要自己去修改定投金额；二是频繁操作已经违背了定投“省时省力”的初衷，还有可能得不偿失，最终收益也没有明显的变化。

8.3　行业指数组合定投分析

不同宽基指数的行业权重各有千秋，保守的策略是选几个宽基指数进行组合投资，充分分散风险，上一节已用数据帮大家验证了。当然，对于有经验的投资者而言，可以尝试投资行业指数基金构造定投组合，它对比宽基指数基金拥有更多的获利空间，对比主题指数型基金又少了很多风险。而且具体行业的舆情分析比较直接，容易判断该行业的动态走势，在估值时若某些行业处于被低估水平，投资这些被低估行业也可能获利。并且，行业指数基金产品差异性更显著、市场波动更大，组合定投也能达到风险分散化的效果。

在选择投资风口方面，老罗秉持“三高”原则：高成长、高景气、高波动，老罗认为这样的行业适合作为大家的定投标的。对此，老罗挑选出传媒、家电、医药、信息技术、银行以及证券行业指数的相关信息，为大家选择行业组合定投的标的提供参考。

1. 高波动

在定投中，投资者最期待的就是收益可以画出一条完美的“微笑曲线”，即投资者可以在投资标的的市场行情下跌时，坚持“便宜”买入，积累份额；同时可以在投资标的的市场行情上涨时，依靠积累的高份额赚取高收益，及时止盈。因此，波动大的市场行情会给投资者提供更多这样的“上涨”与“下跌”机会，从而使定投收益有很大概率能够画出一条“微笑曲线”。

所以，根据“高波动”的原则，老罗将传媒、家电、医药、信息技术、银行以及证券行业指数的波动率与沪深 300、中证全指指数以及创业板指数等宽基指数进行比较，如表 8.7 所示。

结果显示所选行业指数的波动率均高于沪深 300 与中证全指指数；同时除医药行业外，其余行业指数的波动率均高于一向以“高波动”著称的创业板指数，可见所选行业基本都表现出“高波动”。

表 8.7 各行业指数年化波动率

指 数	代 码	年化波动率
申万传媒	399810.SZ	36.88%
家用电器	930697.CSI	31.68%
全指医药	000991.SH	29.58%
全指信息	000993.SH	34.68%
中证银行	399986.SZ	33.22%
证券公司	399975.SZ	44.84%
沪深 300	000300.SH	28.95%
中证全指	399985.SZ	28.89%
创业板指	399006.SZ	30.26%

数据来源：WIND，统计区间：2007.10.19—2015.06.12。

2. 高景气

投资者在选择定投标的的时候，需要关注各标的的历史收益情况，选择高景气的行业指数去定投，这样你的“坚持”才有意义，不然的话，坚持定投很久，发现所投资行业的市场行情一直不转好，才明白在最初选择时就没有选好高景气行业，没有选到具有出色收益的行业，这时才明白为时已晚。

此前在第 3 章的“定投时间一般需多长”一节中，老罗已经分析了我国股市历史上的几个牛熊周期区间。根据各个行业指数的上市日期的限制，老罗挑选了距离现在最近的两个牛熊周期：2007 年 10 月 19 日—2009 年 8 月 4 日与 2009 年 8 月 5 日—2015 年 6 月 12 日，计算各个行业指数在这两个区间内的定投收益表现，以周定投为例，最终结果如表 8.8 所示。

表 8.8　各行业两个牛熊周期周定投累计收益率

累计收益率	代码	第 1 个牛熊周期（约 2 年时间）	第 2 个牛熊周期（约 6 年时间）
申万传媒	399810.SZ	9.93%	306.54%
家用电器	930697.CSI	38.36%	171.47%
全指医药	000991.SH	28.98%	165.30%
全指信息	000993.SH	33.27%	297.21%
中证银行	399986.SZ	35.89%	76.48%
证券公司	399975.SZ	40.30%	151.88%

数据来源：WIND，统计区间：2007.10.19—2015.06.12。

从表 8.8 中的数据可以看到，所选行业的周定投累计收益率均为正，且其数值大小都表现出较出色的结果。进一步计算出每个行业指数分别在两个牛熊周期内的年化收益率，可以发现其年化收益率中最低的是 5.54%，平均可达到 20%左右，最高可超出 50%。整体而言，所选行业指数的历史定投收益基本表现优异。

如图 8.1 所示为各个行业指数在两个牛熊周期内周定投累计收益率的走势，可以看到基本每个行业指数都画出了一条近乎完美的“微笑曲线”，定投各个行业指数都可以在牛熊周期内随着市场下跌而积累份额，随着市场上涨而获取收益。

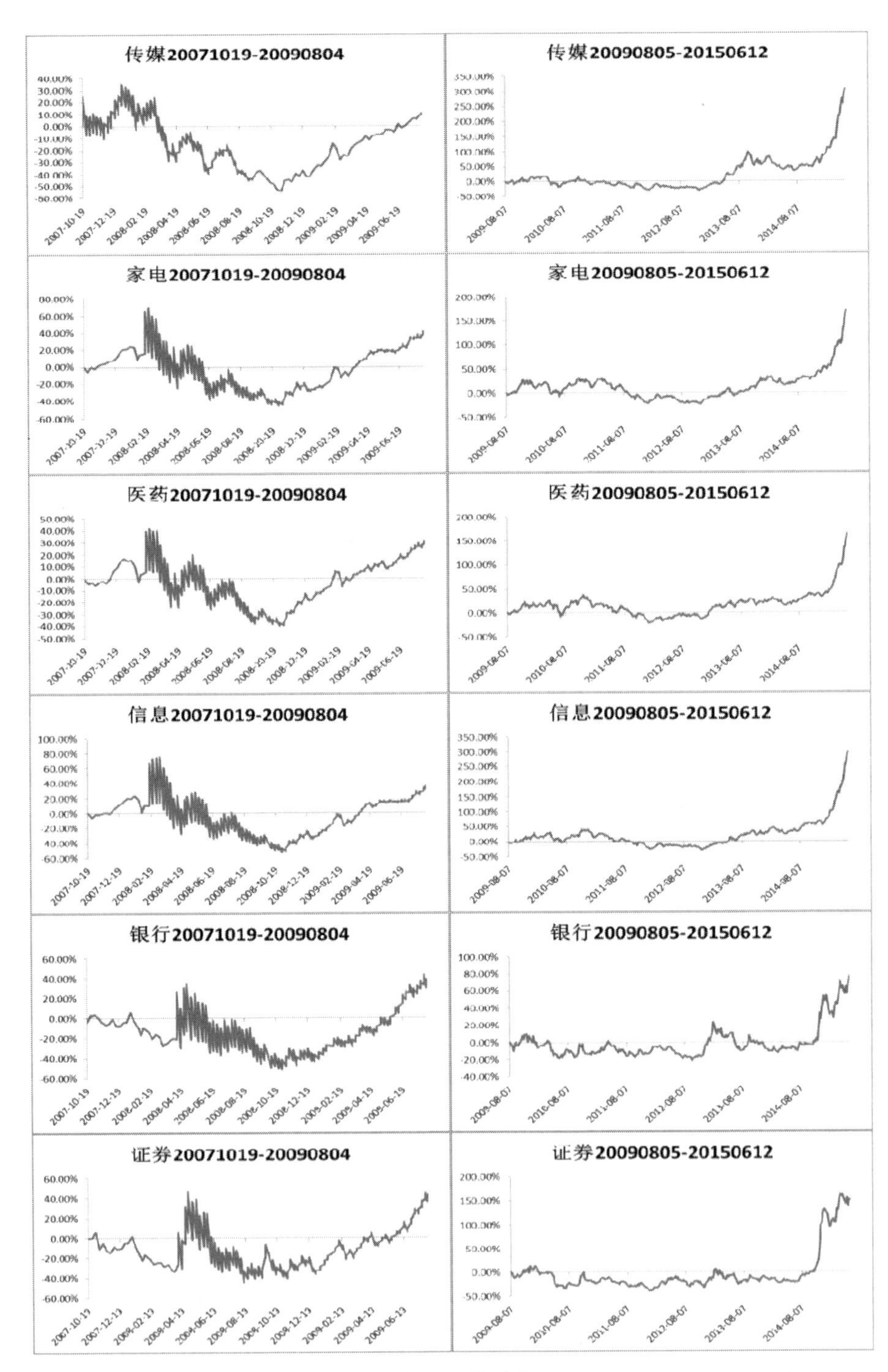

图 8.1　各行业两个牛熊周期定投累计收益率（2007.10.19—2015.06.12）

3. 高成长

对于成长性比较高的指数，我们可以选择在其低谷时投入，并且期待其未来拥有出色的市场表现，让我们可以获取高收益。老罗用行业指数的市盈率估值考察一个指数的成长性大小，如在图 8.2 中，我们可以清楚地看到传媒、医药及信息技术行业指数的当前估值点远低于历史最高估值点，说明目前三个行业指数存在被低估的问题，其未来的市场前景可期，具有一定的成长性。

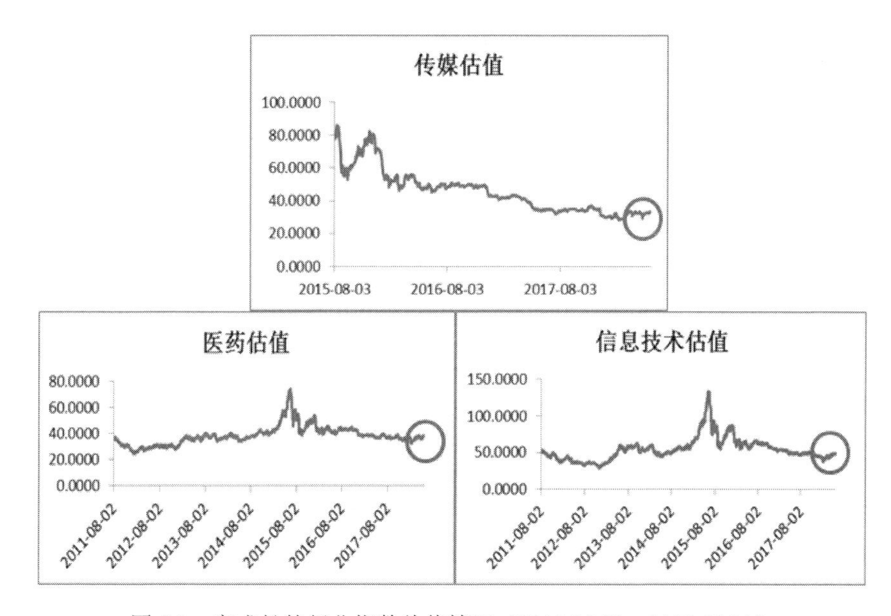

图 8.2　高成长的行业指数估值情况（2011.08.02—2018.05.21）

而另外三个行业：家电、证券及银行并没有表现出很高的成长性，是偏向价值风格的行业，但是为使我们的行业定投组合可以更具结构性，应将价值型的几个行业指数一起加入定投组合当中。

综上所述，老罗认为各位投资者“不能将鸡蛋放在同一个篮子里”，可以组合定投不同的行业，有效分散风险；同时老罗建议大家谨记“三高原则”，选择高成长、高景气、高波动的行业指数作为定投标的。

在以上分析中，传媒、家电、医药、信息技术、银行以及证券行业指数均具有高波动、高景气的特征，传媒、医药、信息技术行业指数也均为高成长的指数，同时加入其余价值型行业指数后，就组成了我们的结构性行业定投组合。

投资特定板块的行业指数基金，最重要的是看准行业的未来发展，根据行情预测其波动性和成长性。行业指数基金的挑选一定要建立在对某行业强烈看好的基础之上，走势取决于其未来的发展程度和政策。相比宽基，行业指数基金的投资需要考虑不同行业自身的特点和当前所处的发展阶段，难度会稍大一点，投资风险也更高，投资者需根据自身风险偏好谨慎选择。

8.4 “成长+价值”组合定投分析

“全球资产配置之父”加里·布林森曾说：“有一点很重要，应当把你的投资组合看作不同类型资产的混合。以往的经验告诉我们，这种混合的程度越高，所能取得的投资回报就越好。”

同样，“组合投资”的理念也适用于基金，本节就以成长型和价值型基金的组合为例来介绍基金组合投资。

1. 组合投资的重要性

有人说，好股要重仓。包括巴菲特个人，其持有的前五只股票占了总仓位的 80%。但是，重仓某个标的的前提是，你充分了解这家公司，并完全相信这家公司足够优秀。否则就不要孤注一掷！

人的认知是有限的，总有一些“黑天鹅”事件无法预料。尤其是普通投资者，眼光、时间、精力、资源都远远赶不上专业人员与机构，所以，大部分普通投资者应该知道：“鸡蛋不能放在同一个篮子里”。

就像巴菲特的建议：如果想在投资领域立于不败之地，不在于你有多么高人一等的智商、多么独到的商业眼光，真正关键的因素是在做出决定时，你是否有健全的心态和有效避免负面情绪的能力。

在这一点上，投资组合能在投资中起到至关重要的作用，是一个聪明的投资者应具备的选择。投资者通过使用投资组合，适度分散投资标的，一方面可以提高赢面，另一方面可以降低风险！

2. 基金组合投资的建立

所谓“基金组合投资”，是通过把握大类资产配置的机会，筛选出优秀的基金进行投资，并根据市场波动情况及时调整和优化组合。简单理解就是同时投资于多只基金。

我们都知道“不要把鸡蛋放在同一个篮子里”这种说法，所以我们选择了投资基金，因为基金本身就是一揽子的股票和债券，避免了单一股票或债券的投资风险。

但同时，单只基金仍然会有它的局限性，比如，股票型基金即使是面对市场大跌的情况，也必须持有 80%以上的股票仓位。如果你只是投资单只股票基金，那么这只基金的下跌仍然会造成较大的损失。这个时候，建立一个基金投资组合往往能够更好地分散风险。

3.“价值+成长”的基金组合投资

关于通过行业指数基金构建定投组合，老罗最为推荐的是“价值+成长”的基金组合投资模式。成长型基金的投资目标在于追求资本的长期成长，因此基金将资产主要投资于资信好、长期有盈余或有发展前景的公司的普通股票。

价值型基金的投资风格是买入目前价格比内在价值较低的股票，预期股票价格会重返应有的合理水平。

价值型和成长型，哪一种风格更好呢？

诺贝尔奖得主默顿·米勒、威廉·夏普表示：这个问题没有肯定答案，一份常被引用的研究报告《对抗性投资，外推与风险》中表明，价值型与成长型基金的表现不同，有时价值型优于成长型，但另一时期成长型可能又优于价值型。

所以，结合前面提到的“基金组合投资”理念，投资者可以结合两种投资风格，各取双方部分特点，通过投资组合来提高回报、降低风险。

举个例子。

家电行业是目前较为成熟稳定的行业，含有众多蓝筹股的中证全指家电指数属于价值类型；相反，传媒行业起步较晚，却有较高成长性，中证传媒指数属于成长类型。

选择两只指数构成投资组合，得出 2011 年 1 月至 2014 年 1 月、2015 年 6 月至 2017 年 12 月两个区间内单只指数与组合的收益情况比较，如表 8.11、图

8.3 及表 8.12、图 8.4 所示。

（1）中证传媒指数的市场表现较好，中证全指家电指数的市场表现较差（2011.1—2014.1）。

表 8.11　2011.1—2014.1 收益率情况比较

指　　数	代　　码	一次性投资收益率	定投收益率
中证传媒	399971.SZ	53.05%	63.68%
中证全指家电	930697.CSI	–0.06%	27.62%
组合		26.50%	46.65%

数据来源：WIND，统计区间：2011.01—2014.01。

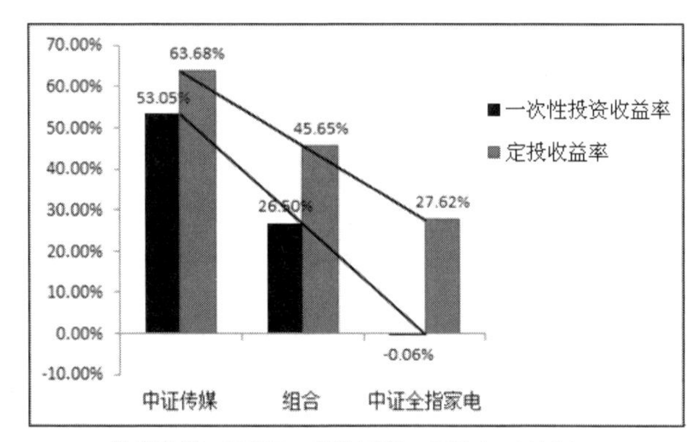

数据来源：WIND，统计区间：2011.1—2014.1。

图 8.3　2011.1—2014.1 收益率情况比较

由以上数据可发现，2011 年 1 月至 2014 年 1 月区间内，中证传媒的市场表现较好，中证全指家电的市场表现较差，所以普通投资者可以组合定投两个指数基金，使最终的投资收益率大于较差表现的指数的收益率，获得平稳正收益；而无须冒着风险，费时费力预测买入哪只指数的基金会获得较好收益。

（2）中证传媒的市场行情下跌，中证全指家电的市场行情上涨（2015.6—2017.12）。

表 8.12　2015.6—2017.12 收益率情况比较

指　　数	代　　码	一次性投资收益率	定投收益率
中证传媒	399971.SZ	–42.48%	–21.81%
中证全指家电	930697.CSI	6.44%	37.51%
组　　合		–18.02%	7.85%

数据来源：WIND，统计区间：2015.06—2017.12。

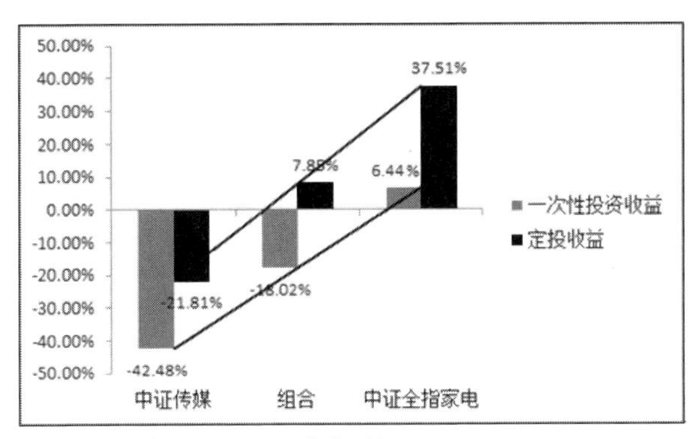

数据来源：WIND，统计区间：2015.6—2017.12。

图 8.4　定投收益情况比较

由以上数据可以发现，2015 年 6 月至 2017 年 12 月区间内，两只指数的市场表现与上一个区间的表现相反，中证传媒的市场行情下跌，中证全指家电的市场行情上涨。组合投资两个指数，可以避免投资单只指数导致的–42.48%的巨大亏损情况！

而且与组合一次性投资的–18.02%的亏损相比，组合定投能够获得平稳的正收益 7.85%，是非专业的普通投资者的明智选择！

因为“成长型”和“价值型”是两种不同的投资风格，投资者可以将两者进行组合，在“较低相关性”的前提下，规避部分风险，增大获取稳定收益的概率！

我国证券市场投资者经过几年市场涨涨跌跌的洗礼，理性投资的观念已经逐渐深入人心了。多数投资者不但能够接受长期投资，而且希望通过长期投资获得稳定和满意的收益。而成长+价值组合型投资基金正是这种投资工具，符合投资者的需求。

第 9 章　定投投资者的真实故事

9.1　引子：两年前那个坚持定投的客户，后来怎么样了

在 2018 年的市场震荡中，定投是一个被人说过无数遍的词。所以今天，我们不谈数据、不谈方法，只谈情怀。

以下是一位基金持有人斯卡布罗的真实故事，在这段定投的亲身经历中，"犹豫""挣扎"是被反复提及的情绪……

斯卡布罗：以下是我的真实故事。

我是从 2015 年年底开始定投的，当时市场上针对定投的宣传非常多，刚好手里每个月的闲钱不知道往哪里放，12 月份的时候就尝试着拿一小部分钱做了一份中证医疗指数基金（基金代码：502056）的定投。每期定投的钱不多，但没想到，后面我的情绪却被这规模不大的定投牵得起起伏伏。

从 2016 年元旦开始，股市先是熔断再熔断，然后是熔断被熔断，再然后就是没有熔断限制的各种跌停。和身边人聊起股市，朋友中绝大多数人都情绪低落，很多人跟我说自己亏得连裤衩都快要没有了，这种郁闷哀伤感非常强烈。

因为当时的市场行情不太好，定投的基金也在亏钱，我每月定投看看账户都是亏损。不巧当时我爱人生意做得很好，看着我的定投一天天亏钱，总是开玩笑地说我"败家"。虽然我们感情非常好，她说这些话也是开玩笑，但是当时我的心理压力真的非常大。

刚开始的时候，我还会经常去看一下账户资产盈亏，后来干脆就不看了。尤其是在 2017 年，整个市场都比较好，但医药股就是起不来，身边的朋友一个个炒股炒得风生水起，而我却依然没有脱离亏损。很多次我都在犹豫，到底要

不要停止定投？

还好这个时候，身边有个朋友给了我很大的鼓励。那个朋友是老基民，从2009 年开始，靠着长期持有一只基金赚了很多钱。他当时跟我说："投资是一场马拉松，笑到最后的才是笑得最好的，你还不允许一开始状态不好吗？你每个月定投的钱又不多，并不影响生活，还不如放在里面，坚持下去看看。"

朋友的鼓励，对我渡过一开始的亏损时期非常重要。就这样，钱每个月还在扣，亏损在持续，偶尔还会有犹豫，但是最终坚持了下来，如图 9.1 所示是每月扣款情况。

中国移动 0.9K/s 44% 15:29

定投详情

2016-05-24	成功	760.00	1.0545
2016-05-10	成功	880.00	1.0434
2016-04-26	成功	760.00	1.1031
2016-04-12	成功	760.00	1.1895
2016-03-29	成功	760.00	1.1242
2016-03-15	成功	880.00	0.9971
2016-03-01	成功	880.00	1.0142
2016-02-16	成功	880.00	1.1002
2016-02-02	成功	880.00	1.0281
2016-01-19	成功	880.00	0.7350
2016-01-05	成功	640.00	0.8251
2015-12-22	成功	280.00	0.9374
2015-12-08	成功	280.00	0.9063

中国移动 26B/s 49% 15:17

定投详情

2018-01-08	成功	280.00	0.9887
2017-12-08	成功	520.00	0.9845
2017-11-08	成功	280.00	1.0276
2017-10-09	成功	280.00	1.0507
2017-09-08	成功	280.00	0.9894
2017-08-08	成功	520.00	0.9471
2017-07-10	成功	520.00	0.9846
2017-06-08	成功	640.00	0.9771
2017-05-08	成功	520.00	0.9891
2017-04-10	成功	280.00	1.0457
2017-03-08	成功	280.00	1.0746
2017-02-14	成功	280.00	1.0538
2017-02-03	成功	280.00	1.0441
2017-01-17	成功	520.00	1.0093

图 9.1 定投扣款情况

到了 2018 年，市场开始起伏，身边做投资的朋友一个个摇头叹气，但医药股终于开始爆发，我定投持有的中证医疗指数基金不断减少亏损，并终于开始盈利。

从 2015 年 12 月到 2018 年 4 月，我已经坚持了 46 期定投，累计投入了23 800 元，盈利 3000 元左右，虽然收益率不是很高，但我很庆幸自己坚持了，如图 9.2 所示。

图 9.2　定投耐力及收益率情况

原因很简单，我做理财投资，不敢称自己比别人聪明，也不认为自己可以抓到“一”字涨停 *N* 次的牛股。在复杂的股市中，绝大多数中小投资者都缺乏专业的投资理论和经验。

既然猜不到明天大盘会怎么走，猜不到一个月后大盘会怎么走，更猜不到一年后大盘是什么光景，那就不要试图跟自己过不去，干脆就放弃“抓牛股”，调整这颗躁动不安的心，将专业的事情交给专业的人去做吧，多给他们一些时间，用最“傻瓜”又最稳妥的办法为手头的那点钱做点“正确的事情”。

以后我依然会坚持买入股票基金持续不断地定投。我无力去抄底，就干脆让定投陪着我遇到大盘的底部；我无力去一次性买入，就拿每月工资的一部分慢慢投资，积少成多。

基金定投，我已经坚持了 889 天！你呢？

把这个真实的故事送给所有定投小伙伴。

老罗有话说：

A 股牛短熊长。满怀希望开通定投，每个月按时扣款，结果却可能是定投账户长时间处于浮亏的状态。然而，只要真正理解定投“微笑曲线”

的含义，只要战胜人性的弱点，克服“厌恶损失”、接受“延迟奖赏”，只要做到“心中有定投，眼里无净值”，就能在长时间的亏损中坚持定投。等到牛市的“风”来，定投的收益率也会像被施了魔法一般快速上行。

就像生长在中国最东边的“毛竹”一样，在头 4 年或许只能生长不到 3 厘米，但从第 5 年开始就会像被施了魔法一样，以每天 30 厘米的速度生长，瞬间变成郁郁葱葱的竹林。

像斯卡布罗一样坚持长期定投，不惧过程中的风雨，等到“暴风式生长的那天”到来，你会收获最美丽的“时间的玫瑰”。

9.2　读者来稿一：我用定投为女儿准备好了教育基金

我是一位 47 岁的广西妈妈，女儿在不远的广州上学，今年马上就要大学毕业了，同时我还有一个身份，经营着小本生意，自己当老板。这些年来，生意越做越大，收入还算过得去。七八年前孩子还小，生意也是正忙的时候，所以我没什么时间系统地学习和对比各种理财产品，基本上都是存银行定期或者买一些比较稳健的基金。因为赚的钱都拿去扩大生意或者赚取一些短期周转的高利率了，相当于大部分的钱都放到有风险的资产上去了，收益很没有保障，所以家里的积蓄我更倾向于投资一些无风险或者低风险的资产。

2013 年前后，通过做生意的朋友接触了基金定投，大致了解过它的理念和操作技巧后，觉得非常适合我们这种工作时间又长又不固定的生意人，而且还能帮助我强制性地储蓄一些钱，当时正好手上有点多余的闲钱，就跟着朋友一起投了，当时选的是一只大盘基金。可惜的是，中途生意出现了点状况，急需用钱，其他地方的资金链又环环相扣动不得，不得已我只能拿出定投了快 1 年的 20 万元钱去补缺口，定投自然就断了，还停在了负收益的位置。朋友一直坚持到了 2015 年的大牛市，虽然她止盈早，但还是有非常不错的收益的。

前几年，女儿考上了大学，并且我们有在她毕业后送她出国深造的打算，我意识到以后家庭开销和教育支出可能会很大，趁着生意逐渐稳定，该开始准备这笔教育资金了，赶早不赶晚。自从上次惊险地渡过生意上的难关后，我就把定投这事儿搁下了，一来是家里也没什么现金资产了，二来我也疲于经营奔波，根本顾不上想理财的事儿了。2015 年牛市过后股市也惨惨淡淡，我没有精力也没有胆量，依然从银行挑了收益率还不错的理财保险先把钱定存起来，图个保本。但巧的是，这次我决心要理财后，在选“基”的时候看到了老罗的指数基金，偶然发现了老罗的公众号正在推定投的相关内容，突然想起自己当年搁浅的首次定投，既然朋友的收益都很可观，我不妨再投一次！离女儿本科毕业还有 3 年多的时间，正好适合一轮定投。正值 2015 年年底，老罗在推中证医疗，我便毫不犹豫地开始了！空闲时间不多，我制订的定投计划比较简单，我的目标就是女儿留学头年的学费及生活费，我先根据每年生意结余的闲钱，按照 3 年的时间，分配好每周定投 4000 元，便紧锣密鼓地开始定投中证医疗。

这次不同于以往，我全程坚持下来，最终走出了一条“微笑曲线”，先跌后涨的过程我就不赘述了。我对这次定投感到非常满意，一方面，基金定投督促我按照计划存钱，让我有条不紊地就给女儿准备好了一笔留学备用金，另一方面，定投给了我非常惊喜的回报，在医疗板块猛涨的那段日子，真的是每天都在感叹：“真是选对‘基’，跟对人！”

最近，我密切关注中证医疗，已经准备要止盈、开始下一轮了，我也一直有看老罗的很多干货文章学习定投知识，看到留言板很多一开始一起定投中证医疗的朋友中途都主动放弃了，真的为他们感到可惜，他们很像当年被迫中断定投的自己。这期间，偶尔也会觉得医疗这个行业短期内不会有很高突破了，估计最终得亏损五六万元了，便觉得灰心丧气。不过好在我始终都留了充足的资金在无风险资产上，就算最终定投失败，损失一些生意上的利润也还是能支撑孩子留学的，所以定投也就一周一周地坚持下来了。

算到今天，我定投的总收益率是 19.09%，平均下来每年有 8 点多收益率，在如今这个理财环境下能拿到这样的收益我已经非常满意了，非常感谢老罗公众号的文章和干货，让我在低谷期也能始终相信定投的理念，并且及时止盈。我一期不落地定投下来总共约 48 万元，净赚 9.2 万元，最后女儿的留学准备金账户一共积攒了 566 868 元，第一年的留学资金算是搞定啦！

这两次经历可能让我对定投的理解比别人更深刻，我也越发觉得指数基金定投是最适合我这种工作、经济状况的理财方式，我还会继续下去的，并且紧跟着老罗的脚步走，多学习，多成长！

老罗有话说：

机会和收益总是属于坚持的定投投资者，过程中的浮亏是非常正常的现象，甚至出现 20%的负收益也是有可能的，只要谨记“越跌越买，越跌越值”，相信自己，终会成功的。不过当然，像这位读者一样完全用闲钱投资，不影响正常的生活质量，才是保持正确的心态的前提！

9.3　读者来稿二：从学生到职场小白，讲讲我的定投之路

我今年 24 岁，是一个刚刚步入社会的职场新手，但是金融系毕业的我在投资方面却已经不是一个毫无经验的小白。在我读大学前和刚刚上大学的时候，我的绝大多数时间都放在了学业上面，几乎没有关注投资和个人理财方面的内容，这与我从小受到的要好好学习的教育，以及父母对我的影响有关系。

我的父母都是非一线城市的国企普通员工，每个月领着固定的收入，攒到一定金额后就全数存入银行，这对他们来说称不上是一种“理财方式”，只是单纯地认为家里不能存放过多的现金，所以转变成银行存款对他们而言比较稳妥和简单。因此，在家庭的影响下，我直到进入大学、学习了金融系的课程后，才开始慢慢地了解投资的相关内容。

当我了解了“投资收益与风险相对应”“鸡蛋不能放在同一个篮子里”之后，我也开始慢慢明白父母将闲钱全数存入银行，并不是一种为家庭增加财富的好方式。这时因为偶尔打工和获取奖学金等原因，我有了一定的闲钱可以用于理财，所以我想要用这些钱对银行存款外的理财方式“试试水”。

1. 制订投资计划

我关注了很多投资方法推荐的公众号，就包括“老罗话指数投资”，自己也搜索了许多相关内容，发现很多有经验的人士都在为普通投资者或是投资小白推荐“指数基金定投”。

一方面，我看到如果买了指数基金就可以直接买入一篮子股票，即使是小白也不用自己凭感觉分析市场去挑选股票；另一方面，我看到基金定投操作简

单，很多销售平台都可以直接设定好，每期自动买入。所以，我想从这种方式开始自己的理财试水之旅。

我选择了定投沪深 300 的指数基金，如表 9.1 所示的那样，从 2015 年 11 月开始在基金中介销售平台设定好定投该基金，因为学生时期的闲钱并不多，所以我设定成每周扣款 120 元，从此开始了基金定投之路。

表 9.1　定投沪深 300 基金情况

投资标的	代　　码	投资方式	开始日期	每期投入金额
沪深 300	000300	定投	2015.11.1	120 元/周

2．投资心路历程

最开始投资时，每天都要看上好几遍基金的即时行情，预测当天的净值可以达到什么水平，第二天一开市就赶紧看自己的投资盈亏，对基金的行情变化总是很紧张。

后来，当投资到 2016 年的时候，这一整年的投资收益都处于很低甚至亏损的情况，让我一度怀疑自己这种“偷懒”的投资方式是不是有问题，这一年最大的亏损达到–13%以上，还不如把闲钱存入银行获取稳定收益。但是，一方面我自己并不想在这种亏损严重的情况下把钱抽出来，让自己的首次理财试水以亏损失败的结果遗憾退场；另一方面，在决定定投前就经常看到别人提起“定投微笑曲线”，在行情下跌时“便宜”买入份额，行情上涨时就可以用高份额收获高收益。我想既然我选的就是这种定投方式，不如多坚持一段时间，看看是否会真的好转。

到了 2016 年年底，我的累计收益率开始增长，慢慢变成正的，2017 年 7 月的累计收益率达到了正的 11%以上。在经历了长期的投资亏损状态，而且已经投资 1 年多后，看到了这样的收益率情况，我迫不及待地赎回基金，最终收益率将近 11%。

3．投资收益与反思

至此，我的第一次基金定投，也是第一次理财经历就结束了，为期 20 个月左右，累计收益率是 11%，总投入 9600 元，几乎是我在学生时期通过打工和奖学金获取的全部闲钱，最终投资收益是 1056 元，对于自己来说是个还不错的结果。但是等我平复投资收益的心情后，发现其实在我赎回基金的时候，基金的收益率是呈现上涨趋势的，特别是在 2017 年年底。如果我能多坚持几个月，定投到那个时候，我的收益率可以达到 20%左右，翻了一倍！

现在想想自己之所以会因当时定投没有坚持到更高收益而后悔不已，主要是因为自己在开始投资前并没有设定一个收益目标，只是看着定投容易入手，就“说干就干”。如果自己有目标，那么达到目标后及时收手就好。而且，定投并不是短期投资，如果再有下次机会，我可能不会那么“患得患失”，坚持定投 2～3 年，达到投资收益目标再收手。

4．未来投资计划

现在我是刚刚参加工作的职场新人，于是我对于自己的投资有了第一步的目标，就是积攒买房和成家的资金，对于我而言，学生时期的基金定投不仅给了我收益和投资经验，还让我看到了“储蓄”的力量，如果不是每期投入基金，我可能都无法看到自己在学生时期近两年的闲钱可以积攒到 1 万元左右。

所以，我想继续通过基金定投，把自己的闲钱“储蓄”起来、“有效利用”起来，为自己步入职场的第一个目标积累资金，为自己未来的生活奠定坚实的物质基础。因为我知道，对于我这样一个职场新手，更重要的是认真工作，充实自己的工作技能，为自己增值，所以我不可能天天盯着股市行情，让理财影响到自己的正常工作与生活，而“省心省力”的定投方式就是我现在最好的选择。

老罗有话说：

关于定投，老罗一直在向大家强调两点“止盈不止损”“定投不是短期投资”，这篇文章的投稿人是金融专业出身的年轻人，可能更能理解定投的投资理念，也更容易接受定投暂时亏损的风险，坚持“便宜”买入份额。但是现实生活中很多投资者都无法在定投中做到“坚持”二字，或许来不及体会定投中“时间的魔力”就遗憾退场了。所以，老罗想再次向大家强调，如果决定开始定投，并且确定了投资目标，制订了投资计划，那么就请坚持到“微笑曲线”上扬的时刻，“赚够”再离场！

9.4 读者来稿三："职场精英&投资菜鸟"的基金定投之路

我是一名在职场打拼多年的打工者，就职于某上市公司，自进公司以来从基层做起，什么活都干过，经过多年的努力，从一名无名小卒到如今经理级别的岗位，可谓"功夫不负有心人"。这些年一直专注于努力工作、升职加薪，也没有花很多精力配置自己的资产，如今自己的工资扣除衣食住行、娱乐休闲等支出后，剩下的部分越来越多了，想了想辛辛苦苦赚的钱可不能白白被通胀"侵蚀"掉，那样就太对不起自己了。于是，一颗躁动的心让我迫不及待地踏入投资的大门。

首先，我评估了一下自己个人情况。在风险偏好方面属于稳健偏进取型，有风险才有高收益，适当的亏损还是可以接受的；在投资经验方面，以前没什么时间和精力研究投资方面的知识，仅把闲钱放入银行或余额宝，还买过银行理财产品，但这些途径都不用自己怎么操心，所以我几乎没多少投资技术和经验。不禁感叹自己"工作是精英，投资是菜鸟"！这多不甘心呀，我就上网搜一搜有哪些适合小白的投资渠道，开启我的投资之旅。

第一无疑是银行储蓄，可靠是可靠，但有点财商意识的人都知道银行的利率低得可怜，越存越贬值，首先就被我否掉了。第二是投资型保险，诸如分红险、万能寿险、投资联结险之类。但我自己对保险不怎么敏感，保险最主要的是预防保障功能，感觉衍生出来的其他功能会有很大的不确定性，想想还是算了。接下来在无意中发现了基金定投，看到了雪球上"老罗话指数投资"的一篇名为"投资要趁早，基金定投是个宝"的文章，让我深深地对基金定投产生了兴趣。

我翻看了老罗过去写的一些关于基金定投的文章，可以说已经把定投的方方面面都涉及了，而且都是干货级别的，造福了广大投资小白。总的来说，基金定投具有手续简单、省时省力、定期投资、进场不择时、复利效果、操作简单等特点，十分适合像我这样没经验、没时间、没精力但有稳定闲钱的"小白"。基金定投是一项中长期投资，关键看坚持，经历一个牛熊周期后方可获得收益，开始定投计划前一定要有长期战斗的心理准备。

我想着刚开始定投，处于摸索阶段，可能会有点懵懵懂懂，于是先采取较稳妥的策略，并在此期间不断学习和总结方法与经验。其中，老罗的组合定投方法正好与我的定投初衷不谋而合，构建组合定投可以更大程度地分散风险。为什么呢？他解释道：我国股市的指数涨跌幅在不同风格市场是不一样的，有时是大盘风格行情，有时是小盘风格行情，那么大小盘的混搭可以使组合表现更加优异。在不同指数变动趋势不同的年份，通过组合定投，我们可以实现每一年投资收益更加稳妥，达到收益的平滑，避免了因为大小市场风格因素的原因，导致只定投一类风格而使某些年份业绩表现较差。

老罗比较了沪深 300、中证 500 和创业板三个指数之间的相关性，发现三者关联程度并不高，其中沪深 300 和创业板指数之间的关联系数仅为 0.67。于是，我就尝试选择沪深 300 和创业板指数，从 2017 年 5 月开始定投，就像表 9.2 那样。

表 9.2　具体定投安排

买入时间	定投产品	定投周期	定投金额
2017.05.26	广发沪深 300ETF 联接 A（270010）	每周周五	500 元
	广发创业板 ETF 联接 A（003765）	每周周五	500 元

截至 2018 年 5 月 20 日，沪深 300 的投资收益率为 0.66%，创业板的收益率为 2.45%。我参照老罗的计算方法，算了算组合定投的收益率，并跟两只产品做了对比，如老罗的经验所道，组合的定投收益率均会优于表现最差的指数，甚至有时候会优于两个指数，充分发挥了组合能够分散投资风险的功能。

方法+运气，让我的定投计划事半功倍。我是 2017 年开始定投的，适逢 2017 年是大盘的天堂，2018 年是创业板的天地，持有到现在，虽受 2018 年前期波动影响，但我的定投组合收益还算可观，这也让我深深体会到组合的魅力所在。对此，特别感谢老罗推荐的组合定投方式，让我的定投之路有个好的开头。

经过大约一年的摸索与实战，对基金定投比较熟悉了，是时候玩些新玩法了。我自己也研究了传媒行业，如今传媒被估值较低，未来上涨空间挺大的。虽然行业指数风险会高一些，但我决定挪一部分钱去尝试一下，投资就是要在不断摸索和总结中成长的，因此，我开启新的定投计划，希望老罗日后能分享更多的方法和经验。

老罗有话说：

特别感谢这位投资者采纳老罗的组合定投方法！老罗之前一直推荐组合定投，正是考虑到大多基金定投小白们像这位投资者一样，没经验、没时间又有一颗投资欲望的心，才建议通过“指数基金+组合定投”分散投资风险，帮助大家收获稳定的收益。另外，组合定投是偏稳健型的，要想获得更高的收益，挑战行业指数基金也是不错的选择。但是，一方面自己要仔细研究该行业的情况，对其进行投资价值分析，只有做了功课才会对自己的定投计划更有信心，一味依靠别人的意见会使你变得摇摆不定，影响定投的效果。另一方面投资需要知识，更需要平和的心态，选择风险大的产品定投，一定要看淡涨跌，坚持定投，静待牛市止盈。

9.5　读者来稿四：老股民“弃股从基”的心路历程

我是一名普通的上班族，同时也是一家之主，不抽烟、不喝酒，也不爱打牌，为数不多的爱好就是倒腾电子产品和炒股。关于电子产品，基本上就是家里的手机、iPad、笔记本，而且换新比较快，新推出的产品我都会趁热买下，对于这一点至少我女儿是非常支持的，毕竟她也是“直接受益者”。但关于炒股，老婆孩子都非常不支持，还经常数落我，原因当然是因为自己又不是股神，赚的都是小钱，赔的却都是大头。

我之所以称自己是“老股民”，单纯是因为自己的“股龄”已经将近 10 年了，从 2006 年起就被朋友拉着炒股。刚开始的时候，主要都是听稍微有点经验的人推荐股票，或者是听新闻股评，跟风的情况居多，抱着侥幸心理把手上的闲钱都投进去了，结果可想而知，赔得挺惨。后来开始自己琢磨，看公司的财报、看热点概念，每天关注大盘大势去选股，有时候确实能够小赚一笔，这时候就会有点自我膨胀，觉得自己还是有点炒股的本事的，但后面多次的失败残酷地说明了我的运气只是好了那么一两次而已。

后来老婆给我算了一笔账，说我这些年来亏的钱，都够买一辆路虎越野车了，唉，不知不觉竟然亏了这么多了，我也开始反思，确实这么多年炒股技术和判断力没有长进多少，而且平时要上班，也没有时间和精力深入学习。能找到一只值得长期持有的价值股需要很多专业知识，而短线操作又“赚钱难亏钱易”，好多次都是刚赚了点钱，就又被套住了。反复考虑，我不能再这么冒险地炒下去了，还把这么大的风险让老婆帮我承担，非常不负责任。于是，2015 年牛市时我小捞一笔，回了点本之后，就果断退出了。但是，家里的闲钱也攒下了一些，总需要理财吧，银行利率一年不如一年，都快抵不过通账了，我心里盘算不如改投基金！其实，在我炒股的时候就发现了，大盘或者板块指数表现好的时候更多一些，而且很多次我都是“倒霉”地选中涨得不好的那只股，连大盘都跑不过。所以，这一次，我看中了指数基金。

作为股民，我经常在雪球上看帖子，有幸关注了老罗，跟着他学指数基金的投资知识。本来打算一次性买入，或者分批买入的，但了解到定期定额后，觉得这种固定的分批进入的方式更加省事，而且资金分散进入降低了风险，通过摊薄成本增加收益也很有说服力，于是在说服老婆之后，我就马上开始了！

说干就干！我从 2016 年 7 月开始的定投，因为没有什么定投的经验，保险起见，就只定投了沪深 300 的 C 份额，后来看收益还不错，两个月后就又开始定投消费 ETF，沪深 300 每周定投 5000 元，消费 ETF 每周定投 2000 元，自认为这种搭配还是比价稳妥的：宽基+人人都需要的消费行业，一直坚持，几乎没有停过，到 2018 年快过年的时候，家里的闲钱都投入得差不多了，置办年货、给晚辈准备压岁钱等，各方各面也需要短期周转一下，就跟老婆商量把份额都赎回了，可喜的是，最后的收益率都达到了 20%以上，如表 9.3 所示。

表 9.3　定投持仓明细表

产品名称	期　　限	定投成本（元）	总盈亏（元）	定投累计收益率
沪深 300ETF 联接 C 002987.OF	2016.7—2018.2	400 000	88 600	22.15%
中证全指 主要消费 ETF 联接 C 002976.OF	2016.9—2018.2	144 000	34 862	24.21%

能拿到这样的收益我是非常满意的，要知道跟我亏一辆车钱比起来，这样稳定的投资是十分难得的。一共定投了将近两年的时间，投入了 50 多万元，最后收益有 12 万元，比大多数股民的收益都要好。这次退出来是因为家里要用钱，

所以才停止定投，结果还挺幸运地止盈在了比较高的位置，以后要多跟老罗学止盈的方法，不然下回错过就可惜了！

看来，对于我这种天资浅薄的小股民，“发大财”的愿望还是非常难实现的，但想通过长期的投资获得比较稳定的收益，只要选对方法还是比较容易做到的。选择指数基金，我非常明确地知道，我赚的就是整体市场行情的钱，如果未来市场大涨，出现牛市，指数上涨多少幅度，我就能把多少收益装进口袋，根本不用担心会选中一只“半死不活”的股，这样我就能稳稳当当地搭上牛市的顺风车。但是，在资本市场里，风险和收益是成正比的，我承担的风险比炒股的时候低了很多，所以我也适当放低了自己的收益预期，不会再像年轻的时候那样做“一夜暴富”的梦了。

我这也算是一种及时止损吧，我感觉不能再这样不负责任地、盲目地把多年的积蓄投入到股市中，押注到一两只股票上，所以转而做定投，买指数基金就是我的止损策略。在股市的“苦海”中挣扎了多年，我终于决定“上岸”了，股市说到底还是围着主力资金运转的，“资本的游戏”也就注定了，像我这样的小散户想要分得一勺羹有时候靠的真的只是运气而已。所以，不管自己的选择是什么，认清楚自己投资的市场比什么都重要。“纸上得来终觉浅”，如果有条件，亲自去尝试，之后才知道什么是最适合自己的，也才知道自己是不是那块料。

老罗有话说：

特别感谢这位投资者对老罗的信任，也谢谢他对于指数基金定投理念的认可，对于这个定投的故事，老罗想说两点，（1）能选场外指数基金定投的时候尽量选场外指数基金定投，因为场外指数基金能自动扣款，而场内 ETF 等指数基金需要手动买入，容易受市场波动而改变了自己定投的初衷。（2）定投选择场外指数基金的 A 份额，而不要选择 C 份额，因为定投时间周期通常会超过 2 年，这样一来选择 A 份额会比 C 份额费率更划算。

附录 A　定投问题解惑

1．基金定投的原理是什么？

答：基金定投是定期投资基金的简称，指在固定的时间、以固定的金额、自动扣款投资到指定基金的投资方式，是一种简单实用的“懒人投资法”。基金定投是依据牛市、熊市交替出现而设定的投资策略，其通过等额投资的方式在牛市获得较少的份额，在熊市获取较多的份额，从而实现摊低成本，最终获取平均收益的目标。

2．定投更适合什么样的人群呢？

答：基金定投适合的人群包括但不限于：（1）上班族——有一定收入来源，但没有时间或者缺乏必要的理财知识；（2）月光族——强迫储蓄的年轻一族；（3）风险偏好较低又想分享资本市场收益的投资者——通过定投摊低成本、分散风险；（4）有长期理财规划的人——有子女教育金、养老金等大额支出。

3．基金定投相对于一次性投资的优势是什么？

答：个人认为基金定投相对于一次性投资的优势主要表现在：（1）省时省力，无须花费大量精力研究市场，可以专注于自己的事业或感兴趣的事情；（2）强制储蓄、积少成多，利用复利效应，为日后大额支出储备弹药；（3）分散和摊平风险，由于定投分批买入，风险相对分散，且在下跌的市场还可以不断摊低成本，投资者不至于因市场的一时波动影响正常的生活和情绪。

4．定投选择基金的 A 份额好还是 C 份额好？

答：定投通常选择基金 A 份额，这主要是由于 A 股定投周期通常是 3～6 年，A 份额通常超过 2 年就没有赎回费了，而 C 份额每年要额外收取销售服务费。通常而言，基金的 A 份额适合长期投资，C 份额适合短线投资。而基金定投一般持有周期较长，故从费率角度考虑，定投会选择同一只基金的 A 份额进行定投。

5. 每月定投多少金额比较合适？

答：定投首先不能影响你的生活质量，否则很难坚持下去。其次，定投要做好规划，预计未来几年内是否会有大额开支，不要让大额开支影响到定投计划的坚持。最后，计算自己的每月可支配收入（可支配收入=收入–支出–存款）为多少，那么将可支配收入的30%～50%用于定投，会是一个比较合适的比例。

6. 基金定投对于择时的要求高吗？

答：相比一次性投资，基金定投对于择时的要求应该是比较低的，投资者在大部分时间都可以开始定投，定投的投资者更应该关注的是其未来的现金流而非对市场位置的判断。当然，定投择时要求不高并不代表定投不需要择时，特别是定投退出的时点对定投收益的影响很大。之前老罗就说过，定投的关键是牛市止盈，何时是牛市呢？当你发现股市热情高涨、身边处处是“股神”的时候，就要小心点，这个时候应该考虑定投止盈了。

7. “市场下跌就要停止定投，这样才能减少损失”这种想法对吗？

答：市场下跌时停止定投是人之常情，但这却是一种错误的想法，实际上老罗一直认为基金定投要坚持“止盈不止损”的原则。定投收益主要来源于市场下跌时购买的低成本基金份额，如果在此时停止定投，就错失了逢低摊低投资成本的机会。

8. A股市场是否适合基金定投？

答：根据定投的设计原理，最适合定投的市场应该是波动较大、但整体趋势向上的市场。在指数上表现为先跌，而后低位盘整较长时间，最后再一冲而上的市场最适合定投。以这个标准来看，老罗觉得A股市场“牛短熊长”的特点其实是比较适合基金定投的。很多投资者盯住上证综指十年不涨，由此得出A股市场不适合定投的结论，殊不知上证综指作为A股市场基准存在很大偏差。如果以国证A指为参照基准，实际上从2005年年底到2015年年底这10年间A股的年化收益率超过21%，是个标准的向上的牛市。

9. 为什么说基金定投越早开始越好？

答：很多投资者想在出现底部、或者市场明朗时才开始进场投资，而实际上未来市场永远存在不确定性，站在现在看过去的 K 线图，市场总是很明朗的。在市场中，当你看明白时，机会已经过去了。

老罗曾做过一个测算，假设投资者 60 岁退休时需要储备 100 万元的养老金，以 1985－2014 年期间定投美国标普 500 指数的实际收益率计算（其间经历过几次牛熊市）：如果 30 岁开始定投，每个月只需投资 800 元；如果 40 岁开始定投，每个月需投资 2220 元；如果 50 岁才开始投资，则每个月需要投资 5260 元。所以，早发现定投的美，并尽早开始定投是大部分投资者的最优选择。

10．定投基金的选择也很关键，应该选择哪类基金进行定投？

答：对于定投的基金，老罗比较推荐长期高收益、短期高波动的股票指数基金。之所以觉得股票指数基金最适合定投，主要原因包括：（1）投资理念一致性：指数基金与定投均认为市场无法战胜，投资者要做的是分享市场收益，且两者投资周期均为中长期。（2）指数基金长期高收益率、短期高波动率最适合定投，且能克服人的主观情绪影响。（3）指数基金费率更低，费率优势在长期复利效应下，优势更加明显。另外，选择指数基金作为定投的基金，老罗更喜欢选择“三高”的指数基金进行定投，即选择高成长性、高波动率、高景气度的指数作为定投基金标的。

相比于高弹性的指数基金，货币基金和债券基金就不适合用来定投，它们收益较稳定，定投效果和一次性投资效果差距不是太大，而股基波动较大，更适合用定投来均衡成本和风险。而相比主动基金而言，因为指数基金不易受基金人员变动影响，并且费率低廉，所以它被大家认为是定投的较好品种。

11．选择业绩排名第一的基金是否一定好？

答：随着基金行业竞争的日渐激烈，基金排名每年的变化都很大，加之过往业绩并不代表未来收益。故而，有些投资者一味地选择往年业绩排名第一的基金并非最佳办法，而且也不要单纯只看短期回报率排名，建议投资者最好选择长期战胜大盘最终超过同类产品的基金。

此外，还有一部分投资者以为选择定投方式就不用考虑所选基金产品的赚钱能力了，这也是不可取的。在选择定投基金的过程中，不仅要看基金产品的发行情况，还要根据自己的风险承受力来选择股票型、混合型、指数型等产品。

其次，还要看公司管理资产的能力、团队的敬业精神和经营操作水平，在选择时把赚钱能力强、品牌声誉好的基金列入可选择范围。

12. 止盈赎回之后是不是就不再定投了？

答：在定投止盈赎回之后，投资者往往会拿到一笔丰厚的赎回金额，然而很多人并没有明确的目标，不知道该怎么制定赎回之后的投资策略。其实将赎回金额作为本金继续定投，直至下一次牛市的到来，这样周而复始、积少成多，滚雪球优势会越来越明显。（1）将赎回金额作为本金，以原有方式继续定投。（2）在原始定投金额不变的基础上，将赎回基金均摊加投。（3）增加另一只指数，以组合的方式继续定投。

13. 基金赎回只能一次赎清吗？

答：定投基金可以一次性赎回，也可以选择部分赎回或部分转换。另外如果在牛市到来的时候，投资者不能准确判断最高点的位置，担心当前并不是市场的最高点或是市场即将下行，那么这时候可以选择分批赎回。总之，基金定投并非一劳永逸，掌握投资窍门，避免走入误区，才能真正挖掘定投的矿藏，让“时间的玫瑰”得以绽放。

附录 B　广发基金旗下主要定投指数品种一览表

指数类型	指数风格	跟踪指数	对应指数的基金代码	成立日期	规模（亿元）
宽基指数	大盘	沪深 300	270010	2008-12-30	15.58
		深证 100	162714	2012-05-07	0.82
	中盘	中证 500	162711	2009-11-26	23.76
	小盘	中小 300	270026	2011-06-09	1.94
		创业板指	003765	2017-05-25	2.81
行业指数	成长标兵级	全指信息技术	000942	2015-01-29	2.49
		中证传媒	004752	2018-01-02	1.84
	医药卫生	全指医药卫生	001180	2015-05-06	9.08
		中证医疗分级	502056	2015-07-23	1.77
	蓝筹底仓	全指金融地产	001469	2015-07-09	2.06
		中证全指家电	005063	2017-09-13	0.81
主题指数	新兴产业	中证环保产业	001064	2015-03-25	10.30
		中证养老产业	000968	2015-02-13	5.61
	反弹先锋	中证军工	003017	2016-09-26	1.23
海外指数	科技盛宴	纳斯达克 100	270042	2012-08-15	6.50
		纳斯达克生物科技	001092	2015-03-30	2.45
	全球投资	全球医疗保健	000369	2013-12-10	1.28
	美国石油	道琼斯美国石油	162719	2017-02-28	0.56
	REITS	美国房地产	000179	2013-08-09	1.10

注：对应指数的基金代码均选择基金的 A 份额，家用电器指数基金、中证军工指数基金、传媒指数基金和创业板指数基金均为发起式指数基金，发起式指数基金合同要求 3 年到期日需要满足 2 亿元规模，否则产品面临到期清盘的风险。规模数据截至 2018 年 6 月 30 日。